Michael Mann · FRAGMENTE EINES LEBENS

Ihnen, Frau Kahler
mit freundlichen Grüßen –
unbekannterweise –

Sally P. Tubach
Frederic C. Tubach

Michael Mann

FRAGMENTE EINES LEBENS

Lebensbericht und Auswahl
seiner Schriften

von
Frederic C. und Sally P. Tubach

*Mit 20 Abbildungen
und Faksimiles*

edition spangenberg
im Ellermann Verlag

FÜR GRET

edition spangenberg im Ellermann Verlag
© 1983 Verlag Heinrich Ellermann, München 19
Umschlaggestaltung: Edda und Jörg Greif
Alle Rechte vorbehalten
Printed in Germany
ISBN 3-7707-0205-0

INHALT

VORWORT

... großzügig versehen mit einer ungeheueren
Multiplizität von allerdings fragmentarischen
Seinsmasken, aus denen sich eine Identität her-
stellen läßt, hat der Gegenwartsmensch sich Pro-
teus angeglichen, dem griechischen Gott, zu dessen einzigartigem Talent die Lust gehörte ... sich
zu verwandeln.

James Ogilvy

In diesem Buch kommt Michael Manns Wesen in seiner
Vielfalt zum Ausdruck: jedem Kapitel liegt seine eigene Zeit,
sein eigener Lebensrhythmus, seine eigene Chronologie zugrunde. Es bleibt dem Leser überlassen, wie er sich aus den
Texten Michael Manns und der ihm in den verschiedenen
Lebensphasen nahestehenden Menschen ein ganzes Bild machen will, auch ob er das Buch zunächst nur durchblättern, oder
gleich im Zusammenhang lesen will; die Anordnung der
Beiträge wie die – durch *Kursivdruck* gekennzeichnete – Darstellung der Herausgeber läßt beide Möglichkeiten zu.

Michael Manns »unruhige Optik« und die Sprunghaftigkeit
seines Lebens machen es unmöglich, ihn an die Logik zeitlicher
Abläufe zu binden. Trotz seiner familienbedingten Sonderheit
ist er typisch für jene schöpferischen Menschen unserer Zeit,
denen es um den Abbau der Identität als Einheit geht, mag sie
sich nun Gott, Person, Wesen oder Staat nennen.

Uns lag nicht daran, seine ausgeprägte Persönlichkeit in die
Ahnengalerie der Familie glatt einzureihen; Michael Mann
suchte in ihr zwar seinen Platz, und je älter er wurde, desto
bestimmter, aber er verstand es auch immer wieder, sich von
der Familie abzusetzen. Défi à la famille – kühne Ablehnung
und unentrinnbares Verfallensein. So lebte er jeden Widerspruch in seiner Zeit restlos aus. Maßlos und diszipliniert,
gläubig und zynisch, spontan und voller Kalkül lebte er in einer
Fülle, die nicht mehr beansprucht, als fragmentarisch zu sein.

Orinda, Kalifornien, 1983

KAPITEL I

MUTTER UND SOHN

> ... Michael, [der] unter gefährlichen Umständen,
> im Kanonendonner, an dem Tage das Licht er-
> blickte, an dem nach dem Sturz der Räterepublik
> die »weißen« Truppen in München einzogen.
>
> Thomas Mann, *Lebensabriß*

THOMAS MANN, »TAGEBÜCHER«:

Montag den 21. IV. (2. Ostertag) [1919]

Ich erwachte 6 Uhr von Schritten über mir und erkannte, daß die Geburt begonnen, K. im Bade. Schon nach Mitternacht hatte es angefangen. Seit frühem Morgen war die Köckenberg da. Ich legte mich noch einmal, stand 7 Uhr auf. [...] K. leidet sehr. Ihre Mutter kam erschüttert herunter u. A. sprach von Morphium, ist übrigens gelassen. [...] Es ist vorüber, ein gesunder Knabe zur Welt gebracht. Der Verlauf sehr schwer, schreckliche Stunden, entnervend besonders das Warten in der Allee auf die Droschke, die den Assistenten mit den Instrumen-ten bringen sollte; denn die völlige Fruchtlosigkeit der äußerst qualvollen Eröffnungswehen seit 8 Uhr machte den Zangen-eingriff notwendig, u. auch Amann schien ungeduldig. Die Operation war dann bald geschehen. Erika meldete mir den »Buben«. Starkes Weinen K.'s nach der Narkose, erschreckend, aber nicht befremdend. Dann Beruhigung. Hübsch die Gratu-lation der Kinder, an deren Spitze Erika das Kleine ans Bett brachte. Er scheint vom Typus von K.'s Zwillingsbruder. Saß längere Zeit an K.'s Bett. Verabschiedung von den Ärzten. Mittagessen mit K.'s Mutter und der Köckenberg. Große Erleichterung. In K.'s Sinne sehr froh über das männliche Geschlecht, das für sie ohne Frage eine psychische Stärkung.

9

KATIA MANN, »MEINE UNGESCHRIEBENEN MEMOIREN«:
Ich war immer verärgert, wenn ich ein Mädchen bekam,
warum, weiß ich nicht. Wir hatten ja im ganzen drei Buben und
drei Mädchen, dadurch war Gleichgewicht. Wenn es vier
Mädchen und zwei Buben gewesen wären, wäre ich außer mich
geraten. Aber so ging's. Mein Mann war viel mehr für die
Mädchen. Obgleich er ein Mädchen für nichts Ernsthaftes
hielt.

KLAUS MANN, »KIND DIESER ZEIT«:
[...] ich schenkte [...] Mielein, zur Geburt von Bruder Bibi,
eine Komödie, die unter den Dienstboten unseres Hauses
spielte, ihre Zänkereien behandelte und »Die Schlacht« hieß.
Mir schien sie sehr drollig und als Wochenbettgeschenk
bestens geeignet, mein Vater aber erklärte mir bei Tisch
rundheraus, daß sie eine »Taktlosigkeit sei, die nur meine
große Jugend entschuldigte«. Ich war vollkommen fassungslos.
[...] Eine Streitschrift gegen die Religion stammt aus meinem
dreizehnten Jahr. Sie beginnt mit den Sätzen: »Ich glaube
nicht. Seitdem ich nicht mehr an den Klapperstorch, an den
Nikolaus glaube, glaube ich nicht mehr an die Religion. [...]
Ich erinnere mich, daß ich die »Streitschrift«, im April 1919,
nicht in meinem Zimmer, sondern auf der Diele verfaßte,
während meine Mutter Bibis Entbindung überstand. Der
Geheimrat, der bei meiner Mutter war, ertappte mich bei der
Arbeit, las die Polemik und freute sich über sie: er war genau
meiner Ansicht.

KATIA MANN *sagt über den Ersten Weltkrieg in ihren
ungeschriebenen Memoiren:*
Da war noch folgendes: es war Mietzwang. Wir hatten fünf
Kinder und hätten einen Zwangsmieter in das Haus aufneh-
men müssen.
Das Jahr drauf kam dann das sechste Kind. Da ging ich aufs
Amt und sagte: Wir brauchen jetzt keinen Zwangsmieter
aufzunehmen, wir haben noch ein neues Baby.
Da sagte der Beamte: Dazu hatten Sie kein Recht!

[...] Im ganzen hatten sie eine ganz nette Kindheit. Schon allein die Tatsache, daß sie so viele waren und sich untereinander verstanden, machte, daß sie immer Gesellschaft hatten. Das Haus war groß.

Katia Mann hat die Briefe aufbewahrt, die ihr jüngster Sohn ihr geschrieben hat. Aus den Jahren 1933–1941 und 1949–1972 sind über achtzig, oft ausführliche Briefe erhalten, voller Familienjargon, persönlicher und literarischer Anspielungen auf Freunde, Feinde, Verwandte und Bekannte – und vor allem voller Geldsorgen und gewissenhaft aufgezeichneter Berichte über seine musikalischen Fortschritte und Pläne. Schon in der sprachlichen Haltung – spontan, verspielt, ausschweifend – will Michael eine ganz von ihm geprägte Beziehung zur Mutter schaffen, trotz des berühmten Vaters und trotz der geschichtlichen Ereignisse. Die Briefe beschäftigen sich vor allem mit Alltäglichkeiten, wehren jede Form einer Vereinnahmung in den öffentlichen Rahmen der Familie ab. So kommt in diesen Briefen verdrängtes Leben in seiner ganzen Vielschichtigkeit zur Sprache.
Der erste erhaltene Brief wurde unmittelbar nach dem Tag von Hitlers Machtergreifung geschrieben:

31. Januar 1933
Meine sehr verehrte Frau Katia!
Nun ist also der große Tag vorrrüber! Die Wiedergeburt eines *Nationalen* Deutschlands ist glücklich vonstatten gegangen. Gestern wurde der Tag natürlich auch entsprechend gefeiert. Vormittags war eine große Ansprache von [unleserlich], Direktor des Schülerheims Neubeuerns, das Rednerpult war mit einer ▰▰▰ Fahne bedeckt! In der Aula prunkten zahlreiche ▨ Fahnen, was natürlich allgemeine Freude und Genugtuung zur Folge hatte; Abends war ein höchst feierlicher Umzug, wo natürlich auch eine Gruppe der unbesiegten SA nicht fehlte. Deutsche Männer sangen das »Horst Wessel« Lied in einer deutschen Nacht – Herr Schilling

und ich haben deutsch gekotzt und uns noch deutscher geweigert am Geburtstag des dritten Reichs teilzunehmen.

Gestern habe ich 6 Stunden geübt! Am Samstag fahre ich mit dem Privatauto eines Mitschülers nach München, weil ich auf Platte aufgenommen werde! Muß aber leider am Samstag Abend schon wieder zurück. In der Schule geht es mir ganz gut: habe in Naturkunde wieder meine 3, in Deutsch bekomme ich leider wegen der letzten [unleserlich] 2, im Gr. 3 oder 4. Jedenfalls falle ich nicht durch! – – – (komme ganz gut durch). Und jetzt kann ich wohl nicht mehr umhin mit meinen Osterplänen herauszurücken: Ein sehr netter Lehrer, Dr. Wenzel, nimmt einige Schüler mit nach Italien: Rom, Florenz, Venedig!!! Vielleicht ahnst Du schon worauf ich hinauswill. Aus dem Ötztal wird vielleicht nichts, übrigens kostet es eben so viel; es ist nicht im geringsten gefährlich, da ich ganz unter dem Schutz des Dr. Wenzel stehe! Alles dauert 10 Tage! Es wäre wirklich zu herrlich wenn –! Aber jetzt kommt das *schreckliche*, was nicht hätte kommen dürfen: Es kostet im ganzen, mit Reise: – 150 RM.

Es unzeitgemäß, es ist unverschämt Dich so etwas zu bitten, aber vielleicht als Geburtstagsgeschenk! Jedenfalls antworte mir bitte sehr schnell! Auch wenn Du es nicht erlaubst, immerhin hätte für das Ötztal das gleiche Sümmchen gerechnet werden müssen!

Also: Heil(*t*) Hittler
Bibi
[...]

NB. Herr Heumann ist auch ins Ausland!

Sehr geehrte Frau Doktor!

Nun ist also der große Tag vorüber!
Die Wiedergeburt unseres Nationalen Deutschlands
ist glücklich vonstatten gegangen. Gestern
ertönten wieder der Tag verkündigend viele wetterschwere
Schläge Lieder, sowie das Schulradio unsere Hausbewohner,
das Ruhmweglist war mit einem [Hakenkreuzfahne] Jubel bedeckt!
In der Nacht gewöhnten gestern [...] Fahnen, was
natürlich allgemeine Freude und Bewunderung zur Folge
[...] hatte; Obwohl wir [...] Menschen [...]
[...] natürlich [...]
[...] SA nicht fehlte. [...] Stimmen [...]
[...] sind in einem Deutschen Herz-
[...] Schilling und ich haben Deutschland [...] und
uns mit Deutschen [...] bei [...] das
[...] mitzunehmen [...]

Gestern [...] Stunden [...]!
Am Donnerstag fahren ich mit dem Privatauto unseres
[...] noch [...], weil ich viel Platten
aufgenommen werden! [...] aber wieder am
Donnerstag Abend schon wieder zurück.
In der Schule geht es mir ganz gut: habe in [...]
[...] meine [...] in Deutsch bekommen ich bei der vorigen
der letzten [...], im ca. 3 oder 4.
Jedenfalls fallen ich nicht durch! — — — [...]
So — nun jetzt komme ich wohl nicht mehr umhin mir meinen [...] hinaus zuwünschen: Bin jetzt unter
[...] du [...], nimmst einigen Schüler mit nach
Berlin: Rom, Florenz, [...]!!! — —
vielleicht erholt die schon vorauseilt hinaus will.
Aus dem Osten wird vielleicht nichts, übrigens kostet
es eben so viel; Wie nicht ein [...]

13

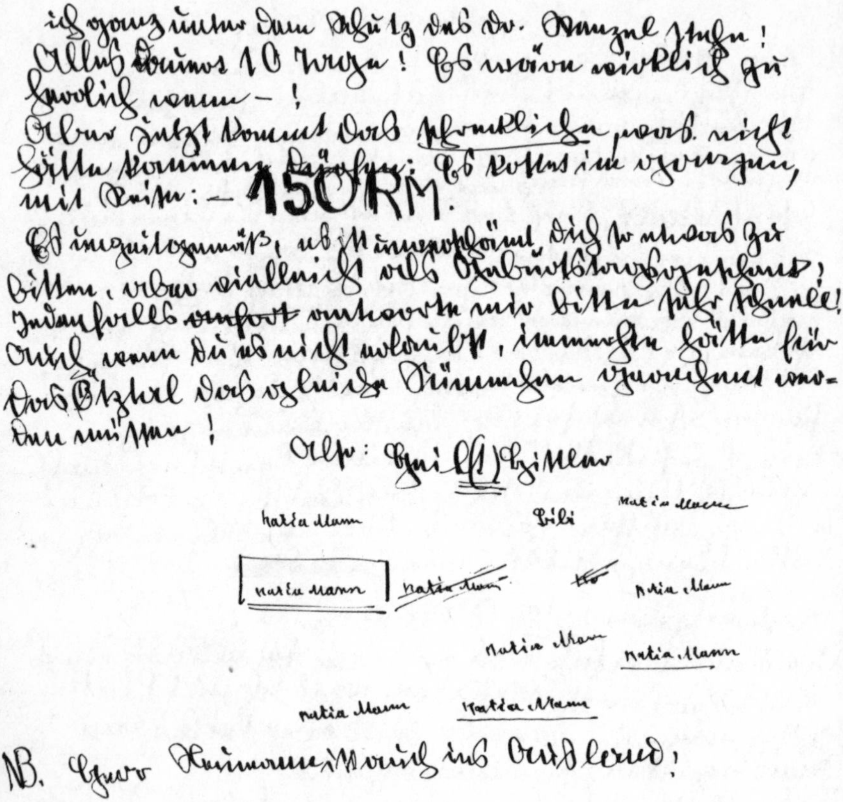

ich ganz unter dem Schutz des Dr. Wenzel stehe!
Alles kaum 10 Tage! Es wäre wirklich zu
herrlich wenn — !
Aber jetzt kommt das Schreckliche, was nicht
hätte kommen dürfen: Es kostet im ganzen,
mit Reise: — 150 RM.
Es ist ungeheuerlich, ich schäme mich dich so etwas zu
bitten, aber vielleicht als Geburtstagsgeschenk?
Jedenfalls sofort antworte mir bitte sehr schnell!
Auch wenn du es nicht erlaubst, immerhin hätte für
das Bezahl das gleiche Kummer geweint werden müssen!

Also: Heil(!) Hitler

Katia Mann Bibi Katia Mann
Katia Mann Katia Mann Katia Mann
Katia Mann Katia Mann
Katia Mann Katia Mann

NB. Euer Kummer ist wirklich ins Ausland!

Auf das Betteln um Geld bei der Mutter verstand sich Michael besonders gut. Es ist ein Thema mit vielen Variationen. Ein *Bettelbrief aber ist unverblümt und ohne die Umschreibungen, mit denen er sich und seine Mutter gewöhnlich unterhält:*

Mittwoch [Paris, 18. März 1937 (?)]

[...] – Jetzt aber etwas *ganz* peinliches und arges und ernstes:
Ich muß Dir einen regelrechten *Bettelbrief* schreiben; ich hatte
dies bis jetzt vermeiden zu können geglaubt, aber weil man uns
jetzt *noch* länger hinhält, als es geplant war, komme ich halt
doch nicht darum herum.

– Was ich nun aber der Bettelei voraussetze, soll nicht etwa eine
Entschuldigung sein (denn das gibt es da garnicht) sondern nur
eine kleine Erklärung, daß Du nicht zu erbost bist. Ja also: Du
weißt, ich habe ein viel zu teures Zimmer, welches ich auch nur
deshalb genommen und behalten habe, weil ich doch fest mit
Konzerten gerechnet habe. Für dies Zimmer zahlte ich, (da
auch noch die Differenz des letzten Monats vom kleinen zum
großen Zimmer gezahlt werden mußte) diesen Monat 600 Fr.
Außerdem gab es noch eine Wäscherechnung von 80 Fr. und
eine kostspielige Bogenbespannung. Was blieb da noch? Das
reichte bis zum 8. März. Dann borgte mein Hausgenosse, der
Perfumfabrikant [...] mit in Hinblick auf das bevorstehende
Konzert, so daß ich bis zum 20. zu leben habe. Bis dahin
versprach ich auch Rückgabe. Nun wird aber ein Konzert
ja frühestens Anfang April sein und er stellt – berechtigterwei-
se – Forderungen. – Das ist die Erklärung.
Jetzt kommt die Bettelei: ich müßte um meine Schulden
zurückzahlen zu können und um bis zum Ende des Monats zu
leben die ganz grauenhafte Unsumme von 110 *Schweizer*franken haben. – Das ist für pauvre emigré *garnicht* angemessen,
das weiß ich *recht* wohl und es darf auch nicht mehr
vorkommen. Aber ich *schwöre* es Dir (– und zwar nicht auf Art
der gewöhnlichen Bettler, denn sie schwören das immer), daß
ich das von meinem ersten Konzertverdienst zurückzahle. Ja
Maman: ich *schäme* mich, – aber kannst Du es mir gleich
schicken? ich pfeife aus dem letzten Loch. – – Das war nichts
schönes, kann man nicht sagen.
[...] – Nimm mir das alles nicht zu übel, ich bin schon
beschämt genug. Bald mehr und BESSERES von

B.

Wünsche für Christmess 1938
(Zur Auswahl-)

(grüne) Manschettenknöpfe.

an Praktischem: Handschuhe (= hell- schweinlederartig)
Weste, blaue Hausbose.

feines Hemd. (auch WEISSE Hemden = zum dunkelblauen Anzug)

ein buntes (vielleicht ROSTBRAUNES) Hemd

ein Pyjama: SCHARZE oder WEINrote SEIDE

englische Pöms-Pantoffel: in der Art, wie die Letzten; mit Absätzen!

eine Joppe in der Art, wie mein Braune: vielleicht discret lackiert... aber ROT!

Amerikanisches Lederwestchen: nach Art des Letzten; vielleicht dunkelblau.

dunkelblauer Pullover mit Armeln. Armelloser Pullover (grüne)

graue Schuhe

schöne sportliche Socken mit innerlichem Gummiband.

feine Taschentücher: Omi-grün-blau oder rot.

bunte Halstüchlein

schöne Mappe (= Notenmappe)

Noten ständer

Riemann Musiklexikon

grammophon

geigenkasten

Elektrisches Metronom

Portemonai

Zigaretten etui

Desk- füllfederhalter. Schwarze Brielmappe.

Armbanduhr

Feuerzeug

Gedulds-Japanisches geduldsquetschen Kreuz...!

Kleiner Artistischer Teppich fürs Zimmer (statt des blauen)

"Soir de Paris" Eau de Cologne (dies nicht sehr teuer)
Yardly- Produkliste: Badesalze, Blumendüfte und diverse Seifen.

Rembrandt - Boticelli - Leonardo - Michelangelo oder Cézanne-
Album: (Phaidon-Verlag)

Während seines Geigenstudiums in Paris schrieb Michael ausführliche Briefe: Aperçus aus dem Pariser Emigrantenmilieu, Musikpläne, Stellungnahmen zu Büchern, Bemerkungen über Freunde und Bekannte und, vor allem, Bitten um weitere finanzielle Unterstützung. Der achtzehnjährige Musikstudent schreibt in die Schweiz:

14. September 1937

Sehr liebe Frau Mama –: Inzwischen seid ihr ja wohl schon in den Süden gefahren, – und der Brief wird wahrscheinlich in der Waschküche oder bestenfalls auf dem Plattenschrank in der Diele liegen bleiben, trotz Maries Sonnigkeit. – Wie ist es denn? und vorallem, wie *war* denn wohl die Fahrt? – Das mit dem Gotthart ist ein *Segen* –, übrigens: wußte ich es *längst*. Aber auch damit, daß Herrpapale einen Artikel über Masaryk verfaßte, konntest Du, – Alfredchen – mich nicht überraschen: erfuhr ich es doch schon, als ich unlängst zum letztenmal mit Herrn Schwarzschild zu Abend speiste, von ihm selbst – ha ha. Das war mit dem Aissignaus; es war überhaupt ein sehr nettes und ergiebiges Zusammensein: Nachdem man sich zunächst etwas verfehlt hatte (Hotels verwechselt und so weiter –) trafen wir uns zunächst einmal zum Abendessen – wiegesagt trafen bei dieser Gelegenheit Schwarzschild (was übrigens nicht einmal so sehr angenehm war, weil der Klaus doch etwas gespannt mit ihm steht) – und dann schauten wir uns die Electra von Yiraudoux (– *wahrscheinlich ganz* falsch geschrieben) an: ich verstand nicht viel, aber doch etwas. Es schien mir ein sehr merkwürdiges Stück zu sein, – aber ich bin ja ungebildet und darf nicht mitreden. Nachher gab es sogar noch *Champagner* – Du siehst, es war ein sehr *schöner* und *feiner* Abend. Der Klaus war auch ganz wohl und vergnügt. – Und jetzt bin ich also wieder allein in der großen Stadt, – mein Freund Simoni (der, den Du fälschlicher Weise für einen Wüstling hältst) ist auch noch nicht zurück, und der Armand (der übrigens gar nicht fassen konnte, daß es *so* nette Menschen gibt, die dabei NICHT einmal Kommunisten sind) (er hat Dir doch wohl geschrieben) ist ja sowieso fast nie zuhause. (Er will übrigens noch an Tenni schreiben.) – und

Parphüm-fabrikant Zydower ist eben doch auf die Dauer kein
sehr würdiger Umgang. Aber es geht mir – und Du hast es wohl
schon aus meinem flotten Tönchen herausgelesen, – trotzdem
ganz gut. Ich weiß die Reize und Vorzüge von Paris wieder
etwas mehr zu schätzen – es kommt wohl auch wirklich von
dem Plan eines gelegentlichen Reisleins – alles in allem führe
ich ein recht geregeltes und arbeitsames – fast –: Herrpapale-
leben. Die englischen Studien wurden bis jetzt auch nicht
vernachlässigt: ich kann zum Beispiel schon sagen: to be or not
to be, – that is the question! – Das ist doch jedenfalls schon viel
besser, als hop hop hop la balle bondit... Aber, was mein
französisch anbelangt, so muß ich mich ja leider rühmen, daß
unser Hausdiener, der mir allerdings wohlgesinnt ist, zu mir
sagte, ich spräche für die kurze Zeit, die ich hier sei, schon recht
gut. – Aber Maman: Es *hat* und *hat* keinen Sinn, daß ich es Dir
verhehle, wie ich es eigentlich vorhatte: ich hatte, als ich
hierherkam, ja noch 40 Franken (249 Fr.) Schulden. Ich wollte
mir das zwar jetzt eigentlich vom »Gehalt« absparen, aber bei
diesen Zeiten, *ist* es nicht zu machen. Nun mußte ich eben die
für andere Zwecke bestimmten Gelder dafür hinlegen, die sich
ja gerade mit der Schuld deckten – und kann mir also die
verschiedenen Sachen nicht kaufen. Darunter leidest *Du* ja
wenigstens nicht – und ich ja schließlich auch nicht zu sehr.
Nur mußte ich es Dir doch sagen, um den Verdacht einer
Unterschlagung, den Du vor allerdings ziemlich langer Zeit
einmal auf mir ruhn ließest, doch nicht zu rechtfertigen. – Aber
Du darfst mich *nicht* schimpfen: es ist doch schon *so* lange her
– und jetzt passiert mir ja soetwas nicht mehr. – Wenn ich auch
keine Gummibadewanne besitze, so habe ich doch immerhin
am schönen *Lämpchen viel* Freude und benutze es, nachdem
ich es erst einmal gründlich kaputt gemacht hatte, recht fleißig.
Zur Zeit hängt es immer noch am »le rouge et le noir«, das eine
ganz vorzügliche Empfehlung von Golo war: Es ist eins der
meisterhaftesten Bücher, die ich kenne; habe ich recht?
– Maman Du hast doch wohl einen Brief vom Meister
Galamian bekommen? War die Auskunft zufrieden stellend?
– Und Kahn ist *immer* noch nicht da. – Du sollst noch ganz
rasch wissen, daß hier bei der Weltausstellung die DEUTSCHE

Kunstwoche die *einzige* war, die schon vor Beginn *völlig* und ganz ausverkauft war. Das ist doch widderlich. Ich glaube, es herrscht hier jetzt überhaupt eine ziemlich prodeutsche Welle. Aber anderseits war ich neulich in einer Sowietrussischen Tanz- und Chorveranstaltung, wo das sehr gemischte Publikum bei der »Internationalen« begeistert von den Stühlen aufstand. Ich muß mich doch jetzt etwas für Politik interessieren, weil doch die Gret schließlich jetzt wahrscheinlich bei Oprecht sicher auch ganz politisch werden wird. Sie schreibt bis jetzt übrigens ganz »rüstige« Briefe. – Aber jetzt muß ich aufhören, weil ich sehe, daß der Brief langsam ins geradezu Kahlerhaft-uferlos-schwatzhafte übergeht. – Und an meiner Schrift wirst Du heute auch nicht viel Freude haben können, weil ich so schnell geschrieben habe. – Wir sehn uns ja bald – so in 4–5 Wochen vielleicht – das ist fein.

B.

Im Frühherbst 1939 spricht aus vielen Briefen die Angst um die Familie und um die eigene Zukunft. Adressen wechselten häufig, Briefe gingen verloren. Michael versuchte den Kontakt mit den in Europa verstreuten Familienangehörigen aufrecht zu erhalten. Er war mit Gret über Belgien nach England geflohen. Thomas und Katia Mann hielten sich vorübergehend in Schweden auf. Die Eltern drängten Michael im August/September 1939, in die USA auszuwandern. Dazu Gret Mann:

Ich, Michael und meine Eltern waren in Belgien. Sie wollten mich wegen Kriegsgefahr wieder mit sich in die Schweiz zurückbringen. Michaels Eltern waren inzwischen in Schweden angelangt. Es waren schreckliche Zeiten. Man hatte keine Ahnung, was überhaupt werden solle. Ein tränenreicher Abschied von meinen Eltern, an der belgischen Küste. Man hat ja nicht gewußt, ob man sich je wieder sehen würde. Und dann sind Michael und ich nach Ostende gefahren und dann auf einem Dampfer in Zick-Zack-Kurs Richtung England. Wir waren nicht sicher, ob wir in England überhaupt reingelassen würden. Ich war Schweizerin, und Michael war Tscheche. Aber wir hatten Glück, wir bekamen eine Einreisegenehmigung.

Michael lehnte den Vorschlag der Eltern ab, ihnen nach Amerika zu folgen:

159 Adelaide Road, London N W 3, 9. Oktober 1939
Liebe Mielein –: ich bekam Deinen Brief heute morgen: er hat mich sicher wieder recht an der Richtigkeit unseres Verhaltens zweifeln gemacht. Das ist alles sehr schwierig und traurig. Trotzdem, – so oft ich meine Überzeugungen hinsichtlich (sehr) vieler Fragen und Dinge wieder nachprüfe, sehe ich, daß sie alle so unbedingt dagegen sprechen, jetzt nach Amerika zu fahren (– und in meinem Alter sollte man doch wohl anfangen, nach seinen ehrlichsten Überzeugungen zu leben).

Vielleicht hast Du meinen letzten, (auch deutsch sprachigen) hoffentlich nicht zu wirren Brief bekommen, in dem ich versuchte Dir die wirkliche Wichtigkeit Fleschs für mein Fortkommen zu erklären und Deine Vorstellung gewisser »gegebener Werte« bei mir, Voraussetzungen und »Selbstverständlichkeiten für den gegebenen Fall« die Du mir zudenkst, zu berichtigen.

Denn für mich gibt es im Moment nichts Selbstverständliches, und wenn auch der Gedanke, nun, da es hier »gefährlich« wird, »selbstverständlich« möglichst rasch nach Amerika zu euch zu stoßen manchmal noch so selbstverständlich und verlockend für mich erscheint.

Der Gedanke, daß es bezüglich meiner geigerischen Karriere einer endgültigen Resignation gleichkäme, mich jetzt ein für allemal von Flesch zu trennen und mich dort zunächst bei irgend einem Lehrer und dann vor dem Amerikanischen Publikum zu versuchen (– welches ich kennengelernt habe: ein bißchen; wenigstens das Musikalische – und ich habe ja in New York ganz gern gelebt) –: ist für mich zu einer so festen Formel geworden, die ich nicht mehr nachzuprüfen brauche. Denn, daß man nach Europa zurückkehren wird, – oder genauer: daß jemand *wie ich* hierher zurückkehren wird in absehbarer Zeit, nachdem man sich erst einmal von den elementaren Umwälzungen, die sich meines Eindrucks (– und nicht nur meines –) hier zu vollziehen im Begriffe sind: *losgetrennt* hat, – ist ausgeschlossen.

Man müßte etwas mehr Amerikaner sein, als ich es bin, oder ein eindeutigeres, ungebundeneres Talent, das in Sicherheit zu bringen lohnend wäre, besitzen. Oder sonst irgendwelche stärkere Bindung, an die Lebens- und – »Gesellschafts«form, die sich *dort* auch nach dem Krieg meines Ermessens noch ungefähr bewahren wird, haben, – um sich dazu zu entschließen. Und all das habe ich nicht; währenddessen aber eine Erfüllung meiner künstlerischen Ambitionen mit der Entwicklung meiner menschlichen Person so sehr verknüpft ist, daß ich wohl endgültig ganz unangenehm, vertrackt und unbrauchbar würde, wenn diese sich NICHT erfüllen könnte. Du wirst, um Gottes Willen, Andeutung betreffs meiner Bindung an *euch*, an die Familie, nicht falsch verstehn.

Aber muß man es denn doch aussprechen, wie problematisch und schwierig mein Verhältnis zu euch, seit jeher – zumindest aber seit einer ziemlich großen Anzahl von Jahren war? Hat es denn der äußere Schein nicht schon oft genug deutlichst gezeigt, wie immer wieder vom neuen ungünstig der Einfluß war, welchen jede Berührung mit euch auf die Dauer auf mich ausübte. Zu unserm Papa stehe ich nicht weniger fremd, als er zu mir, (wobei ich *mir* nicht die größere Schuld glaube zuschieben zu müssen); die sehr große Angst und Traurigkeit, Dich vielleicht für sehr lange Zeit nicht mehr zu sehn, der Wunsch in Princeton bei Dir zu sein, – *kann* nicht genügen, alles andere, was dagegen spricht zu kommen, zu überwiegen. Man kann doch nach diesem Gesichtspunkt nicht leben. *Besonders ich* nicht.

––– Das sind nun allerdings wieder alles recht vage Sätze, – deren praktische Verwirklichung schon wieder andere und neue Probleme einbeziehen muß. Natürlich sind wir entschlossen, jeder wirklichen *Gefahr* immer auszuweichen, was in England ja wahrscheinlich immer möglich sein wird. (Wenn nicht, können wir immer noch später nach Amerika fahren, – die Schiffahrt wird NICHT plötzlich ganz abbrechen – und gefahrvoller als die Überfahrt im Moment ist, wird sie nicht werden, sondern eher das Gegenteil, wie man uns immer wieder an den competentesten Stellen versichert.)

Auf was wir hier warten ist, daß Flesch nach seinen Konzerten in Holland, welche glaube ich im November vorbei sind, doch klug genug ist, hierher zurückzukehren. Und auf das Gesetz, welches demnächst herauskommend, es wegen des durch den Krieg hervorgerufenen Verlustes an Arbeitskräften auch allen »alien *friends*« erlauben wird, sich beruflich zu betätigen, um dann vielleicht irgend etwas »einträgliches« zu treiben.

Inzwischen bin ich gerade auf der Suche nach einem provisorischen Lehrer, vielleicht ein Meisterschüler von F., welch letzterer Punkt sich wohl hoffentlich in den nächsten Tagen klären wird, daß ich doch wenigstens wieder zu üben anfangen kann.

Wir wohnen hier ganz nett (und nicht teuer) und haben ja auch einige Bekannte. Es ist hier kalt und regnerisch, wie's im Buche steht, aber sonst nicht weiter unangenehm. Bis jetzt vertreiben wir uns die Zeit mit Englisch lernen, spazierengehn und Briefe schreiben. Hoffentlich kommt doch wenigstens *dieser* an.

Dein zärtlicher   B.

NB
10. Oktober
Ich hatte gewisse Hemmungen diesen Brief abzuschicken; da ich Gelegenheit habe ihn heute noch einmal zu öffnen, kann ich Dir schon erzählen, daß ich heute Vormittag bereits mit »meinem neuen Lehrer« in Verbindung getreten bin; er macht einen ganz vertrauenerweckenden Eindruck und ist seit vielen Jahren eine Art Assistent von Flesch, welcher ihm auch bei seiner diesmaligen Abwesenheit einen großen Teil seiner Schüler übergibt.
– *Bitte* verstehe meinen Brief nicht falsch.

Man hat Michael die Auflehnung gegen den Vater lange nicht verziehen, wie sehr er sich auch entschuldigte:

9. November 1939
[...] Es wäre sehr dumm und traurig, wenn meine Torheiten Deine Annahme eines guten und herzlichen Verhältnisses zu mir oder womöglich das Verhältnis selbst hätten beeinträchtigen können, – aber das ist doch alles purer barer Unsinn.

Und wenn ich mich bitterlich über unseren Papa geäußert haben sollte, so wäre das ja wohl fast das aller dümmste, denn ganz im Gegenteil hat mir die Art, mit welcher er in allen wichtigen Momenten in meine Angelegenheiten eingegriffen hat, immer sehr gefallen.

Also ohne noch einmal mein eigenes Verhalten, über welches ich mir schon ganz gut im Klaren bin und dessen immer wieder durchkommende Fehlerhaftigkeit Du mir also nichteinmal vorzuhalten bräuchtest, revidieren zu müssen, kann ich von bitteren Gefühlen von meiner Seite gegenüber dem Elternhaus wirklich nicht die Rede sein lassen.

Aber wiegesagt, diese Ideen wurden in einer Verfassung geboren, die der heutigen so verschieden ist, daß ich mit dem besten Willen nicht mehr für sie einstehn kann – es bleibt also nichts übrig, als um *ganz* eiliges Vergessen zu bitten. – – – –

Sein Leben lang bleibt Michaels politische Einstellung unverändert und ungebrochen: er war kompromißloser Pazifist und Antifaschist. Er vertrat seine Meinung mit Mut und Überzeugung, ob es dabei um Hitlers Deutschland oder später um Johnsons Amerika ging. Zwei Briefe an die Mutter machen das deutlich:

28. August 1939 [London]
[...] – selbst ich konnte ja die Entwicklung der Dinge seit geraumer Zeit, wenn ich sie auch noch nicht *verstand,* ungefähr voraussahnen. Sehr bald, fürchte ich, wird von Allen erkannt werden müssen, daß die Nazis mehr als nur »ein ekler Spuk« waren, vielmehr nämlich das Werkzeug zu den grundlegenden Umwälzungen in Europa; – aber ein so grausliges Werkzeug, daß es für jeden halbwegs denkenden Menschen *meiner* Generation schier unmöglich ist, activ bei der scheußlichen Sache mitzumachen. Sondern man kann nur wegsehen, oder verrückt werden. – So kann ich mir denn auch, obwohl in den letzten Tagen momentweise ja alle äußeren Tatsachen dafür sprechen, einen Krieg, welcher womöglich auch noch siegreich für die Demokratien ausginge, nach wie vor immer noch nicht vorstellen. [...]

Eph. Michael Mann

GLAN BEUNO, CAERNARVON
NORTH WALES

PROPRIETRESS: Miss M. DENTON

1251

Madame 31 18

Katia Thomas MANN

Bayerischer

Promenade Cottage

Saltsjöbaden Stockholm

Stockholm

Grand Hotel Saltsjöbaden

65 Stockton str.

Sweden

Princeton U.S.A

R | CAERNARVON
No 9598

Hier in der Stadt ist heute nicht besonders »Kriegstimmung«. Aber in Brüssel war es arg und ganz hysterisch. Und der Besuch des Englischen Consulates dort wird mir ein unvergeßliches Erlebnis bleiben: mit welcher *Brutalität* man die deutschen Juden, welche dort eng im ganzen Warteraum gedrängt um ein Visum bettelten, flehten und zitterten, hinaus schmiß – die armen, ARMEN Leute.

9. November 1939 [London]
[...] Gestern Abend hörten wir die ja nicht nur scheußliche sondern auch so sehr SCHLECHTE Bierkellerrede Adólfen's: und siebenundzwanzig Minuten, nachdem der Dreck beendet, flog die ganze Bude in die Luft. Daß es doch immer schief gehen muß! Wäre doch eine ZU prächtige Lösung gewesen: *von seinen Knechten umgebracht* – an der man doch noch *ungeteilte* Freude hätte haben können; immerhin ein gutes Zeichen für inside Nazigermany –

Michael und Gret sind nach Kalifornien emigriert. Gret erwartet ihr erstes Kind. Michael musiziert:

Carmel-by-the-Sea, 14. Mai 1940
Mamale –: Du mußt wohl schon ganz schlecht von mir denken, denn Du *kannst* es ja nicht realisieren, daß sich einfach nie eine freie Stunde ergibt, nämlich einfach nie, – so unglaubwürdig es sich anhört.
Gerade hatten wir uns unseren recht rationell geregelten Trab eingerichtet (was doch an und für sich schon immer recht Zeit einnehmend ist) – da war schon wieder ein Monat vorbei und der Umzug da und das ging so bis heute. Zwischenhinein mußte ich plötzlich nach San Francisco flitzen, zwar *nicht* zur Stunde – aber: alles der Reihe nach! Wir sind nunmehr also gesettelt in dem Häuschen, auf das einen Monat zu warten *schon* ganz lohnend war ... Es ist schon wohl das *schönste*, was man sich in dieser so merkwürdigen Welt heute vorstellen oder wünschen könnte, also eigentlich ungeheuerlich. Und wir geben schon eine so richtige Familie ab mit dem sowohl süßen,

wie wachsamen als auch repräsentativen Schäferhund Micki,
daß ich mich manchmal wundern muß, ganz zu schweigen
davon, wie aufregend es doch ist, daß es nun sobald ernst
werden soll.

Meinem Weibe geht es aber, sofern ich es beurteilen kann,
recht ordnungsgemäß. In Monterey haben wir einen scheinbar
ganz zuverlässigen Doktor gefunden, der Leiter von der Klinik
dort, wo die Sache selbst denn dann auch stattfinden soll, der
sie sorgfältig überwacht. Er ist natürlich wohl kein Lehfeld,
aber der Verlauf scheint doch nun wirklich so normal, daß er
eine besondere Capazität speziell nicht mehr erfordert. Und ein
ruhiges Leben in der freien Natur wie Dieses hier, ist bestimmt
wichtiger. Es ist unermeßlich wichtig – auch für mich. Ich
glaube ja, ich habe mit *wenig Intelligenz,* aber *gutem Instinkt*
doch einmal wieder meine Sache ganz gut gemacht. Ich will
zwar garnichts gesagt haben, weil man doch bekanntlich das
Schicksal nicht herausfordern darf und, obwohl ich mich
ungern als Sorgenkind betrachtet weiß, sei nur lieber gleich
versichert, daß in *absehbarer* Zeit noch *nichts* aus mir werden
wird – kann ich mich doch nicht beherrschen zu sagen, daß es
die kleinen Orte ja doch in sich haben – und daß es doch sicher
einfach ZU phantasielos von vielen Deutschen Emigranten ist,
daß sie sich nicht lieber in solche setzen, statt nach New York
oder Hollywood. So kunstbegeistert Carmel ist (es ist nämlich
leider etwas Ascona atmosphärisch) so bin ich hier doch außer
EINER alten Violinlehrerin der Einzige Geiger. Und so sündhaft
ungeschickt und träge ich mich auch sicher bis jetzt angestellt
habe – wieviel sich doch schon an mich herangemacht hat: Bei
den Bach-Festspielen, die hier alle Jahre eine Juliwoche vom
Stapel gelassen werden, soll ich den *Konzertmeister* machen
– ich hätte es zuerst fast glatt als über meiner Würde abgelehnt.
Die Carmel'er Bachfestspiele tun nämlich so, als ob sie
international wären, aber nach Rücksprache mit Temianka, der
mich versicherte, daß die ganze Veranstaltung schlecht genug
sei, um mich an erste Stelle zu rücken, nahm ich doch an. Aber
es wird recht stimmungsvoll werden; zum Beispiel soll in
Carmel-Mission (*very old* Church!) die H moll Messe gemacht
werden und ich soll auch die erste Geige beim *Doppelkonzert*

(das Frau Fischer so gut gefiel) spielen; und vielleicht bringt mir das ganze Drum und dran ein paar Schüler ein, – denn von *Bezahlung* war schlechthin nicht die Rede – und ich wollte sie auch fürs erste nicht daraufbringen, da ich mich doch als new Residenzler beliebt machen muß ... – Aber mich regt es halt auf. Außerdem hätte ich es nicht einmal erzählen sollen, weil es doch noch nicht einmal sicher ist.

Etwas anderes ist es freilich mit der Italienischen Operntruppe, wo ich ein Solo spielen werde am 24. Mai: das ist sicher, aber wohl auch weniger serieuser Natur. Ich muß da den Entreacte ausfüllen – mit gefälliger Italienischer Musik – teils ganz alleine, teils mit Begleitung eines Baritons. Sie führen an einem Abend 3 Akte aus *verschiedenen* Italienischen Opern auf – aus allen ist the nicest picked out. Aber es wird auch ein bißchen was ins Carmeler Blättchen kommen. Mr. Hagemeyer wird ein schönes Photo von mir machen und die Leute sollen erfahren, daß ich in Carmel Residence aufgeschlagen habe und mich auf children zu spezialisieren gedenke. Das sind nun für heute meine Trümpfe – und es ist zu gräßlich, daß ich sie immer vor der Zeit auspacken muß. Aber ich muß es umsomehr, da etwas Reales ja noch nicht zu berichten ist. Denn *haben* tu ich noch keine Schüler, wenn gleich auch Dr. Kocher, ein Schweizer Arzt hinsichtlich seiner 6jährigen Tochter und Mr. Giglio hinsichtlich seinem 8jährigen Söhnchen allerlei versprechende Andeutungen fallen ließ. Ich werde schon alles recht ungeschickt machen und entweder zu-klein-oder-zu-großmaulig sein und die ganzen guten Möglichkeiten verscherzen. Die Hauptsache ist wohl zwar letzten Endes, daß ich gut spiele, aber auch das ist ja noch nicht einmal der Fall, wenn ich mich auch ab und zu um einen Schritt weiter fühle.

Temianka ist nach wie vor ein hilfreicher Lehrer; Flesch und Rostal waren zwar andere Garnitur, aber dafür hat er ein »Fluidum«, das mir im Moment als Antrieb besonders Wert ist. Seine Eltern sind – Polnische Juden – in *Antwerpen*. – Aber ich will über all das lieber kein einziges Wort verlieren, weil es zu unaussprechlich ist. Aber, daß unserem unerlaubten Glück hier auch bald ein Strich durch die Rechnung gezogen werden kann, das kalkuliere ich schon ganz gewöhnt in meine

Gedanken ein. Denn die Stimmung in U.S.A. verändert sich
– spät kommt ihr, doch ihr kommt.
Zu sagen ist also noch, daß wir beide schon ganz braun sind,
weil fast immer schönes Wetter ist; nur Abends Nebel.
Morgens frühstücken wir auf der Terrasse, die durch den Wald
hindurch das Meer sehen läßt und man muß schon einen
großen Hut und eine Sonnenbrille anhaben. Dann arbeite ich
in meinem schönen Studio, wo auch das Mikrophon hängt, mit
dem ich so *sehr* sehr viel lerne und um das mich *alle* beneiden
– – und dann fahren wir vor dem Essen ans Meer und ich lerne
am Strand Englisch. Nach Tisch lese ich im Flesch – – (er ist in
Holland). Und nach dem Tee übe ich wieder und vor dem
Abendessen gehn wir spazieren. Gret hat ganz ungeheure
Fortschritte im Kochen gemacht: sie hat sich ja Medi's
Koch-buch gekauft und kann schon die kompliziertesten
Aufläufe machen.
Von Medi hatten wir einen Brief.
Nun will ich aber wissen, *ob* und *wann* ihr eigentlich nach
Californien kommt!? Und überhaupt habe ich ja wohl schon
Mindestens so lange nichts mehr gehört, als Du! ich soll wohl
gestraft werden.

Jetzt aber   B.

*Auch mit seinem präzisen Sinn für Geldangelegenheiten und
seiner scharfen Beobachtungsgabe stand Michael der Mutter
nahe.*

Tokio, 10. November 1953
Chèrest Mamale –
zu mitternächtlicher Stunde, mit fliegendem Maschinchen, um
doch gleich Deiniges zu beantworten, welches heute, schon
recht lang ersehnt, hier eintraf (bist im check-Bestätigen also
doch gar nicht so sehr viel prompter als unsereins). Nahmen
Dein Briefchen bei Närr im Hause in Empfang, wo wir, aufs
üsigste bewirtet, ja heute mein »début« zu feiern hatten. Denn,
ja, nach viertägigem Aufenthalte hier war heute schon das erste
Konzert und es verlief nicht übel: eine Affaire sur invitation,
gewissermaßen eine preview, zu der alles was gut und teuer

geladen, und wobei natürlich nur ein ganz kleiner Teil zugegen. Was sich nun daraus ergibt, steht noch dahin, immerhin hat aber doch gleich einer der beiden wichtigen vertretenen Radios angebissen, wo es nun nächste Woche eine Bandaufnahme geben soll. Diese aber nicht mit dem jungen Pianisten den Du auf dem Bilde schaust (er ist 21 und AEUSSERST drollig, riesig begabt aber etwas unreif) sondern mit der Närr himself als Begleiter, was doch hoffentlich nicht zu sehr nach der Art meines Musizierens mit Annettli werden wird.

Verhalten – Närr unserer ganzen japanischen Unternehmung gegenüber ist ein Kapitel, mit welchem sich hier noch einmal auseinanderzusetzen ja wohl zwecklos wäre, da wir nun eben ja einmal hier sind. Fraglos ist, daß er so weit es in seiner Macht und in seiner Art liegt nichts unterlassen hat und allerlei ist ja auch bereits fest und anderes kann noch werden. Auch muß ich sagen, daß Hans Erich sich wirklich an rührenden Aufmerksamkeiten überbietet: von der Fürsorge um die publicity bis zum Gasöfchen.

Da ist nun aber ein sehr delikater Punkt: gleich bei unserer Ankunft meinte er, der Vetter, daß wir, um nicht unsere kostbaren Dollar-Travellerchecks einwechseln zu müssen, inzwischen von ihm japanische Yens beziehen sollten. Soweit diese dann nicht durch meine hiesigen Einkünfte gedeckt und zurückerstattet werden könnten, sollten sie eventuell mit Z's japanischen Tantièmen verrechnet werden. Ich nehme an, da es sich um größere Summen hierbei ja keinesfalls handeln könnte, Du dagegen nichts einzuwenden haben wirst (denn nur bis zum Ende Dezember sind wir ja hier und ja recht einfach wohnen und leben). Andererseits dachte ich mir, sollten diese Yens tatsächlich und wirklich vorhanden sein, so könnten wir eventuell auch noch einen Teil unserer Schiffsbilleten nach Indien davon bestreiten (falls Du auch dafür Dein Jawort zu geben Dich entschließen wolltest). Nur die Frage, die sich uns stellt, ist die, OB sie wirklich vorhanden. Der Vetter, der diese Dinge ja wohl »verwaltet« ist über das Ausmaß der Bestände uns gegenüber recht zurückhaltend, und wir empfinden es auch nicht als unsere Sache ihm da ad hoc in die Karten zu sehn. Gelegentlich hat er ja wohl an Euch kleinere Sendungen vorgenommen und daß er »für seine Verwaltungsdienste« auch Einiges zu seinen eigenen Gunsten eingestrichen, wäre ja wohl wenn auch nicht recht so doch wohl menschlich. Jedenfalls wäre es wohl nützlich, etwas genauer über die Situation Bescheid zu wissen, i. e. seit wann er eigentlich sein Händchen im Spiele hat, wieviel er Euch *ungefähr* im Laufe der Jahre zukommen ließ und wieviel also *mutmaßlich* noch etwa da liegen sollte; und es wäre vielleicht am zweckdienlichsten, wenn Du uns diese Informationen und auch Deine Stellungnahme gegenüber den von uns geplanten Raubübergriffen in solcher Form übermitteln würdest, daß wir es *ihm* zu lesen geben könnten. (Ob er denn nie irgendwelche Abrechnungen geschickt hat?)

Der Vetter hat uns ja in einem völlig japanischen Haus untergebracht, wo man schon an der Haustüre seine Schuhe auszieht, auf dem Boden auf einer Matratze schläft und auf der Strohmatte kauernd liest, schreibt und ißt. Die Stadt ist, wie man weiß, ein Gemisch aus amerikanischer Scheußlichkeit und japanisch Merkwürdigstem, übertrifft aber doch in Beidem alle Erwartungen: und ganz unglaublich schwer sich zurecht zu finden, am ehesten noch mit der Stadtbahn, wo allerdings auch nur alles in japanischen Aufschriften zu lesen ist; kein Taxi würde je eine Adresse finden. Und sehr entgegen Hubsis Versicherung spricht NIEMAND auf der Straße Englisch und man kann sich überhaupt nur mit japanisch gezeichneten Plänchen und Anweisungsbriefchen auf den Weg trauen (daß hingegen die Närr im Laufe von zwanzig Jahren eigentlich kaum japanisch lernte, grenzt doch ans Originelle). Von den sonderbarsten Speisen leben wir, die man im Restaurant der Kellnerin um sie zu bestellen zeigen muß im Schaufenster, wo sie in einem Dutzend Schüsselchen ausgestellt werden: roher Fisch mit Reis, Oktopus, das Innere von Bambusröhren und dergleichen: doch ein Glück, daß wir geimpft sind – übrigens sind wir natürlich vorsichtig, essen keine rohen Muscheln, die am Marktplatz locken und köcheln auch manchmal selbst in unserem Papierhäuschen mit den vielen Schiebetüren. Am interessantesten sind und bleiben doch die Clo-pantöffelchen, die man bei Betreten dieses seltsamen Ortes anzulegen pflegt

– von diesem selbst wollen wir freilich lieber nicht sprechen. Ja, noch etwas, in der Badewanne – feierlich zweimal die Woche – wärmt sich der gesamte Haushalt im selben durch ein außerhalb des Hauses liegenden Feuer geheizten Wasser: erst der Hausherr, dann seine recht unterdrückte Gattin und *dann* wir – da kannst Du Dir vorstellen wie ich mich auf den Samstag abend freue. Die Leute sind aber ausnehmend sauber – wie man ja auch schon aus den Clo-pantöffelchen ersieht.

So geht denn also unser Aufenthalt hier seinen sonderbaren Gang und bald werden wir ja wohl mehr zu berichten wissen. Musikalisch tut sich recht viel hier, die Orchester sind mehr als anständig und die Kollegen wissen in Vielem oft besser Bescheid als mancher Amerikaner. Und unser vorbadender Landlord, ein Bankbeamte, hat auf japanisch Zauberberg und Buddenbrooks gelesen. Nun Schluß mit diesem bunten Bericht; bin ja auch im Grunde von den nachmittäglichen Darbietungen doch etwas erschöpft, habe aber eigentlich *ganz* hübsch gespielt und die Zuhörerschaft hat *sehr* applaudiert, sodaß ich denn auch gleich noch *zwei* »Encores« zum Besten gab und nachher mußte ich noch eine halbe Stunde, mit Hans Erich als Dolmetscher, »questions« beantworten.

Adieux, schreibe uns doch bitte gleich, denn zauderst Du doch manchmal ungebührlich lange. Äußerst gespannt sind wir natürlich auch auf die Resultate Deines Westschweizer Ausflugs – scheint mir doch eigentlich eine recht flotte selbständige Unternehmung gewesen zu sein . . . .

Eh und je: der B.

Schnürchen, die Tippmamsell sendet einen Kuß

Michael vertraut der Mutter seine väterlichen Sorgen über den 17jährigen Sohn Frido an, der in der Schweiz unter der Obhut der Großmutter steht. Die Strenge, mit der über die Talente des Sohnes gesprochen wird, war Familientradition; er übte sie bei seinen Freunden wie bei sich selber unerbittlich.

7. September 1957 [Martha's Vineyard, Massachusetts]
My very dear mother: Da sitzen wir nun in einem Strand-Kafé (denn soetwas gibt es auf dieser Insel!) und warten seit einer

Stunde auf nichts Geringeres als auf den Anruf unserer Golette aus Montreal, den wir uns telephonisch hierher bestellt hatten – und dann soll alles weitere sich finden: i. e. ob er zu uns stößt oder wir zu ihm. Freilich: mit *so* feinem *Briefpapier* kann man sich dergleichen ja wohl leisten (Professor Dr.... Kilchberg – Clairmont ... der Herausgeber.... etz. etz) Und wir Armen: haben es, wenigstens was den Schreiber selbst betrifft, in letzter Zeit recht fehlen lassen; ich weiß es ja, ich weiß es ja: folgte auch immer irgendwie ein Ding dem Anderen seit meiner Wahl zum Senior. Während des Besuches der Sprößlinge war ich, unter uns gesagt, noch so zermürbt von den letzten Pittsburgher Wochen, daß ich überhaupt nichts tat, sondern nur den daddy spielte. Nun habe ich die Fäden des *Griffelkin* wieder aufgenommen und muß sehen was ich vor Semester-Anfang noch hinkriege; denn fertig werden muß das Libretto vor Weihnacht.

Nun aber zu meinen Söhnen Ephraim und Menasse: Der Besuch war ein Volltreffer; und es ist doch gut, daß wir auf diese Weise die Knaben einmal wieder zu sehen bekamen. Sind die Jünglinge ungewöhnlich angenehme, taktvolle, verbindliche Gesellschafter, so gibt doch auch, jeder auf seine Art zulänglich Anlaß für Elterliche Sorge. Ich weiß, Maman, Du läßt es an nichts fehlen, wenigstens im Guten nicht, (was ja doch letzten Endes die Hauptsache) und wir danken's Dir. Aber, zum Beispiel, Herrn Moser's unendliche Reich-tümer dem Menschen unter die Nase zu halten, halte ich garnicht für gut: Im Hause eines ungewöhnlich erfolgreichen Künstlers (wie der Jüngling berichtet wird er oft in Zürich nicht für den Enkel sondern für den Sohn T. M.'s gehalten, was ihm sehr behagt!) UND dazu noch all der Reichtum bei den Schweizer-Großeltern – wie sollte ihm da nicht der Sinn für Durchschnitts-Realitäten verkümmern. Er sieht sich selbst schon halb als O-papale, halb als Onkel Bruno. Die Musik möchte ich ihm weiß Gott nicht nehmen; und sie, im Gegenteil, jedenfalls für den Moment, nur fördern: dies kann aber garnicht auf zu sachliche Art geschehen. Er soll vorallem einmal richtig Klavier-spielen lernen (Dirigenten, die nicht wenigstens *ein* Instrument, sei es Contrabaß, Viola oder Klavier, meisterhaft

beherrschen, gibt es überhaupt nicht) ; und alles, was er lernt, sollte, wenn irgendmöglich, nicht in Privat-stunden, sondern in *Kursen,* im Vergleich mit Anderen, erworben werden. Außerdem möchte man ihm das Elend des heutigen Musiker-berufes drastischst vergegenwärtigen – und die Tatsache, daß er bald auf eigenen Füßen wird stehen müssen. [...] Die beschränkte Existenz eines Provinz-Kapellmeisters, zu der seine mittelmäßige Musikalität und die von Jahr zu Jahr ungünstigeren Umstände allenfalls führen könnten, möchte ich ihm nicht wünschen. Und wenn man ihn doch nur lehren könnte zwischen Musik-beruf und Musik-liebe zu unterschei-den! Aber dies lernt man wohl erst mit vierzig... So meine Sorgen um den äußerst angenehmen Menschen. In gewisser Weise bin ich froh mich nicht dauernd mit ihnen auseinander setzen zu müssen – denn ich könnte es wahrscheinlich garnicht ; und Du wirst es viel besser machen. Nimmst es doch gewiß nicht schief, daß ich meine Eindrücke zum Besten gab...
– – Gestern las ich am Strande die letzten Seiten des Joseph – nach zwei jähriger (allerdings, durch lange Strecken unter-brochener) Lektüre... Das waren schöne Zeiten, da derglei-chen entstehen konnte ; will sagen: das Wort »dergleichen« ist wohl kaum am Platz. In Harvard will ich mich aber von »dergleichen« ganz fern halten und vielleicht eher für meine Doktor-arbeit eine Musikgeschichte schreiben. Vielleicht kann sie »der Herausgeber« gar noch verwerten. Aber als älterer Herr werde ich ja dann doch eines Tages die Lücken ausfüllen, die Van Doren und Caroline ließen – und Tante E. soll sich nur frühzeitig mit dieser Tatsache anfreunden.
Genug für heute – mein Gott, Golo's Anruf kommt und kommt nicht. Wir berichten dann noch . . . .   B.

Michael bekommt eine Stelle als Professor für Germanistik an der University of California in Berkeley:

Berkeley, 13. September 1961
chère Maman – Da [in Berkeley] *sind* wir aber im Moment garnicht; sondern ludern wir doch einmal wieder in der

Gegend von Carmel herum ... und das ist ja freilich Alles nicht ganz unsonderbar. Unser Ankunftstelegramm bekamst Du doch. Nach 7½ Tagen Auto-fahrt »durch furchtbar heißen Wüsten-sand«. Das Haus nun ist ganz köstlich. Ein bungalo in feinstem Hollywood-Stil, mit Sommer- und Wintergarten, zahllosen Sitting-rooms, Wasch- und Geschirrtrockenmaschinen und Aussicht auf das Lichtermeer, Bay und Brücken – – – nobel. Und nach Mill Valley und Umgebung wurde natürlich auch gleich gepilgert und die alten Freunde aufgesucht. Der »Bemm« freilich ist nicht mehr ... Die Gegend ist zum einen Teil ganz unverändert, zum Anderen aber bis zur Unkenntlichkeit überbaut. Die anspruchsvolleren Häuser haben alle Atomic-Bomb-Keller; es gibt auch »do it yourself«-Keller, also solche, die man sich selber einrichtet. So sind die Kinderchen. Aber sonst haben wir sie wieder sehr ins Herz geschlossen. Und die Landschaft mit dem blauen Himmel ist doch über die Maßen reizvoll. Weil ich erst nächste Woche zu unterrichten beginne, fuhren wir, wie gesagt, inzwischen noch einmal ins Weite, zunächst nach Carmel; und speisten auch in der Del Monte Lodge zu Abend, – auch dort manch traute Erinnerung. Und nun haben wir uns, wegen des Küsten-Nebels, noch auf einen Tag ins Hinterland verzogen: ein sehr seltsames Resort, mit hot-springs, in Mitten eines wild-waldigen Tals, in einer Weise von aller Zivilisation entfernt, wie dies wohl nur noch hierzulande möglich ist, mit einem halben Dutzend gelangweilter Bade-Gäste, ganz wie in den »Bädern von Lucca«, wo einst Dr. Heine und Mathilden ... ja, by Association sei doch auch der Ordnung halber bemerkt, daß auch ich meinen Dr. Lit. inzwischen erfolgreich bestanden. Das Schluß-examen, dessen halben ich noch einmal von S. F. auf einen Tag zurück nach Boston flog, verlief in freundlichstem Ton. Und nun bekomme ich zur Belohnung etwas höheren Gehalt. – [...]
Die Unterrichts-Bürde ist quantitativ mäßig: drei Vormittagsstunden je vier mal die Woche, also drei ganz freie Tage – da werde ich doch wohl hoffentlich nicht gleich zambrechen wie gewisse Andere beim Vollmarsch. – Und nun ist also hoffentlich wieder Alles beim Alten und auch anderweitig die verschiedenen gebrochenen Glieder auf dem Wege zur Hei-

lung: Dein Geschriebenes (wir erhielten's in Cambridge) sah doch schon wieder ganz vertrauenerweckend aus; freilich, SEHR lästig ist sowas. Noch weniger gern, allerdings, denke ich an Golos Gipsverband – das ist doch WIRKLICH eine Prüfung ersten Grades. Ist er, der Geplagte, wohl schon wieder in Stuttgart? Vielleicht solltest Du uns mal, mit Nächstem, seine dortige Anschrift übermitteln.

Nun ist dies ja aber wahrlich eine ellenlange Epistel geworden und Grets Kugel-schreiber (daher die angestrengte Spinnen-schrift) will auch schon garnicht mehr recht. So grüß ich denn allerseits

Dein gehorsamer Sohn
Dr. Michael

Und wieder Krieg. Michael schreibt seiner Mutter nach Kilchberg:

25. April 1967 [Orinda, Kalifornien]
[...] Was nützt es, daß Gret neulich wieder eifrig mit 60000 Californiern (in New York waren es 200000) gegen Vietnam marschierte. Das Grauen vor der Dummheit, mit der dieses Land sich wahrscheinlich in eine Weltkatastrophe stürzen wird, läßt sich wohl nur mit dem Grauen vergleichen, das man Ende der zwanziger Jahre empfunden haben muß, als man sich in Deutschland für den Hitlerismus bereit machte. Die Konstellation ist vollkommen verschieden. Alle Vergleiche hinken, und ich bin ihnen abhold, nur die eine gemeinsame Tatsache bleibt unabweisbar: der völlige Gehirnschwund. Ich spüre ihn auch unter meinen Studenten. Man will im Grunde genommen nichts mehr lernen, verachtet alle systematische Arbeit, raucht stattdessen Marijuana und verwechselt Pseudo-mystik mit Bildung.

28. Oktober 1968 [Orinda, Kalifornien]
[...] Wir sehen den Wahlen voll Düsterkeit, ja, fast hoffnungs-los entgegen. Und was passieren wird, wenn es, wie, so gut wie anzunehmen, zum Schlimmsten kommt, mag man sich noch

gar nicht recht ausmalen... Inzwischen spiegelt sich die Weltsituation hier auf unserem Campus in Miniatur, das heißt, es stünde noch nicht auf das schlimmste um die Welt, wenn es um sie, wie um unsere Universität stünde. Eine Handvoll unvernünftig extremistisch linker Studenten und die beiden Bösewichter in der kalifornischen Regierung, Reagan und Rafferty, arbeiten sich auf das dümmst-schlauste gegenseitig zum Untergang der Universität in die Hände, aber ich glaube, vergebens dank der sehr lebensfähigen gemäßigt liberalen realistischen diplomatischen Gegenkräfte. Über mich wundern muß ich mich freilich, daß ich mich nun mit meiner in mein Herzblut getauchten Unterschrift der Administration angeschlossen habe, *gegen* die Studenten, aber das ist ein Ausnahmezustand; meistens gebe ich ihnen recht, worin ich mich wieder vom Hause Kilchberg zu unterscheiden scheine. – Du zeigtest Dich, in Deinem Letzten, empört über die Studenten im Mexico und meintest, wenn (durch ihre Schuld) die Olympiade kein Erfolg würde, wäre das »Land ruiniert«. Wäre denn, frage ich da, nicht auch Deutschland 1936 »ruiniert« gewesen, wenn damals die Olympiade kein Erfolg geworden wäre? –

Michael erinnert seine Mutter an seinen bevorstehenden Geburtstag und spricht von seiner germanistischen Arbeit, in der es immer häufiger um die Werke des Vaters geht:

5. April 1968 [Orinda, Kalifornien]
Chère maman: nun haben wir neulich doch nur mit halbem Erfolg Kilchberg angeklingelt, um als die ersten Gratulanten zu Johnsons annonciertem Rücktritt vorzusprechen; denn die Freudenbotschaft (und als solche möge und *wird* das inbetrachtstehende statement sich erweisen, da selbst, wenn der Mann zurück wollte, man ihn nicht zurück wird lassen) erreichte Dich ja, wie es scheint, nur im Kantonsspital – Frau, wir hören das nicht gern! Freilich, vor diesen Trombosen soll man nicht übertrieben erschrecken, hatte ich doch selbst vor einem Jahr mein eigenes, durchaus ehrenwertes Trombösle;

nur daß man sich dann richtig verhält, darauf kommt es eben an; und daß Du dies tust, nun, darauf müssen und wollen wir eben bauen und die inzwischen hoffentlich richtig abgelieferte Blumenspende wollte eben dies besagen.

Ganz abgesehen aber von allen Johnsonkrisen, und Hospitalbesuchen schien es mir doch längst an mir zu sein, einmal wieder zur Feder zu greifen, zumal, wie ich mir sage, ja auch mein Geburtstag vor der Türe steht; und wie beschämend müßte es für mich sein, wenn Du mich zu diesem etwa gar mit einem kleinen GESCHENK bedenken würdest und ich es indessen meinerseits am korrespondentischen Fleiß hätte fehlen lassen. Da nun aber schon zufällig auf diesen Komplex die Rede gekommen ist, sehe ich nicht ein, warum ich nicht feststellen sollte, daß mir ein solches Geschenk höchst willkommen wäre und zwar denke ich offengestanden an einen seidenen Schal: leicht versendbar und in Zürich, aber charakteristischerweise nicht in den Vereinigten Staaten, erhältlich, was für mich Schalfetischisten à la longue schwer erträglich ist. Nach ihrer letzten Europareise brachte Gret mir drei seidene Schals mit, die mir inzwischen alle auf rätselhafte Weise irgendwie abhanden kamen. Aus dieser letzten Erinnerung soll nun freilich keineswegs hervorgehn, daß Du mir mehr als nur einen Schal zu meinem Ehrentage schicken solltest; im Gegenteil gerade einer soll mir lieb und wert sein.

Ich schreibe Dir am Feierabend meines ersten Seminars: Lessing! Ich habe einwenig in den beiden Lessing-Vorträgen Z's aus dem Jahre 1929 nachgelesen. Aber sonst? Es wird doch eines Tages noch meine ganze Unwissenheit an den Tag kommen! – Die feindlichen Brüder sind inzwischen längst vom Verleger mit manchem Kompliment angenommen worden. Freilich hatte ich inzwischen die Stelle über Hamlet noch um ein weiteres im Sinne Deiner Einwände korrigiert, und Du mußt nun wirklich ganz zufrieden sein. – Golos Wallenstein-Kapitel ergötzte uns drei Abende lang; ich beneide ihn um seine Naivität, die den wahren Künstler macht und ihn vom ätzenden Literarhistoriker unterscheidet, der ich geworden bin. Schließlich nähere ich mich ja auch den Fünfzigern und kann bald mit Heine sagen: Früher war ich jung und dumm,

37

heute bin ich alt und dumm. – Neulich bekam ich einen Brief aus Israel, wegen meines TM Büchleins, in dem mir der Schreiber vorhielt, daß das Wagner Zitat auf der ersten Seite meiner Einleitung »antisemitisch« sei. Natürlich ist es das auch; und doch hat Wagner hier, gleichsam ohne es zu wollen, das Richtige gesagt, deshalb liebte Z. das Zitat und deshalb durfte ich es auch zitieren. Aber man erlebt doch immer wieder Überraschungen. Ich gratuliere zur autobiographischen Anthologie! Eine vorzügliche verlegerische Idee, deren Realisierung gewiß an der Zeit war. So habt Ihr Damen also doch ganz schöne Sonnenschneetage dort oben verbracht; unsere Schwester in Santa Barbara wußte auch manch Angenehmes zu berichten. Daß sie nun den Kongreß zur Nutzbarmachung der Meeres- und Raum-Boden (?) Schätze leitet, möge ihr viel Ruhm bringen. Christines Mann, an den ich in diesem Zusammenhange denken darf, nähert sich, wie ich aus seinen Briefen deutlich ersehe, einer neuen geistigen Krise: vom Katholizismus zum Kommunismus – Du sollst es sehen (übrigens an sich ja eine ganz bekannte Erscheinung).
Genug gescherzt, zumal Du mir doch gleich zu meinem Geburtstag schreiben mußt...

der B

Michael war ein leidenschaftlicher Autofahrer auf dem Lande, versuchte das Fliegen in der Luft und das Segeln im Wasser. Die Mutter billigte diese Ambitionen nicht immer:

16. November 1937 [Paris]
[...] Nun wegen des Wunderkaufes
daß Du Dir deshalb Sorgen machst, verstehe ich recht gut; daß Du Dir um *mich* Sorgen machst, ist auch nicht etwas, was mich KRÄNKEN könnte, (im Gegenteil, ich will auch sehn, Dir etwas weniger zu machen) – und trotzdem die strenge, scharfe Art, in der Dein letzter Brief gehalten war, hat mich ein bißchen erschreckt. Es ist vielleicht dumm und ungezogen von mir, vielleicht findest Du es *Moni*-haft, wie ich auf Deine im allgemeinen *sicher berechtigten* Mahnungen reagiere, aber ich

müßte Dir wirklich etwas vormachen, wollte ich Dir anders schreiben: Ich weiß nicht genau, WAS Du mir eigentlich vorwirfst. Daß ich unvorsichtig *fahre!*

Aber Maman: das hast Du mir doch schon so oft gesagt – und *ich* habe *Dir* schon so oft gesagt, daß ich es nicht tue, WIRKLICH nicht tue. *Daß* und *wo* Herr *Hirschi* mich schnell um eine *(Rechts)*-Kurve fahren sah, weiß ich sogar: Es war an dem Vormittag meiner Abreise, von der Rämistraße rechts in den Limmat-kay hinein; die Gret bat mich, möglichst schnell zu machen, da sie – in einem üblen Zustand, wie sie war –, Frau Oppi mit Hirschi nicht mehr sehn wolle; daß Hirschi mich überhaupt nur mit *Gret* in *einem Auto* gesehen hat, hätte seiner wichtigmacherischen Art schon genügt, um es aufgeregt bei Oppis zu verkünden. – Wieso sprichst Du von schlechten Erfahrungen? Natürlich: ich hatte das Pech (und auch ein bißchen die Unvorsichtigkeit) mir im Sommer einen *Drecks*-wagen zu kaufen. Das hat doch aber nichts mit meiner Art zu FAHREN zu tun. *Ich* hatte (im Gegensatz zu Medi) noch nicht das *kleinste* Unglück, obwohl ich, was Du immer ableugnest, garnicht *so* wenig gefahren bin: das spricht doch auch nicht so sehr für meine Unvorsichtigkeit diesbezüglich. Im übrigen will ich ja sicher in Zukunft *noch* mehr aufpassen. – Aber das kann doch nicht *der* Grund sein, weshalb Du mir einen so wirklich von Anfang bis zum Ende *wenig* netten Brief schreibst. Du bist gereizt gegen mich, – weil Du schwach gegen mich warst, und ich mich, wie Du durchblicken läßt, Deiner Schwäche wohl unwürdig gezeigt habe: nun höre mal: glaubst Du denn, daß mir Deine *Schwächen* gegen mich im *Grunde* genommen eigentlich *angenehm* sind? Sicher, in dem Augenblick, in dem Du mir quasi Dinge ANBIETEST, bin ich selbst *schwach,* lasse mich gehn, und nutze es, ohne mir etwas Böses dabei zu denken, aus. Aber nachher, *schäme* ich mich ja *selbst* und bereue es – *so* oft war das in der letzten Zeit der Fall. Und ich binde und verpflichte mich damit noch mehr – und tue somit das Gegenteil von dem, was ich seit Jahren anstrebe. – Maman: ich will Dich *wirklich* nicht kränken, nichts weniger, als das; aber Du sollst mich *auch* nicht verletzen und zumal nicht für eine Sache, an der Du sehr weitgehend selbst schuld bist.

Nun noch: das mit den 48 Franken Buße ist wirklich ärgerlich und widerwärtig. Es ist *zu* unverantwortlich von Herrn Doll, daß er mir ausdrücklich gesagt hat, ich könne es am Abend ruhig riskieren, ohne Nummer zu fahren. Und ich Esel habe ihm natürlich geglaubt. Vor unserem *Hause* kamen dann die Polizisten – *nicht* auf dem Wege nach Zollikon. Aber das ist ja wirklich egal – viel Geld ist es so und so und ein *rechter* Ärger. – Ich finde alles in allem: wenn Du den Kauf so sehr *bereust*, so geben wir das Auto am besten vielleicht einfach zurück. Im Frühjahr wird man es bestimmt mindestens für den Kaufpreis loswerden. Ich habe es inzwischen bedacht – Die Anschaffung ist vielleicht wirklich nicht richtig: auch gegen die Geschwister. [...]

28. Oktober 1968 [Orinda, Kalifornien]
[...] und mein anderes Projekt: das Fliegen! Es scheint kaum leichter zu sein als das Kinderadoptieren und ich halte mich mit ähnlicher Zähigkeit daran. Ich glaube, daß Du, um uns nocheinmal miteinander zu vergleichen, zum Skifahren mehr Talent hattest – ganz zu schweigen freilich von unserem Dingerle, welches bei seiner ersten introductory lesson (zu der ich sie bei ihrem Besuch hier verführte) sich geschickter anstellte als ich mich bei meiner zehnten Stunde. Seltsame Grillen – aber irgend eine Attraktion hat diese Sache eben doch und wer weiß, vielleicht wird man recht bald einmal ganz gerne möglichst rasch das Flugzeug besteigen – fragt sich nur, wohin.

14. Mai 1971 [Orinda, Kalifornien]
[...] Was letztere betrifft, so möchte ich doch Deine Vorstellung meine Segelaktivitäten betreffend richtig stellen: gewiß doch wagt sich meine Navigation auf die hohe See und ich fühle mich bei meinen Rückkünften von solchen Gefährdungen höchlich an Potiphar erinnert, wenn ich elegant mit der Frage: Steht alles wohl? Die Herrin ist heiter? von Bord springe. So viel für heute.

POST SCRIPTUM

Im Sommer 1976 besucht Michael seine Mutter in Kilchberg;
es war ihre letzte Begegnung. Aus seinen Briefen an Gret:

[Sommer 1976, Kilchberg]
Maman leidend – – schon bei meiner Ankunft: Rückenschmer-
zen, rot verfärbtes linkes Bein. Auf Empfehlung Dr. Friedlis
heute Abtransport ins Kantonsspital. Von Medi per Ambulance
bewerkstelligt (½ 3 Uhr) war dort meinerseits um kurz nach
vier (wie verabredet) zur Stelle. Ärzte Konsilium beruhigend.
Ihr Übernachtverbleib im Hospital mit größter Überredungs-
kunst akzeptiert. Unzulängliche Verköstigung. Ich schaffte ein
Schinkenbrot und hartes Ei herbei. Auch Lektüre: Stifters
Novellen [...]
Maman also vom Hospital zurück. Saß noch ein Stündchen im
zunehmenden Halbdunkel mit ihr im Living room. Entspann-
tes Geplauder, bis ich sie hinaufstütze.

KAPITEL II

DER MUSIKER

...ein ausgezeichneter Interpret alter und neuer
Musik, der sich die Bratsche als Instrument erwählt hat. Die Wahl scheint nicht zufällig; der
leicht verdunkelte, zur Verinnerlichung mehr als
zur glänzenden Repräsentation auffordernde
Klang kommt dem leidenschaftlichen Ernst ...
des jungen Künstlers zweifellos entgegen.
Willi Schuh,
Neue Zürcher Zeitung, 28. 11. 1949

*Michael Mann kam früh zur Musik, schon vor der Flucht aus
Deutschland im Jahre 1933. Musik begleitete ihn in die
Emigration, über Frankreich in die Schweiz. Aufmerksam
registriert auch der Vater in seinem Tagebuch den musikalischen Eifer seines jüngsten Kindes:*

Sonntag den 14. V. 33 Bandol.
Nach dem Diner musizierten Medi u. Bibi vor den Großeltern
u. uns recht erfreulich mit einander. Die Cavatina von Raff war
angenehm zu hören. Bibi's Fortschritte bemerkenswert.

Donnerstag den 1. VI. 33 Bandol.
Es machte mir Eindruck gestern Abend, wie Heinrich das Spiel
Bibi's bewunderte und sich beglückwünschend über die
Begabung der Kinder äußerte.

Freitag den 6. X. 33 [Küsnacht bei Zürich]
K. war nachmittags mit den Kindern bei dem Direktor Andrä in
der Akademie. Er hat sie geprüft, gelobt und guten Lehrern
zugewiesen. Die Aufnahmeprüfung ist in dieser Form absolviert. Wir freuen uns darüber. [...] Es ist mir eine Freude und

Genugtuung, daß Andrä den Bibi entschieden begabt gefunden u. ihm eine gute Zukunft prophezeit hat, wenn er Fleiß u. Energie bezeigt. Es gäbe garnicht viele gute Geiger. Daß er ihn sofort dem Konzertmeister de Boer, dem ersten Lehrer der Stadt, zugeteilt hat, ist ein Beweis der Aufrichtigkeit seiner guten Meinung. Der Junge wird auch das Klavier erlernen und auf der Akademie ein regelrechtes, auch theoretisches Musikstudium treiben, außerdem um seiner allgemeineren Bildung willen das Freie Gymnasium besuchen. Wir wollen nur hoffen, daß diese Ausbildung nicht zu sehr ins Geld läuft.

Sonntag den 18. III. 34
Es machte mich besorgt, daß die Kinder auch den ganzen Sonntag-Nachmittag hindurch geübt hatten. Diese Musikversessenheit hat namentlich bei Medi etwas Starrsinniges, und Bibi entbehrt jeder anderen Bildung, was mich, bei allem Glauben an die Ratsamkeit der Konzentration, etwas beunruhigt.

Freitag den 15. V. 36
– Bibi bestand mit Auszeichnung sein Lehrexamen, geigerisch ; in den theoretischen Nebenfächern schnitt er schlecht ab. Abends kleines Fest für ihn in Gegenwart des jungen Kayser, mit Champagner-Getränk.

Nach einem Zusammenstoß mit dem Konservatoriumsdirektor tritt Michael im Oktober 1936 aus der Züricher Musikschule aus. Dazu Katia Mann in ihren Memoiren:

Michael sollte Musiker werden und ging aufs Zürcher Konservatorium, wo er als Geiger ausgebildet wurde. Erst hat er dort sein Lehrdiplom gemacht, dann sollte er noch sein Konzertdiplom absolvieren. Aber das scheiterte an einem rencontre mit dem Direktor des Konservatoriums. Dieser Mann, ein unangenehmer Mensch, war bei allen Lehrern verhaßt, und Michael, der sich manchmal während der Pause in ein Zimmer setzte und Klavier spielte, hatte ein ganz ekelhaftes Erlebnis mit ihm.

Als Michael spielte, kam er eines Tages herein und fragte: Was machen Sie denn hier?

Ich dachte, in der Pause...

Sie wissen doch, daß das verboten ist!

Sagte es und packte Michael an der Schulter, worauf der den Mann ohrfeigte und sofort relegiert wurde. Alle Professoren haben ihn dazu beglückwünscht, daß endlich jemand diesem Direktor zu Leibe gegangen war; aber die Gegenwehr endete halt mit schleunigem Abgang und ohne das zweite Diplom in der Tasche.

Sein »schleuniger Abgang« brachte ihn nach Paris, wo er sich weiter dem Musikstudium widmete. Trotz aller Unsicherheiten – Kriegsausbruch, Flucht nach England, Sorgen um das Schicksal der verstreuten Familie – blieb er seiner Geige treu. Sie begleitete ihn auch auf der Auswanderung in die USA, wo er im Jahr 1940 in Carmel-by-the-Sea (Kalifornien) öffentlich konzertierte und Musikunterricht gab. Während der Kriegsjahre spielte er im San Francisco Symphonie-Orchester unter Pierre Monteux. Mochte ihm der Name seiner Familie auch einige Vorteile bringen, in diesen Zeiten war es für einen Musiker doch schwer, sich beruflich durchzusetzen. Dabei verfügte Michael über eine eiserne Disziplin, einen unendlichen Fleiß und eine ihm eigene, wie es schien ausschließlich auf sein Berufsziel ausgerichtete Konzentrationsfähigkeit.

Michael präsentiert sich in den USA als Musiker

Trotz mancher Rückschläge zog sein Musizieren in den USA immer weitere Kreise – bis zurück nach Europa, wo Michaels Solistenkarriere auf der Bratsche im Jahr 1949 mit Konzerten in München und Zürich ihren Anfang nahm.

Konzerte

Bratschenabend Michael Mann

-uh. Die verstehende Liebe zur Musik ist Thomas Mann vererbt worden, und er selber hat sie vor allem an seine beiden jüngsten Kinder weitervererbt. *Michael Mann,* sein Jüngster, ist gar Musiker geworden, kein schöpferischer zwar, aber ein ausgezeichneter Interpret alter und neuer Musik, der sich die Bratsche als Instrument erwählt hat. Die Wahl scheint nicht zufällig: der leicht verdunkelte, zur Verinnerlichung mehr als zur glänzenden Repräsentation auffordernde Klang kommt dem, leidenschaftlichen Ernst und dem zu gleichen Teilen von starkem gefühlsmäßigem Erleben der Musik und von Erkenntnisdrang getragenen Gestalten des jungen Künstlers zweifellos entgegen. Die Begegnung mit Michael Mann, der mit *Bärbel Andreae* als Partnerin am 24. November im Konservatoriumsaal erstmals in Zürich — wo er seinerzeit seine ersten Studien betrieben — öffentlich konzertierte, war in mehrfacher Beziehung aufschlußreich und erfreulich. Das von Bach bis zur neuesten Musik reichende Programm zeigte den aufgeschlossenen Geist des vielseitig interessierten Musikers, der sich mit Bach (Gambensonate G-Dur, Nr. 1) ebenso sicher und stilbewußt auseinanderzusetzen weiß wie mit Hindemiths Trauermusik, William Waltons motorischem Scherzo, Milhauds (in der Wiedergabe vorzüglich profilierten) „Quatre Visages" oder Elisabeth Lutyens anspruchsvoller Solosonate, die, technisch imponierend beherrscht und in überlegener

Disposition vorgetragen, auch in tonlicher Hinsicht ganz ausgezeichnet zur Geltung gebracht wurde.

Die starken seelischen Kräfte, von denen Michael Manns intensives Spiel gespeist wird, offenbart sich am schönsten wohl in den „Märchenbildern" von Robert Schumann. Wie er die wundersame, von melancholischen Schatten überlagerte Melodie des vierten Stückes ruhevoll hinströmen zu lassen wußte, das ließ in der maßvollen Differenzierung von Klang und Dynamik und in der vom Gesanglichen ausgehenden Phrasierung und Artikulierung aber auch hohe musikalische Kultur und ein sehr bemerkenswertes Gestaltungsvermögen erkennen. Auch die bei aller Schlichtheit sehr fein gestufte Wiedergabe der Bachschen Gambensonate zeigte natürliches Empfinden und bewußtes musikalisches Ausformen in schönem Gleichgewicht. Nicht ganz auf der Höhe der übrigen Vorträge stand derjenige von Brahms' letztem Kammerwerk, der Es-Dur-Sonate, op. 120, Nr. 2, deren von der Klarinette bestimmte Führung den Bratschisten vor besondere (von Michael Mann noch nicht restlos gelöste) Probleme — es sind zum Teil Intonationsprobleme — stellen. Freilich wirkte hier noch mehr als im übrigen Programm auch die Verschiedenheit der künstlerischen Temperamente und der musikalischen Tendenzen von Bratschist und Pianistin einem homogenen Musizieren entgegen. Die härter konturierende, kühlere und geradlinigere Darstellungsweise Bärbel Andreaes wollte sich mit der sensitiveren und geschmeidigeren Art des Bratschisten nicht überall auf den gleichen Nenner bringen lassen.

Die Rückkehr in sein Geburtsland brachte Michael im Jahre
1950 nach Bayreuth. Dort nahm er am 1. Internationalen
Jugend-Festspieltreffen als Bratschist teil.

HERBERT BARTH, *Leiter des Festspieltreffens:*
Zu den schönsten Erlebnissen der Begegnung junger Musiker
aus 10 Ländern wenige Jahre nach Kriegsende gehören für
mich aber die nächtlichen Sitzungen in der Künstlerkneipe
»Eule«. Damals saßen an einem Tisch zusammen: Michael
Mann, Hans-Alexander Kaul, John Evarts, der damalige
amerikanische Musikoffizier der US Army-Besatzungsmacht,
und Mr. Bartlett, der damalige Musikoffizier der britischen
Besatzungsmacht . . . und ich.

*Michaels Renommee als Solist ging auf die erfolgreiche
Zusammenarbeit mit Yaltah Menuhin zurück, mit der er in
Europa und Nordamerika längere Konzertreisen absolviert
hatte. Eine Tournee in den Vereinigten Staaten und Australien
stand bevor. Wie gut auch das Zusammenspiel auf dem
Podium war, ihre menschliche Beziehung außerhalb des
Konzertsaals verlief stürmisch. In Los Angeles hatte die New
Music Society ein Konzert angesetzt, das auch im Radio
übertragen werden sollte. Die südkalifornische Emigrantenko-
lonie, darunter Bruno Walter, Katia und Thomas Mann, war
informiert und wartete auf die Übertragung. Während der
Autofahrt zur Konzerthalle brach ein Streit zwischen den
beiden Solisten aus, der in einem ungewollten Akt spontaner
Gewalttätigkeit Michaels endete. Er verließ den Wagen und
verschwand. Als er an der Konzerthalle ankam, erfuhr er, daß
das Konzert nicht stattfinden werde. Yaltah erschien nicht.
Michael war fassungslos. Nach einiger Zeit wurde über das
Radio bekanntgegeben, daß das Konzert wegen eines Unfalls
abgesagt worden sei. Freunde und Verwandte riefen einander
verstört an. Katia Mann ging sofort zu Yaltah und versuchte,
sie zu beschwichtigen. Sie stellte sich immer auf die Seite ihrer
Kinder. Wie so oft, traf sie den Kern der Situation in ihrer
Bemerkung zu Michael: »Du hast dich um vieles gebracht.«
Michael und Yaltah sahen sich nie mehr wieder.*

Danach unternahm Michael eine längere Konzertreise nach Japan und Indien (Herbst 1953 bis Frühjahr 1954). Während seines zweimonatigen Aufenthalts in Japan hielt er Vorträge, gab Konzerte und Interviews, schrieb Aufsätze über japanische und westliche Musik. Er wurde dort nicht nur als Musiker, sondern auch als Musikhistoriker gefeiert. Vor allem galt er als Förderer vorklassischer Bratschenmusik und führender Interpret des Bratschen-Repertoires zeitgenössischer Komponisten wie Roy Harris, Lennox Berkeley, Darius Milhaud und Arthur Honegger.

活動の大きな部門であり、いままでにもジュネーヴにある赤十字社連盟を通じて、多くの消息

とにになったもの

規定によれば、臨時安否調査部長は北京やモスクワへ引揚げ交渉に

国連運動の基金に寄贈

ミハエル・マン氏、友愛の演奏会

昨秋来日したアメリカのビオラ演奏者ミハエル・マン氏(四)は、三カ月にわたる日本音楽の研究を終えて来る二十四日朝離日するので、そのサヨナラ演奏会を明二十三日夜七時、東京芝アメリカ文化センター・ホールで開くが、その収入一切を日本国連協会の基金に贈りたい、と申し出て協会関係者を喜ばせている。マン氏が日本で知り合った国連

柳兼子女史と打合せるミハエル・マン氏

Michael in Tokio 1953

48

Bei der Tournee durch Indien stand Michaels Interesse an der Musikpädagogik im Vordergrund. Über die Konzerte mit Vortrag an den Universitäten von New Dehli und Punjab vor 2000 in Zelten versammelten Studenten berichtete die »Evening News of India« (New Dehli, März 1954):

Der Virtuose beginnt sein Programm. Er unterbricht sein Spiel und erklärt den Zuhörern die Themen des Stücks und sagt ihnen etwas über die Schönheit einer Stelle. Er betont eine musikalische Phrase und wiederholt sie. Er sagt den Zuhörern sogar, wann sie applaudieren sollen und wie lange, und wo etwas mit seinem Spiel schiefging. [...] Die Studenten hörten gespannt zu, applaudierten herzlich und enthusiastisch, und vielleicht in mehr als hundert jungen Geistern blieb ein dauernder, inspirierender Eindruck fremdländischer Musiksprache zurück.

Ehe er in die USA zurückkehrte, konzertierte Michael wieder in Europa, unter anderen mit dem Pianisten Wolfgang Rebner. Jetzt komponierte man auch für ihn: der Zwölfton-Komponist René Leibowitz und die Japaner Norihiko Wada und Yoritsune Matsudaira schrieben längere Konzertstücke für Michael Mann und seine Bratsche.
Trotzdem kam er mit sich selbst und seinem Musizieren immer mehr in Bedrängnis. Seine alte Nervosität nahm wieder überhand. Er fand seinen eigenen Stil »zu verkrampft, nicht unbewußt genug, zu gedanklich«. Diese Selbstzweifel führten dazu, daß er das berufliche Musizieren schließlich aufgab und Germanist wurde. Zu seiner Frau sagte er damals, ein alter Geiger sei doch etwas Trauriges, aber ein alter Intellektueller wäre etwas Feines.

Vielseitig hatte die Musik Michaels Leben geprägt: Freundschaften und Berufsbeziehungen, Reflexionen über Musikgeschichte und Musiktheorie, Familienbindungen, seine schriftstellerische Phantasie – und manche Abenteuer begleiteten die Stationen des Musikers in wirren Zeiten.

Nach einem Gespräch mit Gret Mann:
Auch für den seriösen Musiker blieb immer die verlockende Chance, in einem Hollywood-Orchester als Filmmusiker unterzukommen, zwar nicht hoch angesehen, aber hoch bezahlt. Gret und Michael hatten sich deshalb kurzerhand entschlossen, ein Unterkommen in Hollywood zu suchen. Das Problem war nur, wie man an den legendären Filmdirigenten Johnny Green herankommen könnte. Er war den meisten sterblichen Musikern einfach nicht zugänglich. Gret wußte aber, daß er ein großer Verehrer von Bruno Walter war, und kam deshalb auf die famose Idee, folgendes Telegramm an Johnny Green zu schicken: »Ich bitte Sie, Michael Mann zu einem Probespiel vorzulassen. Mit verbindlichsten Grüßen, Ihr Bruno Walter.« *Johnny Green sagte sofort zu, ließ sie wissen, wo er zu erreichen sei. Aber Johnny Green lehnte Michael, trotz des berühmten Fürsprechers, ab. Mitteilungsfreudig, wie sie nun einmal waren, beichteten sie den Eltern hinterher die Unterschriftsfälschung. Katia war entsetzt und informierte Bruno Walter sofort. Bei Walters hatten sie verspielt. In ihrem Freundeskreis hat man sich daraufhin lange gegenseitig mit* »Bruno Walter« *unterzeichnete Postkarten geschickt. Einige Jahre später hat Bruno Walter ihnen verziehen.*

Zwei Musiker hielten in Briefen fest, wie sie Michael Mann während der letzten Jahre seiner aktiven Musikkarriere (1954–1956) sahen.

Wolfgang Rebner *Pianist, Komponist,*
Kammermusikpartner:
Musikalisch fanden wir leicht zueinander, weil wir uns beide

weigerten, in dem damaligen Streit zwischen den Schönberg-
und Strawinsky-Jüngern Stellung zu beziehen; nicht aus
Unsicherheit oder Opportunismus, sondern wegen des Ni-
veaus der Auseinandersetzung. Wir glaubten nicht an eine
alleinseligmachende Kompositionstechnik, die eine andere
entwertet oder eliminiert. Eher waren wir uns darin einig, daß
jedes einzelne Werk sich auf dem Prüfstand bewähren muß,
um zu überleben, und daß Pauschalurteile zu Etikettenschwin-
del führen.

Derlei Gemeinsamkeiten festigen natürlich auch die persönliche Beziehung zwischen Musikern, die sich ja oft in die
Verteidigung gedrängt sehen. Hier gewann unser Sinn für
Humor die Oberhand, der uns vor Intoleranz und Sektiererei
bewahren half und manch absurde Widersprüche klärte. Hier
konnte ich von Michaels Weitwinkelperspektive vieles lernen
und war ihm dankbar dafür.

Zeit und Anregung zu Gesprächen bot die Enge eines
D-Zug-Abteils, zuweilen auch zu dritt, da u. a. Mozarts
»Kegelstatt-Trio« auf dem Programm stand, das wir in Wien
und Salzburg mit dem großartigen Klarinettisten und Racon-
teur Wildgans spielten.

Da war das würdevolle Hauskonzert im Palazzo Ruccelai in
Florenz, in einer strengen, fast düsteren Atmosphäre in
riesigen, musealen Räumen (die Lakaien in Escarpins und
weißen Strümpfen trugen Kerzenleuchter), wie eine Rückblen-
de in die Renaissance, fast zum Einschüchtern. Michael, Mann
von Welt, Takt und Geschmack stellte sich dem obligaten
Fragespiel mit souveräner Unbefangenheit, bei Parties und
Interviews. (Das Wortspiel mit seinem Namen und Mischa
Elman schien auch ihn zu amüsieren).

Es war nicht schwer, ihn gern zu haben; er hatte die
Kammermusik auch im Charakter; das give and take im
Wesen.

Bern – Graz – Feldkirch – München – Salzburg – Wien
– Florenz – Innsbruck, das waren die Hauptstationen.

KARL NEUMANN, *Cellist im Pittsburgh-Orchester:*

Ich will vorausschicken, daß Michael mit größter Kompetenz und mit erstaunlicher Gewissenhaftigkeit (er hat selten verabsäumt, am Morgen, *vor* der Probe, noch für eine gute Weile an seinem Part zu »üben«) seinen Musikerpflichten Genüge geleistet hat. Aber, ohne es vielleicht zu wissen, war er durchaus anders als der Rest der versammelten Musiker: etwas »Albisches« (Licht-Albisches!) in ihm ermöglichte es ihm, über dem trüben, turbulenten Gewässer des Musikbetriebes dahinzuschweben, ohne je darin unterzutauchen. Seine geistige Ausrichtung, und natürlich auch die Kenntnis von seiner Provenienz, mußte das übrige tun, um ihn von dem menschlichen Kleinkram, aus dem so ein Orchester nun einmal besteht, abzusondern und ihm auf der einen Seite viel Achtung, auf der andern viel Neid einzutragen. Ich bin übrigens gewiß, daß er sich keiner dieser Reaktionen bewußt war.

Was ich betonen wollte, war der unmittelbare Eindruck, daß Michael nicht der durchschnittliche engstirnige, kaum über das ihm zugewiesene Pult hinwegsehende Orchestermusiker war. Überhaupt, wenn ich an die zahllosen Gespräche zurückdenke, die ich mit ihm privat, auf Proben, auf Reisen geführt habe, so fällt mir auf, wie so absolut gar nichts er über den Musikbetrieb als solchen, über das Musik-»Geschäft« gesprochen hat. Eigentlich hat er seine Tätigkeit, nämlich seine Mitwirkung an der Produktion von oft bedeutenden, ergreifenden Musikwerken, weniger als Berufsarbeit aufgefaßt, denn als einen Luxus, den er sich zu gönnen bereit war. Und noch etwas anderes kam hinzu: sein theatralischer Sinn war fasziniert durch das aus großer Nähe betrachtete Zusammenspiel und, nicht selten, Gegeneinander-Spielen großer egomanischer Charaktere (Dirigent versus Solist, etc.). Darüber konnte er sich lange mit scharfem Witz auslassen.

Einmal hatten wir eine mehrtägige »recording session«, Steinberg am Dirigentenpult, Milstein als Solist in mehreren berühmten Violinkonzerten. Zuerst gab es kleine Meinungsverschiedenheiten zwischen den beiden Protagonisten, dann erhitzte sich die Stimmung, Funken begannen zu fliegen, Milstein, der viel mehr Spaß vertrug als der steife Steinberg, riß ein paar ungezogene Witze, und plötzlich stolzierte der maestro vom Podium »ab durch die Mitte«. Da ein großer technischer Apparat versammelt war und jede Minute (hohe Gewerkschaft-Tarife für hundert Musiker!) die Plattenfirma viel Geld kostete, so liefen aufgeregte Vermittler hin und her, schließlich wurde die Sache irgendwie geleimt. Kurz danach schickte mir Michael von seinem Urlaub eine Ansichtskarte von einem hart am Stier kämpfenden Toreador mit drei Worten: »Steinberg und Milstein.«

Theoretische Interessen begleiteten Michaels ganze musikalische Karriere. Bereits 1948 in einem in der »Schweizer Musikzeitung« veröffentlichten Aufsatz setzte sich der junge Musiker intensiv mit der musikalischen Dimension von Thomas Manns »Doktor Faustus« auseinander. »Das angeborene Mißtrauen des ›professionellen‹ Musikers gegenüber jeglichem Übergriff der Literatur in sein Bereich...« war ihm eigen:

Alle Musik läßt sich – interpretativ oder kreativ – indirekt, also durch visuelle oder abstrakt logische Ideen konzipieren; nicht nur die überspitzten tonalen Beziehungen des Schönbergschen Zwölftonsystems, auch die formalen Verhältnisse und Spannungen einer Mozartsonate lassen sich sowohl *hören als denken*. Und sie werden zur *Mathematik* in dem Momente, da eben sie nicht gehört, sondern nur gedacht werden. Aber das Bereich der Mathematik ist in der »Musica Theoretica«, nicht in der »Musica Practica«. Musik hört auf Mathematik zu sein von dem Momente an, in dem sie erklingt und gehört wird.

1970 veranschaulichte er die Merkmale der expressionistischen Musik in seinen Bemerkungen zu Schönbergs Musik – über den musikwissenschaftlichen Rahmen hinaus – einem breiteren Publikum; aus dem unveröffentlichten Artikel folgen hier die zentralen Passagen:

GEHEIME KLASSIK. EXPRESSIONISTISCHE MUSIK
UND DIE MUSIKALISIERUNG DER KÜNSTE

Von seinem »antidemokratischen Hochmut des Geistes« hat
Schönberg früh ein entwaffnend naives, literarisches Zeugnis
gegeben in dem »Drama mit Musik« *Die glückliche Hand*
(1910). Man könnte das Libretto als eine Art Transposition des
Hoffmannschen *Fräulein von Scuderi* in die Verhältnisse des
20. Jahrhunderts bezeichnen: die Geschichte vom besessenen
Goldschmied. Der Schönbergsche Goldschmied geht nicht wie
Hoffmanns des Nachts auf Raubmord aus, um die tags zuvor
verkauften Geschmeide, seine Meisterwerke, ohne deren
dauernden Anblick er nicht existieren kann, wieder an sich zu
reißen: im Gegenteil, dieser moderne Juwelier verfertigt
seinen Schmuck nur, um ihn denjenigen, die ihn nicht wollen,
ins Gesicht zu schleudern. Auch ist das Wort »verfertigen«
wohl etwas irreführend: denn dieses Goldgeschmeide liegt wie
durch einen Zauber vollkommen fertig unter der »glücklichen
Hand« in dem Moment, da sie das ungestalte Metall berührt
hat. Kein Wunder, daß die Gesellen in der Werkstatt solche von
ihnen nie erträumten »Fertigkeiten« dem Meister verargen. Er
hat ihnen mit dem aufreizenden Lied »So schafft man
Schmuck« zugesetzt wie Joseph seinen Brüdern. Und wie
Josephs Brüder sind sie mehrfach am Punkte, über ihn
herzufallen. Aber der Held – in der Verdolmetschung Theodor
Adornos[1] der »Einsame«, der auf »die industrielle Gesellschaft
als permanenter Widerspruch« sich bezieht – kehrt sich ab und
geht seines Weges. – Wie recht behält doch Georg Lukács auch
in diesem Falle, wenn er meint, die expressionistische Drama-
tik stelle das schöpferische Subjekt selbst als Zentralgestalt auf
die Bühne[2].
In den 20er Jahren besaß Schönberg den Ruf – ich zitiere aus
Bückens *Führer der neuen Musik* 1924 – des Begründers jener
»letzte[n] Phase in der Entwicklung der Musik als Ausdrucks-
kunst – die mit dem Schlagwort Expressionismus belegt
wurde«[3]. Um dieselbe Zeit gibt der Theoretiker und Komponist
Ferrucio Busoni, der seine expressionistische »Phase« hinter
sich gebracht hat, eine boshafte Summe der expressionisti-

schen Kompositionsmanier. Er erfaßt sie unter drei Gesichtspunkten: die Harmonik, die Hysterik, die Temperament-Gebärde[4]. Charakteristisch für die Harmonik der expressionistischen Musik bleibt, nach Busoni, »die Entfernung der Konsonanz und« (was ja eigentlich dasselbe wäre) »die Unauflösung der Dissonanz«. Diese Harmonik bezeichnen die »Anhänger« als »Atonalität«, die »Gegner« als »Kakophonie«. Ihr künstlerisches Resultat sei eine gewisse Monotonie und Verwischtheit der Individualität des Autors. Die Hysterik »stützt sich auf kurze unzusammenhängende Formeln des Seufzens, des Anlaufnehmens, der eigensinnigen Wiederholung von einem oder mehreren Tönen, des Verklingens, des Anschlagens höchster Höhe und tiefster Tiefe, der Luftpausen und des Häufens verschiedener Rhythmen innerhalb eines Taktes...« Die hysterischen Züge summieren sich in der »Temperament-Gebärde«, und zwar indem »alle Mittel und Formeln von Beginn des Stückes an sofort in ihrer stärksten Heftigkeit auftreten und verbraucht werden, so daß für einen besonderen Akzent im Verlaufe des Gebildes jede Möglichkeit vorweggenommen ist.«

Die expressionistische »Temperament-Gebärde« hat die moderne Musikwissenschaft, wie mir scheint, am treffendsten gekennzeichnet mit dem Begriff der *Reduktion*[5]. Das kann natürlich vieles heißen. Reduktion heißt äußerste Verknappung der musikalischen Form wie etwa in den musikalischen *Psychogrammen* Schönbergs (ich meine die Klavierstücke op. 11 und 19) oder den für Orchester gesetzten *Aphorismen* Anton Weberns; oder es kann heißen, Reduktion auf die Elemente der Musik, im Sinne der Isolierung einzelner Aspekte wie Rhythmus, Klangfarbe usw., worüber gleich mehr zu sagen sein wird; oder aber die Reduktion zielt auf das Elementare im Ausdruck der Musik, den musikalischen Nachvollzug von Urvorgängen wie z. B. in Strawinskys *Sacre du printemps*. In allen Fällen geht es um eben jene Konzentration auf ein »Wesenhaftes«, worin ja bekanntlich ein Hauptanliegen auch der expressionistischen Dichtung und Malerei besteht – die Absage an eine Kunst, welche »ganz ungemein putzt«.

»Die Musik«, proklamiert Schönberg 1911, »soll nicht

schmücken, sie soll wahr sein«[6]. Diese Forderung greift aber an den Kern der Tonkunst, welcher Erkenntnis wesensfremder als den Schwesterkünsten, der Schmuck jedoch unentbehrlicher als jenen ist. Gehört doch, im Sinne Schönbergs, zum Schmuck der Musik jede schöne Wiederholung und Paraphrase von bereits Gesagtem. Eben hierin, in der Wiederholung, der Wiederherstellung und Wiedergewinnung vorübergehend preisgegebener Zustände besteht aber nicht nur die traditionelle musikalische Form, sondern gründet auch deren Ausdrucksgehalt. Das Prinzip der thematischen Entwicklung und Reprise sowie das Prinzip der harmonischen (und tonalen) Spannung und Entspannung ermöglichte die bis um 1900 gültige »Temperament-Gebärde«. Grillparzer umschreibt sie poetisch als »das Gebet, das lallt und stammelt« – aber, möchte man hinzufügen, ein Gebet, das erhört wird! Bei dieser Gebärde findet jede Frage ihre Antwort, das Wagnis bettet sich in Sicherheit und den großen Entschluß besiegelt ein Gelübde. – Um solche Erfüllungen bringt sich eine athematische, atonale Tonkunst: ihr bleibt nur die Suche. Und nicht von Ungefähr hat Schönberg in seinem frühesten Bühnenwerk *Erwartung* (1909) die Suche, die nächtliche Suche einer Frau nach ihrem Geliebten, den sie endlich im Walde ermordet findet, zum Bühnengeschehen gemacht. Merkwürdig genau passen, nicht nur auf den nachfolgend zitierten Hilferuf der Suchenden, die Worte Hermann Bahrs: »Da schreit die Not jetzt auf: der Mensch schreit nach seiner Seele, die ganze Zeit wird ein einziger Notschrei. Auch die Kunst schreit mit, in die tiefe Finsternis hinein, sie schreit um Hilfe, sie schreit nach dem Geist: das ist Expressionismus«[7].

[Notenbeispiel aus Schönbergs *Erwartung*, Takte 190–195]
Dieser Aufschrei könnte die Behauptung Busonis, es mangele der expressionistischen Musik an »besonderen Akzenten«, zweifelhaft erscheinen lassen. Um einen hinlänglich markierten Höhepunkt handelt es sich hier in der Tat. – Nur, diese Höhe wurde nicht erklommen: wir wurden in sie hinaufgeschleudert. Und ebenso unvermittelt erfolgte der Richtungswechsel: das Zusammenklappen vom dreifachen Forte in den Hauch eines Pianissimo. – Die outrierte Geste als Ausdrucks-

norm verbietet formale Kohäsion. Diese Ausdrucksgebärden dauern, so lange eben ein Schrei oder Seufzer dauern kann. Sie müssen, um wirksam zu bleiben, immer von neuem entstehen – daher die von Busoni beanstandeten »unzusammenhängenden Formeln ... des Anlaufnehmens«. Hier, in der Neigung des Details zur Vereinzelung, werden die Gemeinsamkeiten des poetischen und musikalischen Expressionismus wohl technisch am greifbarsten: der in der Dichtung (jedenfalls doch theoretisch) verfochtenen »Emanzipation des Wortes«[8] aus dem Satzgefüge, der »Punkthaftigkeit« des expressionistischen Gedichts entspricht in der Musik die »Emanzipation des Tons«.

Schönberg hat einmal im Gespräch mit Gustav Mahler die Möglichkeit einer zukünftigen Musik erwogen, welche (an Stelle der »Melodie«) eines einzigen Tones in wechselnder Klangfarbe sich bedienen würde[9]. Diese Spekulation hat Alban Berg in der Oper *Wozzeck* (1926) in die Tat umgesetzt. Ich spreche von der berühmten Variation über einen Ton und der vorangehenden »Phantasie über einen Ton« – den Ton H, der hier, zunächst als »Orgelpunkt«, einmal im Baß, dann in höchster Höhe, den harmonischen Satz beherrscht, um endlich ganz nackt in einer Art rhythmischen Klangfarbenkanon sich auf sein »Wesen« zu konzentrieren.

[Notenbeispiel aus Bergs *Wozzeck*, Takte 110–120]

Die »Reduktion« der Musik auf ihre »Elemente«, wovon die »Emanzipation« eines Einzeltons natürlich nur eine unter vielen Möglichkeiten konkretisiert, läßt sich (unser Beispiel scheint geeignet dies zu belegen) von der »Reduktion« auf »das Elementare« nicht ganz trennen. Am deutlichsten wird dieser Zusammenhang in der Autonomisierung des Rhythmus.

Unter allen reduktiven Operationen der expressionistischen Musik scheint die Loslösung (oder hier vielleicht richtiger gesagt: das Loslassen) des rein Rhythmischen auf den Konzertgänger noch immer am unfehlbarsten seine Wirkung zu tun. Ekstatische Zustimmung oder wütende Ablehnung kennzeichnen die öffentliche Aufnahme eines Werkes wie etwa Vareses *Ionisation* (für 28 Schlaginstrumente), heute, wie vor vierzig Jahren. Es ist ja ganz selbstverständlich: in der Regression der Tonkunst zu afrikanischen Trommelwirbeln und Paukendonner wird der Austritt aus der bürgerlichen Musikkultur gleichsam zum Inhalt des Musizierens erhoben.

Die Parallelen zwischen dem Expressionismus des 20. Jahrhunderts und dem »Sturm und Drang« des 18. sind in der Musik noch augenfälliger als in den Schwesterkünsten. Die Satzungen der *Neuen Ästhetik* Busonis (dem Busoni der Vorkriegszeit, zu dem Varese noch spät als Schüler sich bekannte), Sätze etwa wie:

»Die Schaffenskraft ist um so erkennbarer, je unabhängiger sie von Überlieferungen sich zu machen vermag«,

oder:

»Die Aufgabe des Schaffenden besteht darin, Gesetze aufzustellen, und nicht, Gesetzen zu folgen. Wer gegebenen Gesetzen folgt, hört auf, ein Schaffender zu sein.« Solche Leitsätze[10] paraphrasieren, in geringer Verschärfung, die alte Lehre vom Genie, welches die »Muster« für die »Regeln« der Kunstrichter hervorbringt – eben jene Lehre, mit der einst Lessing (in den Worten eines zur Übertreibung geneigten Biographen) das deutsche Theater in eine »tobende Kinderstube« verwandelte. Im Gegensatz zu dem internationalen Selbstbewußtsein des literarischen Expressionismus empfand sich der musikalische als eine »deutsche« Bewegung. Deutsche Vorbilder waren der Ausgangspunkt und blieben wegweisend für die Musik Schönbergs. Busoni, in seiner expressionistischen Frühphase, legt großes Gewicht auf die Abgrenzung der eigenen Kunst von den französischen Neutönern[11]. Halb polemisch, halb respektvoll wird in seiner *Ästhetik* mit Vorstellungen wie »germanische Tiefe« operiert und wird der Begriff der »Musikalität« für die deutsche Sprache monopolisiert[12]. Folkloristische Tendenzen gehören zu den legitimen Mitteln der musikalischen »Regeneration«. Hierin besonders wirkt der musikalische, mehr als der literarische Expressionismus wie ein Echo aus der Lessing- und Herder-Zeit.

Als Theoretiker ist Schönberg dem Irrationalismus des »Genie«-Glaubens nie entwachsen. Noch jene »Erfindung«, welche er in den frühen 20er Jahren machte und von der er mit dem soeben kommentierten Anflug von Chauvinismus meinte, daß sie für die nächsten zweihundert Jahre die Hegemonie der

deutschen Musik sichern würde: die sogenannte »Reihen«-
oder »Zwölftontechnik«, hält er für »unlernbar«. Sie bleibt
eine »Geheimwissenschaft, bis einer kommt, der sie kraft
angeborener Gaben erben wird«[13]. Also doch »Wissenschaft«,
aber erblich »kraft angeborener Gaben« – ein Paradox, in dem
der gesamte innere Widerspruch der Schönbergschule zu
Worte kommt, ihr Ineinander und Gegeneinander von rationa-
lem Kalkül und tastender Intuition, leidenschaftlicher Selbst-
hingabe und distanziertester Selbstdisziplinierung. Dieser
Widerspruch treibt in der Zwölftontechnik nur seine sichtbare
Blüte. Seine Wurzeln reichen zurück in die Frühzeit des
Expressionismus.

Das Orpheus'sche Verbot, beim Komponieren nach rückwärts
zu blicken, hat Schönberg sehr bald übertreten. Noch weiter
zwar machte er sich, ganz im Aufrührerton von 1770, zum
Theoretiker des Irrationalismus, Antiästhetizismus und Anti-
formalismus[14]. Er predigt, »Kunst« komme »nicht vom
Können sondern vom Müssen«; und übt sich jedoch indessen
selber als Komponist in den gelehrtesten kontrapunktischen
Künsten, Fuge auch Krebskanon und Passacaglia. Das geschah
zuerst bei der Vertonung der *Pierrot lunaire*-Gedichte (von
Albert Giraud) 1912. Er konnte gewiß sein, daß bei diesen,
hinter der expressionistischen Ausdrucksgebärde sich sorgsam
versteckenden, sehr ernsten Spielen kein Unberufener ihn
ertappen würde. Das komplizierte polyphone Gewebe enträt-
selt sich nur eingeweihten Ohren – geheime Klassik.

*Raju, seine indische Adoptivtochter, war Michaels letzte
Musikschülerin. Aus Gesprächen mit Raju Mann:*
Ich wollte Klarinette spielen. Der Papa sollte mir beim Üben
helfen, und da bin ich manchmal böse geworden, wenn er
wollte, daß ich immer weiterspiele ohne abzusetzen. Wenn
ich's dann nicht richtig gekriegt habe und nicht auf ihn hörte,
dann wurde er auch bös und wollte weggehn. »NEIN! Ich kann
doch nicht alleine üben...« Ich glaub schon, daß er mir
manches beigebracht hat. Zuerst hatte er mir ein Akkordeon
gekauft. Das habe ich angefangen. Dann wollte ich aber lieber

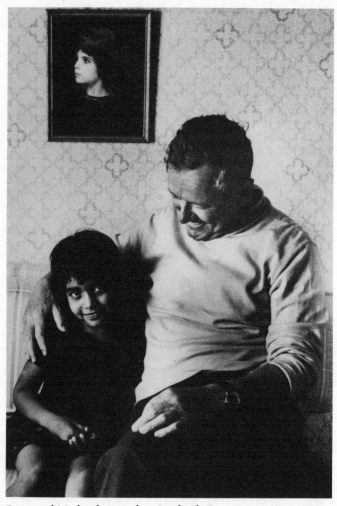

Raju und Michael unter dem Lenbach-Porträt von Katia Mann

die Klarinette, wie meine Freundin. Auf der Klarinette spielte ich eine Zeitlang im Schulorchester, das machte Spaß, aber nicht das Üben. So hab ich's dann aufgegeben. Vielleicht fange ich später wieder einmal an, denn ich habe an der Musik Freude.

Als ich klein war, bin ich mit ihm immer nach St. Helena gefahren. Ich lag hinten im offenen Wagen und er erzählte mir Geschichten, mit lauter Stimme. Er erzählte mir von Opern, die er kannte, oder ganz tolle Geschichten, die er für mich erfunden hatte, und ich wollte immer, daß er mir mehr erzählen sollte. Abends hat er mir dann aus Kinderbüchern vorgelesen, und zwar immer zwei Kapitel, nie mehr. Aber meistens erzählte er Operngeschichten, Rosenkavalier, Carmen. Ich kann mich an die Geschichten nicht mehr so genau erinnern. Das war schon lange her. Manchmal saß ich vorne bei ihm und legte beim Fahren meinen Kopf in seinen Schoß. Ich bin dabei fast eingeschlafen, aber er erzählte immer weiter. Unser großer Schäferhund, Brutus, lag dann hinten im Auto. Dabei trank Papa immer einen Whiskey, und ich habe dann seinen Hut über das volle Glas gelegt, damit es die Polizei nicht sehen könnte.

Erinnerungen des Sohnes FRIDO, *(Münster, Vatertag 1981)*:
Besonders in meiner frühen Kindheit stand die Musik ganz und gar im Mittelpunkt meines Elternhauses. Ob mein Vater nun jeden Morgen mit seiner Geige über die Golden-Gate-Brücke ins San Francisco-Symphony-Orchestra zur Probe fuhr, ob er zu Hause im »Study« übte (wo wir alle ganz still sein mußten!) oder ob abends im Freundeskreis Kammermusik gemacht wurde (wo ich im »Allerheiligsten«, im »Study«, dabeisitzen und lauschen durfte), immer drehte sich praktisch alles um Musik, und der »Papa« und Musik waren im Grunde identisch. Ein großartiges und unvergeßliches Kindererlebnis des Fünfjährigen war, daß mich der Papa einmal nach San Francisco in ein Kinderkonzert mitnahm, in dem er mitspielte. Als er mich vorher im Auditorium zu meinem Sitzplatz brachte, schärfte er mir mit metallener Stimme und durchdringendem Blick

mindestens dreimal ein: »Aber *nicht* aufstehen, bevor ich selber wiederkomme und dich hole!« Die Worte klangen streng und zwingend, strahlten zugleich während des ganzen Konzerts für mich Verläßlichkeit und Geborgenheit aus. Den ganzen restlichen Nachmittag widmete sich der Vater ganz und gar mir allein, trug mich auf seinen Schultern durch die Straßen der Stadt, führte mich in ein Foto-Atelier, wo ich mich fotografieren lassen durfte, kaufte mir Marzipan – ein nie endenwollendes Fest!

Meine Klavierstunden und ersten Kompositionsversuche als Zehnjähriger in Europa standen stark im Banne meines Vaters. Der Ernst und die gelegentliche Impulsivität, mit der er damals pädagogisch auf mich einzuwirken suchte, hatten für mich manchmal etwas Erschreckendes und Überwältigendes. Er war inzwischen ein angesehener frei konzertierender Solo-Brat-schist geworden. Den ungeheueren Anspruch an sich selbst und seine eiserne Disziplin – ich spürte sie täglich durch die Wände seines Arbeitszimmers hindurch – übertrug er in musikalischen Schulungssituationen wohl manchmal unge-wollt auf mich. Ich erinnere mich, daß ich zusammen mit ihm eine zeitgenössische Komposition für Bratsche und Klavier von einem gewissen Stürmer einüben mußte und mich recht überfordert fühlte. Diese Sitzungen gaben mir zwar starke geistige und charakterliche Impulse. Es tat aber auch manchmal weh, auf diese Weise aus meinen frei flottierenden Kinderträu-mereien herausgerissen zu werden.

Später, als Gymnasiast, als ich mit dem Musikerberuf zu liebäugeln begann (so stark war also sein Einfluß gewesen), da hörte er gerade damit auf und widmete sich beruflich ganz den literarischen Aufgaben. Die Stille, die durch seine Abkehr vom Musikerberuf ins elterliche Haus trat, war anfangs für mich ungewohnt und nicht ganz geheuer. Ich merkte, daß sein tägliches Üben auf der Bratsche mir fehlte, daß ich mich innerlich umstellen mußte. Unser gemeinsames Musizieren aber blieb bestehen, es bekam nur einen anderen Stellenwert. Es ging weniger gespannt und anspruchsvoll zu. Auch der äußere Rahmen wurde lockerer. Zwei Situationen, die ich nicht vergesse, mögen dies verdeutlichen.

Wir verbrachten unsere Sommerferien auf Ischia in Süditalien. Es versteht sich, daß in unserem einfachen ländlichen Ferienhaus kein Klavier vorhanden war. Trotzdem wollten wir auch hier das Musizieren nicht lassen. Es mußte also irgendwo im Dorf ein Klavier aufgetrieben werden. Der Besitzer einer Pizzeria ebnete uns den Weg zum Klavierlehrer der Gemeinde, dem »Maestro«, einer beleibten, respektgebietenden und zugleich finsteren, stets hinter Sonnengläsern versteckten und etwas maffios wirkenden Erscheinung, dessen Klavier wir gegen ein kleines Entgelt stundenweise benutzen durften. Ich habe in meinem Leben nie wieder ein so verstimmtes Instrument gehört, geschweige denn darauf gespielt. Ich ließ es mir aber nicht nehmen, trotz Ischia-Sonne, ein bis zwei Stunden täglich in einem finstern Raum – die Fensterläden waren unerbittlich geschlossen – auf diesem Kasten u. a. Schubert-Sonatinen einzuüben, um sie dann zusammen mit meinem Vater zu spielen.

Kurz vor meinem Abitur besuchte ich meine Eltern an der amerikanischen Ostküste. Meine musikalischen Freizeitstudien hatten sich weiter intensiviert, und mein Vater führte mich auf seinem Harmonium in die Grundlagen der Kontrapunktik ein. Im Hochsommer logierten wir in einem abgelegenen Häuschen nahe am Meer und hatten das Harmonium dabei. Bei unseren täglichen Strandfahrten nahmen wir das schwere Instrument im Auto mit und schleppten es durch den tiefen Sand in die Nähe des Wassers, um dort im monotonen und beruhigenden Rauschen von Wind und Wellen uns in die nüchtern-strenge und dabei so feinstrukturierte Welt Palestrinascher Satztechnik hineinzubegeben. Fotos im Familienalbum zeigen heute, wie wir zusammen, in unsere kontrapunktischen Studien vertieft, an diesem Harmonium am Strand sitzen, der ganze Apparat unter einem Sonnenschirm, an dem eine Leimrolle zum Schutz gegen die lästigen Fliegen hängt.

Nach längerer Pause haben mein Vater und ich, besonders im letzten Jahr vor seinem Tod, wieder viel zusammen musiziert. Wir waren inzwischen beide keine »Berufsmusiker« mehr. Es war ganz anders als zu Kindheitszeiten, und doch in gewisser Hinsicht unverändert. An einem der letzten Male, als ich meinen Vater sah, spielte er zusammen mit mir, meiner Frau und einem Freund an einem Sommerabend im Musikzimmer seines kalifornischen Hauses die beiden Klavierquartette in G-Moll und Es-Dur von Mozart.

Der technische Glanz seines Spiels war verblichen. Zeit, chronische Anspannung und Krankheit hatten das ihrige getan. Unverändert aber war die durchdringende Kraft und die Musikalität, mit der mein Vater diesen herrlichen, von dämonischen Stimmungsgegensätzen beherrschten Mozart-Werken begegnete, sowie auch die lebendige, markante und liebenswürdig-gewinnende Art seiner Interaktion beim Durchprobieren der einzelnen Sätze. Der Abend gelang in einer vollendet abgerundeten Weise, in musikalischer wie auch in geselliger Hinsicht. Beim anschließenden Abendessen, an dem wir unser geglücktes Musizieren alle sehr fröhlich feierten und viele alte Erinnerungen austauschten, bemerkte mein Vater mit etwas nachdenklichem Gesicht mir zugewandt, bewußt scherzhaft, und nicht ganz ohne wehmütig-gedämpften Ausdruck: »Wie wäre es, wenn du und ich, wir beide, wieder den Musikerberuf aufnehmen und zusammen Konzerte geben würden?«

Ein Jahr später – mein Vater war schon ein halbes Jahr tot – weilte ich wieder bei meiner Mutter zu Besuch im kalifornischen Elternhaus. An meinem Geburtstag saßen wir abends in der Dämmerung draußen auf der Veranda. Meine Mutter wollte den Tag mit Musik ausklingen lassen. Sie legte drinnen im Wohnzimmer bei offener Tür eine Schallplatte mit Brahms' Streichsextett in B-Dur auf, trat wieder auf die Veranda heraus und zeigte auf das quer vor uns liegende Musikzimmer. »In diesem Sextett hat der Papa so oft mitgespielt!« Ich hatte zwar meinen Vater nie in diesem Werk gehört. Aber als das leidenschaftlich-anmutige und zugleich so zart und verhalten klingende Anfangsthema des ersten Satzes erklang, war mir, als dringe die Musik im lebendigen Spiel aus dem Musikzimmer heraus. Es hatte etwas Gespenstisches an sich, etwas Unheimliches. Diese vergleichsweise gläsern wirkende Schallplattenkonserve einerseits, die aus dem beleuchteten Raum hinaus in die hereinbrechende Nacht erklang, und die schmerzliche Erinnerung an Verlorenes, Warmes und Lebendiges, das ich im kalten Dunkel vor mir vergeblich suchte! In diesem Moment fühlte ich mich allein in meinem Liegestuhl unter dem weiten kalifornischen Sternenhimmel.

Während dieses Besuches empfand ich eine unüberwindliche Hemmung, auf dem verwaisten Flügel des Hauses Kammermusikabende mitzugestalten. Das Musizieren in diesem Haus wurde für mich erst allmählich im Laufe der weiteren Jahre wieder zur Selbstverständlichkeit – besonders, wenn ich mit meiner eigenen Familie musizierte. Mein jetzt zwölfjähriger Sohn Stefan wächst inzwischen zusammen mit seiner Geige immer stärker in unsere Musik-Familientradition hinein. Jetzt habe ich die Rolle des Vaters übernommen, der aktiv und wachsam die musikalische Entwicklung seines Sohnes begleitet.

Eine Musikergeschichte von Michael Mann:

SMORZANDO

Blumen, Blumen und noch mehr Blumen, ein wahres Blumenmeer – mitten im Winter! Welch maßlose Ehrungen! Rosen, Nelken und wieder Rosen. Und – ein Wunder zu der Jahreszeit – dieses aus seiner Kristallschale nach allen Seiten ragende Gladiolenbouquet! Es nimmt fast die ganze Fläche des Konzertflügels ein. Blumenspenden persönlicher wie offizieller Herkunft. Die (Treibhaus-)Tulpen von der holländischen Gesandtschaft, die Lilien ein italienisches Staatsgeschenk. Die Schärpen und Schleifen, welche Körbe und Töpfe umwinden, sind bedruckt mit allen erdenklichen Schmeicheleien. Eine Chrysanthemenstaude aus Japan begleitet die Anschrift »DEM GROSSEN DIRIGENTEN UND REGENTEN« (letzteres offenbar in Bezugnahme auf die Wahl zum Ehrenpräsidenten des J.T.V.), auch sinnig doppelsinnige Anspielungen, wie die einer Amaranthblüte – jener Blume, von der die Dichter sagen, daß sie nie welke – beigefügte Karte mit den Worten: »EWIG, EWIG«.

Blumenduft und Parfumduft. Und Umarmungen. Das durchnäßte Hemd wurde gewechselt, die Abreibungen mit Eau de

Cologne von Kricks besorgt, während sie draußen noch klatschten und schrien. Ach, das etwas schwammige, etwas schlaffe Weiß des halbentblößten Körpers, das von übermenschlicher Anstrengung leichenhaft entstellte, leider jedesmal bläulicher angelaufene und unaufhörlich triefende Antlitz, das einem da aus dem Spiegel entgegenschreckte, diese ganze erschöpfte, verbrauchte, überforderte Physis bedurfte immer noch nur weniger Minuten, um wenigstens scheinbar und für eine beschränkte Zeit, die nötige Spannkraft zurückzugewinnen, jenen Elan, von dem jede Handbewegung zeugte und der spürbar blieb bis in das geistreiche Lächeln, in dem sich die Bäckchen hoben, der das Publikum entzückte und unter dessen Zauber die Violinbögen tanzten. Zu wissen, wer man ist, was man kann, wie und warum man so verehrt wird – darauf kommt alles an. Noch im Sich-Erheben von der sparsamen, möglichst lange hingezögerten Verbeugung muß dies Wissen sich bekunden, in einer halb abwehrenden, halb begütigenden Geste, einem leichten Zittern des Kopfs, halb Schütteln und halb Nicken, und einer unter den himmelnden Augen fast unsichtbaren Bewegung der Lippen, welche sagen möchte: »Kinder, ich weiß es, weiß es ja!« Freilich, dieses Wissen will genährt sein (und wird genährt) von den Blicken, die einem aus dem Parkett, den Logen, von überallher entgegenfliegen. Ganz enthemmte, gelöste, leuchtende Blicke, hingegebene Mädchenblicke, wie sie einem bei einer Begegnung auf gleicher Ebene nie zuteil werden könnten und wie sie nur der kennt, der auf einem Podium gestanden hat. Sie glauben wohl, man sähe sie nicht, so im einzelnen. Aber sie irren sich. Man sieht sie sehr wohl. Und eben hierin bestehen die größten Wonnen des Metiers...

Bestanden! Denn man muß auch wissen, wenn ein Ding sein Ende hat. Und diesmal war es Ernst mit dem »Abschiedskonzert«. Die kleine Gedächtnisschwäche während des Konzerts vorige Woche (es war bereits die zweite in dieser Saison) hatte den Ausschlag gegeben. Von der Presse mit taktvollem Schweigen übergangen, hatte sie noch am selben Abend die öffentliche (und von der Öffentlichkeit mit einer Art feierlicher Erlösung aufgenommene) Erklärung gezeitigt, die lange erwogene (und schon öfters auch halb angekündigte) Resignation. Die in die Programmhefte eingefügten Extrablätter verkündeten also nur, was jedermann ohnehin wußte. Dieser plötzliche Abbruch mitten in der Saison, mitten im Winter, hatte seine Vor- und Nachteile. Kaum bedürfen letztere einer Erklärung. Von Vorteil, in mehrerer Hinsicht, aber war es, daß unter diesen Umständen die neue Tätigkeit noch im selben Jahr, sogar sofort begonnen werden konnte; denn in dem längst signierten Kontrakt war nur noch die Datierung offen und dem Eintretenden anheimgestellt.

Dergleichen zu bedenken war dies jedoch der Augenblick nicht. Auf das von Kricks gegebene Signal drängte sich ja bereits der seit mehreren Minuten schon kaum mehr aufzuhaltende Besucherstrom durch die Tür, Verehrer und Verehrerinnen, Freunde, Autogrammjäger, Wichtigmacher – erfahrungsgemäß aus der Nähe und auf gleicher Ebene eine viel weniger erfreuliche Begegnung als aus der Höhe und Ferne des Podiums –, dank der zunehmend anarchischen Mode, einer ja schier schrankenlosen Freiheit in Farbe und Schnitt der weiblichen wie der männlichen Kleidung, ein wenig wie ein Faschingszug: voran, in phantastischem Seidengehänge und in der Turmfrisur, wie stets, die weiße Rose, »das Mägdlein«, damals gewiß schon über fünfzig, aber, bei etwas gewaltiger Statur (die sie von der Mutter hat), noch immer gut aussehend oder doch zumindest imposant. Gattinnenhaft pflegte sie sofort bei ihrem Eintritt die Kontrolle über die Umarmungen und Küsse zu übernehmen und – unter schrill intonierten Ausrufen wie »War Bozzi nicht wieder überwältigend?« oder »Hat er nicht mehr daraus gemacht als darinnen ist?« oder »War das nicht eine *mutige* Tat?« – den einen oder anderen zum Kompliment nach vorne zu schieben oder zurückzudrängen. Gattinnenhaft auch, dankenswert gattinnenhaft war es, daß sie die Türe zur Toilette, welche Kricks hatte offenstehen lassen, so daß der Blick über die Blumen gerade auf die Klosettschüssel fiel, schloß und auch das auf dem Ecktischchen neben angebissenen Cookies und einer halbvollen Kaffeetasse liegengebliebene patschnasse Hemd diskret in den Schrankkoffer verstaute – den Koffer mit den fünf Fräcken und Zubehör, einschließlich der

Sammlung von *Batons*, der überallhin folgte, ein wohltätiger Anblick in fremden Städten mit elenden Sälen und unwirtlichen Künstlerzimmern, wenn er offen wie eine Kommode dastand, von altmodisch unförmiger Bauart, gediegen beschlagen, auf dem zerkratzten dunklen Glanzleder weiß beschrieben mit den Initialen B.W. – Boris Wahnfried, eigentlich Boris Winfried, eigentlich Boris Winfried Pollinger. Aber wozu? Und das war lange her. Eine glorreiche Künstlerlaufbahn war inzwischen abgeschritten worden und soll heute zu ihrem Ende gelangen. Oder doch eine entscheidende Zäsur erhalten.

Der erste Aufstieg, vom Korrepetitor zur Taktstockberühmtheit, der, wenn davon auch auf den Namen Pollinger dabei kein Abglanz fiel, den Eltern so viel bedeutet hatte, war ungewöhnlich schnell geschehen. Und dann, nachdem fast alles erreicht, ein fast völliger Neuanfang in der Neuen Welt. Die barbarischen Gesetzgebungen der Musikergewerkschaft, welche die Proben erschwerten. Die völlige Verständnislosigkeit des Publikums für das, was einem am meisten am Herzen lag, und das Schlimmste, wie es damals schien (und darin besteht wohl die Paradoxie dieser Erinnerungen): die ewigen Plattenaufnahmen, die angeblich für die Finanzierung des Konzertunternehmens unerläßlich waren – drei-, vier-, fünfmal pro Jahr eine halbe Woche lang oder mehr, mitunter acht oder neun Stunden an einem einzigen Tag, dessen »Arbeitspausen« sich auf die Abhörsitzungen beschränkten, während derer man, unter äußerster Anspannung des Gehörs, möglichst geräuschlos, sein Sandwich hervorziehen konnte. Und diese jeder Inspiration tödliche *tour de force* angeblich, weil die Akustik sich von einem Tag auf den anderen ändere. Aber der Künstler ändert sich nicht? Ist er weniger sensitiv als die Maschine? Kunst und Technik! Kunst und »Wirklichkeit« – eine Urfehde.

Du, Prinzessin aus Persien, warst dabei und bist Zeugin. Du gehörst anderen Zeiten an, stammst aus einem Gedicht von Firdusi; in seinem Paradiesgarten wandeltest du von hohen Mauern umfriedet, kauertest unter dem riesigen Steinrelief, der Darstellung deiner Ahnen Ardashir und Shapur, beide hoch zu Pferde, und hörtest die monotone Erzählung von ihren ungeheuren Kriegstaten aus dem Munde deiner Amme, der Greisin mit den kaum noch sichtbaren Blindritzen im ledernen Stirngerunzel, die jetzt rechts neben dir sitzt und mit der du dich von Zeit zu Zeit unterhältst, in deiner angenehm flüssigen und klaren Sprache. Hast du, kleine Sirah, auch selbst manches von dem vergessen, du kannst dich nicht verleugnen, wie du da stehst, in deinem theatralisch in die Taille gearbeiteten Jackett aus Sassanidenseide, über deinen weißbestrumpften, viel zu langen, viel zu dünnen Beinen, und dich nun eben mit beschwingtem Griff nach einer deiner zahllosen Spielsachen, über dir im Regal, emporreckst, so daß unter deinem Röckchen die Strumpfhose ganz oben deine mollige, gleichfalls weiße kleine Unterhose durchscheinen läßt. Man hat dich gut ausgerüstet für die lange, weite Reise in unwirtliche Weltteile. Denn dein Vater, der Schah, liebt dich über alles. An allen Wänden seines Festsaals, mit den hundert Säulen, hängt dein Porträt, auf rot und blau und gold gemalt und gestickt, von überall her schauen deine unglaublich großen Augen, viel zu verschmitzt für ihre Größe und wie um Nachsicht für ihre Verschmitztheit bittend unter den schräg hingepinselten Brauen, deine gerade, etwas zu lange Nase und die etwas unordentlichen (gewiß leicht zu korrigierenden) Pferdezähnchen im verlutschten Mündchen; von allen Wänden leuchtet das blasse, beängstigend schmale Oval deines Gesichtchens, schwarz umrahmt von deinen auf die Schulter fallenden Fladous.

PAN AM 747, # 138. Einer jener endlosen Nachmittagsausflüge westwärts, von denen man, wie Karl V. von seinem Reich, sagen könnte, daß auf ihnen die Sonne nie untergeht. Das Prinzeßchen ist erst in London zugestiegen. Inzwischen wurde schon New York passiert. Die meisten Passagiere sind, im Schutz der gegen das hartnäckige Tageslicht herabgelassenen Rouleaus, eingeschlafen. Einige (darunter Sirah) haben, zuhörend oder nicht mehr zuhörend, die Kopfhörer um. *Channel 3* bietet klassisches Konzert, ein Symphoniesatz soeben ... unter Leitung keines Geringeren als *Boris Wahnfrieds*. Ein Kabinett-, ein Gala-, ein Leibstück, jahrzehntelang ausgetragen, bis in die letzte kleinste Faser durchdacht, durchblutet, durchlebt.

Die Aufführung (von der die »live«-Aufnahme stammt) war eine Höchstleistung, ein Traum, ein Delirium. Und was davon hat die Platte akustisch festgehalten? Gerade dort, wo im Konzert die Ekstase der Ausführenden ihr Höchstmaß erreichte, die Überwältigung des Publikums am vollkommensten war, herrscht auf der Platte: unverständlicher Lärm, befremdliches Chaos. *Basta! basta!* Das tut die Technik für die Kunst.

Immerhin: zieht man auch von einer Wahnfried-Interpretation vieles ab, so bleibt doch immer noch vieles. – Der ganze den Fluggästen gebotene Symphoniesatz steht unter dem Gesetz einer ungeheuren Steigerung, die es mit klug abgewogenem Gebärdenspiel zu leiten gilt, einmal mit einer gleichsam selbst in die Klangmasse greifenden, schöpfenden Bewegung der hohlen Hand ein Mehr fordernd, ein andermal, mit ausgestreckten Fingern sich gegen ein zu Früh und zu Viel verwahrend, bis endlich der anfänglich nur spitz aus dem Handgelenk gegebene Taktschlag sich auswächst zum akrobatisch leidenschaftlichen, jeden Muskel in Mitleidenschaft ziehenden Körperschwung. Gerade an dieser Stelle aber sackt die im Verlauf von hundertsechzig Takten gewonnene ungeheure Dynamik gleichsam in ein Nichts zusammen, ein *Piano subito* von größter Wirkung – und gerade vor dieser Stelle brach die Übertragung ab. »*Your Captain speaking*« – mit quäkender Stimme. Eine Belehrung über den augenblicklichen geographischen Stand von PAN AM 747, ⌗ 138, welche Musikliebhaber wie Schlafende angehen sollte. Man überflog den Colorado River, in einer Höhe von 30000 feet. Die landschaftliche einmalige Großartigkeit der Gegend sei, teils wegen der Höhe des Flugs, teils auch der ungünstigen Witterung halber, nicht sichtbar, aber doch des Hinweises wert. – Kunst und »Wirklichkeit«! Der Sieg der »Wirklichkeit« über Boris Wahnfried.

Sirah hatte ihren Kopfhörer abgenommen, ihr Buch geöffnet und war nun dabei, ihrem linken Nachbarn eine offenbar auf das Buch bezügliche Frage zu beantworten. Sie liebe Bücher, sagte sie in etwas behindertem, aber präzisem Englisch, aus denen man *etwas lernen* könne, Lebenswahrheiten, für die

Wirklichkeit Brauchbares. – Ach Sirah. Vielleicht bist du gar keine persische Prinzessin; und die Alte rechts neben dir ist nicht deine Amme, sondern deine Großmutter. Hoffentlich wirst du in San Francisco oder Los Angeles bald eine gute Stellung finden, als Verkäuferin bei Woolworth, damit du deine arme, fast blinde Großmutter erhalten kannst.

Nun, auch diese Begegnung ist jetzt schon lange her; und die Ironie des Schicksals hat, wie schon angedeutet wurde, Boris Wahnfried nicht eher als irgendeinen anderen verschont.

»Und *sub rosa*«, kreischte soeben »das Mägdlein«, so daß das Geheimnis, auf welches die Blumensprache mit diesem Ausdruck anspielt, offenbar an alle Umstehenden preisgegeben werden sollte, »*sub rosa*, Bozzi wird ja diese neue Tätigkeit« (und dabei warf sie einen bedeutenden Blick auf die beiden Herren) »schon nächste Woche beginnen.« Als letzte waren die beiden Herren in einigem Abstand dem Faschingszug gefolgt; und Abstand davon wahrten sie auch im reservierten Dunkel ihrer konservativen Kleidung, von den schwarz gewichsten Schnürschuhen hinauf bis zur unauffällig tadellosen Krawatte. Der eine von ihnen ist etwas größer und jünger; das ist der Direktor. Der kleinere, etwas ältere, der damals das Mäppchen trug und, im Gegensatz zum sofort gewinnenden, gütigen Aussehen des Direktors, zunächst etwas vertrackt wirkt, ist nur ein Assistent. – Die beiden Herren warteten, bis die Reihe an sie kam. Sie bedurften weder des Nachvorngeschobenwerdens noch brauchten sie das Gegenteil zu riskieren. Erst als die Türe sich hinter dem letzten Faschingsgast geschlossen hatte, traten sie vor; und der Assistent, verzwickt hinter seinen Brillengläsern blickend, erörterte den Grund ihres Kommens und Wartens: Ob die Übersiedlung etwa noch heute abend stattfinden solle? Denn daß sie überhaupt stattfinden würde, war längst ausgemachte Sache. Und, wenn überhaupt, warum dann nicht sofort?

Diese Erwägungen kamen nicht völlig überraschend, ja, sie waren nicht einmal völlig unwillkommen. Denn jeder Tag, um welchen der Aufenthalt im Hotel verkürzt würde, bedeutete eine Erleichterung. Diese *wahnsinnige* Unbequemlichkeit des Hotellebens! Man hätte denken sollen, daß eine Weltberühmtheit wie *Boris Wahnfried*, zumal bei den monatlich entrichteten Zimmerpreisen, auf ein wenig physischen Komfort Anspruch gehabt hätte. Aber wo im Leben gab es das überhaupt noch? Das Wohnzimmer der Suite, in dem das Klavier stand, war zu klein. Man mußte, um den Vorhang zu schließen oder zu öffnen, buchstäblich unter das Klavier kriechen; und um eine Partitur aus dem Regal über dem Tisch zu holen, mußte man den Körper so verrenken, daß man vor Anstrengung zitterte. Solche und ähnliche physische Unannehmlichkeiten vergällten einem die Arbeit. Das Essen im Hotel (wie freilich alles Hotelessen) war von mindester Qualität. Die großen Silberglocken, unter denen es auf einem pompösen Wagen hereingerollt wurde, entbehrten jeder praktischen Funktion. Denn die Schüsseln waren wohl meistens schon in der Küche erkaltet; besonders widerlich, wenn man etwa unbebutterten Toast bestellt hatte, statt dessen aber unter der Glocke sich einem eine mit erkalteter Schmiere durchtränkte Brotpaste zum Frühstück bot. – Natürlich konnte man, wenn man wollte, sich das Frühstück auch selbst bereiten; denn hinter dem Wohnraum befand sich die Andeutung einer Küche. Aber hier begann der Ärger schon, wenn man das Wasser im Küchenausguß anzudrehen suchte. Denn während die Wasserhähne im Waschbecken des Badezimmers sich nach vorwärts öffneten, öffneten sich die genau gleich aussehenden Hähne in der Küche nach hinten, so daß man natürlich am einen wie am anderen Ort meist in verkehrter Richtung preßte, weshalb die Hähne im Bad schon zweimal hatten repariert werden müssen.

Für die Bekanntschaft mit dem Installateur gab es allerdings noch sehr viel ernstere Gründe. – Entsetzliche Erinnerung! Wie es zu Anfang geschienen hatte, es sei nur das Klosett verstopft, wie aber dann der eigene Versuch der Entstopfung nur immer noch Greulicheres emporgefördert hatte und wie man dann bemerkte, daß auch aus dem Abfluß der Badewanne und ebenso aus dem der Dusche eine übelriechende, braune, etwas sandige Flüssigkeit emporquoll, um bald das ganze Badezimmer zu überschwemmen. Offenbar hatte Ähnliches sich auch in anderen Apartments ereignet, denn ganz ungerufen war der Klempner gekommen, »um nur«, wie er sagte,

»einmal nachzusehen«. Der Skandal war von der Hotelleitung, so gut es ging, vertuscht worden; und, wie der Klempner breitbeinig in der Badezimmertür stehend, die ganze Schweinerei überblickend, feststellte, war das Hotel auch nicht eigentlich dafür verantwortlich, sondern die Überständigkeit des gesamten Abzugssystems in unserer Stadt. Der ganze städtische Kanalisationsapparat stamme, zum größeren Teil, noch aus dem vergangenen Jahrhundert, gehe also kaum hinaus über die im alten Rom gebrauchten Methoden. »Römisches Recht und römisches Kloakensystem!« seufzte der ansprachebedürftige Klempner; und hier hätte man einmal wieder eine der Folgen. In vielen Häusern füllten sich, bei schweren Regengüssen, die Keller, kniehoch, mit Kloakenwasser, welches oft auch Kanalratten mit heraufspüle; und die von der Feuerwehr bewerkstelligten Auspumpungen hinterließen dann doch unvermeidlich im ganzen Souterrain Fäulnis bewirkende Niederschläge, deren Austrocknung oft Monate daure. Dies sei um so schlimmer, erklärte der leutselige Klempner, da die Fortschaffung des Abfalls in vielen Teilen der Stadt, anstatt durch Absonderungssysteme, noch immer durch sogenannte Mischsysteme erfolgte, so daß ungeklärtes Regenwasser und Straßenschmutz zusammen mit dem geklärten Haushalt- und Industrieabfall durch dieselben Röhren gingen. Dabei dürfe man es mit dem »Klären« nicht zu wörtlich nehmen, denn auch die Methoden der Purifikation seien archaisch und man spare an den nötigsten Chemikalien. Dieses nur halb oder jedenfalls unzulänglich geklärte Kloakenwasser aber nehme dann seinen Ausfluß in das Meer in viel zu kurzen, in ihrem Auslauf der Küste viel zu nahen Ausflußröhren, deren durch den Flutwechsel automatisch kontrollierten Klappenventile auch meist noch schadhaft seien. Schadhaft und reparaturbedürftig sei eben das gesamte Kloakensystem. An vielen Stellen der Stadt seien die unterirdischen Backsteinröhren leck, der undicht gewordene Mörtel ließe *Liquida* durchsikkern, die einerseits das Wasserversorgungssystem mit Ansteckung bedrohten, andererseits früher oder später zu Straßeneinsturz führen mußten. Noch bedenklicher als das zunehmende Leckwerden der Röhren sei jedoch dessen Gegenteil, ihre

Neigung zur Verstopfung, wovon man ja auch heute eine Kostprobe erhalten habe. Sie rühre, erklärte der Klempner, vor allem von dem normalerweise auf dem Sielwasser obenauf schwimmenden Fett her, dessen Abschöpfung die dazu bestimmten Luftmaschinen nicht mehr bewältigen könnten. Wegen dieser mangelhaften Durchlüftung bildeten sich in den Röhren auch immer dichtere Gase. Man habe es ja schon öfters erlebt, wie, durch die Entzündung solcher Gase an heißen Tagen, die schweren eisernen Kloakendeckel gleich fliegenden Untertassen viele Meter hoch in die Luft geschnellt seien, um dann mit entsetzlichem Krach an unvorsehbarem Ort wieder herunterzuschlagen, möglicherweise natürlich mit verhängnisvollen Folgen.

Die Erwägung dieser Zustände alleine wäre Grund genug gewesen, die vorgesehene neue Arbeitsstätte auch zur Wohnstätte zu machen und dadurch den täglichen, bei Glatteis oder Matsch ohnehin beschwerlichen Gang zur Arbeit zu vermeiden. – Die umfangreichen Gebäude der Plattenfirma EUPHONIA liegen etwas außerhalb der Stadt (nicht sehr weit von dem Hotel – und eben deshalb wäre die Strecke wohl doch zu Fuß zurückzulegen gewesen), umgeben von einem schön bepflanzten Hof oder Garten, fast könnte man sagen Park, mit mehreren Gartenhäuschen darin, welche den für die Firma arbeitenden Künstlern als Wohnung zur Verfügung stehen. Meist sind es mehrere, die dort gleichzeitig an der Arbeit sind; und ist es seit vielen Jahren das Geschäftsprinzip des Hauses, sich nur mit solchen Künstlern einzulassen, die sich der Arbeit für das Haus völlig widmen können, also einer konzertierenden Tätigkeit entsagt haben, das heißt meist aus Gesundheitsgründen in vorgerückten Jahren entsagen *mußten*. Schon als den Direktor das Gerücht der ersten Gedächtnisschwäche erreicht hatte, muß sich in den Ausdruck von Güte in seinem Gesicht ein Ausdruck wacher Aufmerksamkeit gemischt haben, denn er hatte daraufhin den Verzwickten zu sofortigen Verhandlungen in das Hotel geschickt. Der Kontakt war dann binnen kurzem reibungslos zustande gekommen, nicht einmal anscheinsweise verzögert durch die bekannten inneren Widerstände. Denn: was blieb sonst noch? So klammert sich der

Schiffer endlich noch am Felsen fest, an dem er scheitern sollte. Die dem Hause zu leistenden Dienste beliefen sich, bei völliger Programmwahlfreiheit, pro Jahr auf zweihundert Zentimeter Langspielplatten, was eine Plattenablaufzeit von etwa achtundvierzig Stunden ausmacht.

Die Übersiedelung ist denn noch, mit der Unterstützung beider Herren, am selben Abend erfolgt. Das Gartenhäuschen bietet alles zum Leben Nötige, wenn auch seine Zugigkeit bei dieser Jahreszeit sich unangenehm bemerkbar macht und wenn auch hier, wie naturgemäß in jedem Gartenhäuschen, alle Gegenstände ein wenig nah aneinandergerückt sind.

Wenigstens wird das Wohnzimmerchen durch kein Klavier verstellt, auch nicht durch Noten und Bücher. Denn all dies wurde in den dafür bereitgestellten Räumen im Haupthaus untergebracht. Aus Gedankenlosigkeit ließ »das Mägdlein« auch den Schrankkoffer dorthin schicken, wo doch auf der Hand liegt, daß für die neue Tätigkeit die Fräcke völlig unverwendbar sind und die *Batons* sich schließlich leicht in eine der Handtaschen hätten packen lassen.

Der Kiesweg, der von dem Häuschen zum Haupthaus führt, mündet unmittelbar in jene Tür, hinter der die kleineren Aufnahmestudios liegen (der Orchestersaal befindet sich oben im ersten Stock). Geht man den langen, aus akustischen Gründen, wie alle Böden im Haupthaus, mit Gummi belegten Gang hinunter, angenehm berührt von einem dem Gummi entströmenden hygienischen, fast antiseptisch wirkenden Aroma, so kann man zu beiden Seiten in manche der Studios hineinblicken. In vielen allerdings sind die dicken, schalldichten Glasfenster von innen verhängt, meist mit irgendeinem scherzhaften Plakat oder mit alten Programmen. Der Anblick, der sich einem durch die unverhängten Fenster bietet, ist ziemlich frappant, sieht man doch die Künstler bei ihrer Arbeit, ohne sie zu hören, und ist ihr Gebaren, sind ihre Stellungen und Bewegungen ganz darauf hin angelegt, daß ihr Werk gehört wird, ohne gesehen zu werden. Da gewahrte man zum Beispiel gleich hinter dem ersten Fenster rechts einen Greis, im offenen Schlafrock und mit unrasierten weißen Bartstoppeln, hinter seinem Klavier die wunderlichsten Pantomimen vollführen, einmal, offenbar während einer *Fermate*, die hageren Hände wie zum inbrünstigen Gebet falten, dann wieder die Faust ballen gegen die über dem Flügel hängenden Mikrophone, endlich, wohl nach Abschluß eines Satzes, Kußhände in die Luft werfen. Rätselhaft blieb das Gebaren eines in der Zelle gegenüber Arbeitenden, der abseits einer auf dem Fensterbrett liegenden Gitarre, über ein Notenblatt gebeugt, eine Stoppuhr in der Hand hielt, auf die er von Zeit zu Zeit blickte, jedesmal unter heftigerem Kopfschütteln. – Sofort ins Auge fällt die wirklich fabelhafte technische Ausstattung des Betriebes, der Reichtum an stehenden, hängenden und schwebenden Mikrophonen neuester Art. Die Firma experimentiert jetzt viel mit »Freihallakustik«, was heißt, daß der Aufnehmende mit den Füßen den Boden nicht berühren soll und möglichst hoch im Raum arbeitet, auf einem Aussichtsstuhl, wie ihn die Schiedsrichter bei Tennisturnieren gebrauchen, aber leichter gebaut und zu 80 Prozent schallunempfänglich, oder noch besser, auf einem Holztrapez, das durch eine elektrische Vorrichtung sich bis nahe an die Zimmerdecke emporziehen läßt. Wohl als ein Kompromiß in dieser Richtung hatte einer (wie später klar wurde: kein Musiker, sondern ein Dichter, der aus eigenen Werken las) seinen (gewöhnlichen) Stuhl, auf dem er saß, auf den Tisch gestellt, was ihn genügend erhöhte, so daß man durch das Fenster nur seine vom Stuhl über den Tisch baumelnden Beine sah; erschreckend ähnlich einem Gehängten. Die sonderbarste Szene aber bot sich im hintersten Studio: zwei Greise standen da in unbeweglicher Umarmung, aus der sie sich lösten, um – mit gestreckten Armen einander bei den Händen und so auch gleichzeitig einander vom Leibe haltend – in wechselseitiger Betrachtung zu versinken. Es waren (wie später klar wurde) zwei ehemalige Konzertpartner (ein bekanntes Klavier-Violin-Duo), die sich nach jahrelanger Kontaktlosigkeit in dem Hause wiedergefunden hatten.

Ja, manch alten Bekannten, lange halb verschollenen Kollegen begegnete man hier unvermutet wieder. Natürlich gehört zu ihnen auch der Kußhand werfende Beter, der als Solist in der ersten, wie früher angedeutet, schon wenige Tage nach der Übersiedelung stattfindenden Aufnahme mitwirken sollte.

Man hat von dem Orchester gesagt, sein Streicherkörper bestünde (der Sparsamkeit halber) aus nur solchen, die den Bogen entweder noch nicht oder schon nicht mehr halten könnten. Das ist übertrieben. Manche aber lassen den Bogen während der Aufnahme auch extra fallen, weil solche akustische Störungen die Aufnahmezeit verlängern und die Spieler pro Minute bezahlt werden. Als gleichmotivierte Sabotageakte hat man auch die häufigen Fehlleistungen gewisser Bläser deuten wollen, was zu sehr unangenehmen Auseinandersetzungen mit dem Assistenten führte; und womit man doch dem Geist dieses Orchesters wenig gerecht wird.

Gewiß ist vieles an den Leutchen zunächst befremdlich. Angefangen mit der rücksichtslosen Nachlässigkeit der Kleidung, die in ihrer Buntscheckigkeit nichts zu tun hat mit der gesuchten Maskerade der Konzertgänger, sondern nur einen völligen Mangel an Sinn für »Assiette« beweist. Die nämliche Verachtung für alle Äußerlichkeiten bekundet sich auch im Spiel der Streicher, in dem schwindelerregenden Durcheinander ihrer Bogenstriche. Die »freien Stricharten«, wie sie es nennen, sollen der »Akustik« zugute kommen. Mag daran etwas Wahres sein; wenn nur die höhnische Arroganz gegenüber jeglicher guten Manier nicht solch diktatorische Formen annähme. Ein Dirigent ist auf visuelle Wirkungen angewiesen; und dem bejahrten Meister ist vieles vielleicht nicht unbedingt technisch zur Sache Gehörige zur Gewohnheit geworden. Da ist zum Beispiel, in dem zuerst aufzunehmenden Werk, jene erschütternde Variation, an deren Ende Streicher- und Bläserkörper hintereinander abzuwinken ist. Es läßt sich dies sehr wirkungsvoll so machen, daß es aussieht, als schlüge man über dem Orchester ein segnendes Kreuz, was durchaus zum Charakter der in Frage stehenden Variation paßt. Da sehe man nun aber die Reaktion des Orchesters: ein vernehmliches Gelächter, vor allem wohl seitens jener, die den Bogen *noch nicht* halten können, so daß die ganze Variation noch einmal neu aufgenommen werden mußte – diesmal also ohne Kreuzessegen. Gewisse zur Gewohnheit gewordene Gebärden sind allerdings wohl mehr für das Publikum als für das Orchester berechnet und verlieren vor dem Mikrophon tatsächlich jeden Sinn: ein gewisses Heben der Schultern, das im Frack als ein elegantes Signal der Bereitschaft zum Anfangen wirkte, ist bei der Plattenaufnahme, wie eben so manche andere Bewegung auch, entbehrlich. Allzu leichtfertig bezeichnet man solche Bewegungen als »Mätzchen«. Wo aber ist die Grenze? In der schönen, eindrucksvollen Gebärde besteht schließlich das Metier. Und, wenn man nun so Vieles von einer Wahnfried-Interpretation abziehen muß, bleibt dann wirklich noch viel? *Bin ich noch Boris Wahnfried?* Bin ich es heute weniger oder vielleicht mehr als früher? Ist kein Talent mehr übrig, tausendfältig mich zu zerstreuen, zu unterstützen? Bin ich Nichts, ganz Nichts geworden? Nein, es ist alles da. Bin ich mir selbst entwandt, der Sache bin ich es nicht. Es gibt noch Augenblicke, Ewigkeiten – und erst jetzt gibt es sie vollends, da die Musik selbst uns trägt, die Spieler gleichsam näher aneinander heranrücken, wie im zutraulichen, ganz gelösten Gespräch sich den goldenen Ball der Melodie gegenseitig reichend, kaum noch meiner Anleitung bedürftig, der ich, in solchen Augenblicken, fast bewegungslos, gleichsam nur lauschend vor ihnen stehe. Oft ist es, bei solch seligem Musizieren, ungewiß, ob die Mikrophone noch angestellt sind. Vielleicht sind die Techniker schon nach Hause gegangen. Irgendwann hat der Assistent, in Mantel und Hut, hereingeschaut. Auch ein Teil des Orchesters hat sich entfernt. Aber *wir* bleiben und lauschen.

Sie sagen, meine *tempi* wären, seit meinem Verbleib hier, immer langsamer geworden. Das kann sein; und ich frage mich, ob das so ist, weil ich will, daß sie es genauer hören, oder weil ich selbst es genauer hören möchte. Es ist, wie das Aus- und Einatmen vor dem Einschlafen langsamer wird. Wie Ebbe und Flut. Atmen, atmen – ewig, ewig.

Außer dem Orchester sehe ich kaum noch Menschen. Von mir aus können sie Türen und Fenster zugittern. Einmal hat Kricks mich besucht – eine Anstandsvisite. Das »Mägdlein« kommt öfters und hinterläßt dann in meinem Gartenhäuschen weiße Rosen, was in der Blumensprache heißt: »Ich bin deiner wert«. Das ist sie. Ihr alle seid es.

KAPITEL III

DER GERMANIST

Michael war Musiker und wurde erst sehr spät
seriös, Professor für Germanistik in Berkeley.
Katia Mann,
Meine ungeschriebenen Memoiren

*Als nahezu Vierzigjähriger ging Michael Mann nach Harvard,
um dort Germanistik zu studieren. Seine ersten Forschungen
als Germanist beschäftigten sich mit Schubart und Heine, also
mit Antipoden zu etablierten, bürgerlichen Normen. Er
profilierte sich als Literaturhistoriker des achtzehnten und
neunzehnten Jahrhunderts. Deshalb wurde er 1961 von der
University of California in Berkeley angestellt. Im Grunde
aber gehörte er nie zur Zunft der Germanisten, sondern blieb
eine Künstlernatur, die sich literarhistorischen Befunden vor
allem aus einer Art Zwang zur Selbstfindung zuwandte. Seine
bis in die kleinsten philologischen Details gehende Forschungs-
tätigkeit, seine saubere, fachgerechte Arbeitsmethode ver-
deckte diese Selbsterklärung, auf die seine Germanistikarbeit
eigentlich gerichtet war. Anfangs war ihm wohl auch der Weg
nicht ganz bewußt, den er als Germanist schritt, nämlich der
Weg zum Oeuvre des Vaters, und in den letzten Jahren
– besonders auf der Goethehaus-Reise 1975/1976 – der Weg
zum Vater selbst.*

*Michael Manns wissenschaftliche Aufsätze werden ihre Aus-
wertung und damit ihren Platz in der Germanistik finden. Im
zweiten Kapitel seines Sturm und Drang-Buches, als Vorstudien zu seiner Schiller-Arbeit gedacht, wird deutlich, wie sich
für ihn literaturgeschichtliche Interessen, Familiengeschichte
und Selbstdarstellung verbinden. Der »erlebte Mythos« (ge-
schichtlich vorgeprägte Struktur, die spontan nachvollzogen
und aktualisiert werden kann) konkretisiert sich an den von*

ihm bearbeiteten Themen wie »Der verlorene Sohn« oder »Die feindlichen Brüder«.
Die beiden hier vorgestellten Aufsätze veranschaulichen seine Hauptinteressen als Germanist: Biographie (»Die Turmbesteigung«) und Todesfaszination (»Schiller und sein Prinzipal DER TOD«).

DIE TURMBESTEIGUNG
NOTIZEN ZU C. F. D. SCHUBART

Als im Januar 1777 die herzoglichen Häscher sich Schubarts bemächtigt und ihn auf die Festung Asperg entführt hatten, wurde er in ein düsteres Turmverlies geworfen; von der Außenwelt sah er eine »Handbreit Himmel«[1], den »trüben Mond«, »die Sonne, die die Stäbe seines Gitterfensters küßte, wenn der neue Tag rötlich heraufstieg«[2]. Später erhielt Schubart ein höher gelegenes Zimmer: vor seinem Fenster erhebt sich der breite Wipfel eines Lindenbaums vom Hofe; dort exerzieren Soldaten, arbeiten Sträflinge. Weit unten breiten sich Auen, windet sich der Neckar – liegt das Ziel aller seiner Wünsche.

Schubart liebt weite Ausblicke. Wie es ihn jetzt hinabverlangt, so hat es ihn früher hinaufgetrieben, in »majestätischen Höhen« sein »Herz zu lüften«[3]. Beschreibungen grandioser Aussichten nehmen viel Raum ein in seinen Erinnerungen: Wie rühren ihn »Großheit und Schauerhöhe«, steht er auf dem »erhabenen Kranze« des Ulmer Münsters; und wie hat er sich vom Wartturm zu Heilbronn »den ganzen Zauber der Gegend tief in die Seele gedrückt«[4].

Auch Geislingen, Schubarts erste Lebensstation nach den Studentenjahren, besitzt einen schönen alten Turm, den »Heidenturm; ernst und feierlich an der Bergspitze stehend«, verleiht er, nach Schubarts Meinung, der Gegend erst so recht ihr »romantisches Ansehn«[5]. Ludwig, der Sohn, erzählt, wie in seiner Kindheit ihn der Vater oft von seinen Schülern dort hinauftragen ließ: Schubart »wies hinab auf die manchfaltigen

Schönheiten der großen Natur – [...], deutete dann mit thränendem Auge zum Himmel: ›Das alles hat Der da droben gegeben und geschaffen‹«[6]. – Das alles! Aber man muß Schubart selbst hören, was er vom Turme alles sah: »Wälder, Ströme, Berge, Fluren, [...], Städte, Dörfer, Felder, alles von meinen lieben Menschen wimmelnd«[7].

Mit ganz erstaunlicher Geschwindigkeit eilt sein Blick über die Landschaft; nicht nur die »Gärten, Traubenberge, Wiesen, Äcker, Ströme, Weiher, [...], Tiere, Vögel« will er erhascht haben, auch gar noch die »wimmelnden Fische« im Wasser[8].

Die Bewegtheit seiner Anschauung (oder: die unruhige Optik seiner Phantasie) findet ihren sprachlichen Ausdruck, außer in der oben beobachteten Neigung zur »Häufung«, noch in einer anderen Eigenart seiner Sprache: Schubart begnügt sich nicht gerne mit einfachen Tätigkeitswörtern, sondern liebt es, diesen, durch Voranstellung einer Vorsilbe oder Präposition, gleichsam noch zusätzliches Momentum zu verleihen. Er »küßt« nicht das Veilchen, sondern er »entküßt« ihm seinen Duft[9]. Er »zürnt« nicht beim Abschied, sondern der Abschied wird »herausgezürnt«[10] oder der Ton »aus dem Klavier herausgeängstet«[11]. Oberes wird dynamisch zu Unterem in Beziehung gesetzt, wenn Schubart von seinem Turm zum benachbarten Himmel »hinaufbetet«[12] oder von der Höhe des Aspergs seine Autobiographie »niederblutet«[13]. Ähnlich wie Verbum und Präposition kopulieren oder verdoppeln sich Adjektiva und Substantiva, um doch nur möglichst viel in einem Atemzuge zu erfassen: »Hochgedanke«, »Steilgebirge«, »Weltgetümmel«[14] – letzteres ein Lieblingswort. Es soll dem »Sonnenauge«[15] vom »Weltgetümmel« nichts entgehen. Schubart will überall mit dabeisein. So macht er sich, auch auf seinem elfenbeinernen Turm, zum Herrn eiliger Überblicke: »Ich kann es nicht unangemerkt lassen, daß bei so vielen sentimentalen, pittoresken, musikalischen, ökonomischen, politischen, literarischen, dramaturgischen, architektonischen, physiognomischen und anderen Reisen [Gibt es denn noch andere?], die seit zwanzig Jahren durch Europa gethan wurden, eine religiöse, christliche, andächtige Reise, auf der man sonderlich alles bemerkte, was den neuesten Zustand der christlichen Religion beträfe, ein sehr wünschenswürdiges Buch wäre«[16].

Oder: »Ramler ist ein großer Dichter, Mendelssohn ein scharfsinniger, weitsehender Kunstrichter und Philosoph und Nicolai ein witziger Kopf, [...] und unsere Klopstocke, Ramler, Gleime, Wielande, Gerstenberge, Weiße, Bodmer, Geßner, Gellerte und Rabener werden nebst noch einigen wenigen Edlen in der Villa des Apollo (wann ich so reden darf) im glänzendsten Marmor aufgestellt werden«[17].

Entsprechend der Gedrängtheit im Nebeneinander der Gegenwart drängen sich die Dinge im Hintereinander der Zeit. Hier ist bei Schubart der Ansatzpunkt zu einer atemlosen Epik, die in etwa einem Dutzend biblischer Verserzählungen Gestalt annimmt. Sie berichten darüber, was Gott von seiner Höhe alles sah: Gott sah Tyrannen, der Höllengötzen Larven, Jerusalem und Rom...[18] Unter verschiedenen Gesichtspunkten (»Gottes Geduld«, »Preis der Einfalt« usw.) wird hier die biblische Geschichte, von der Genesis bis zum Erlösungswerk Christi, immer wieder abgerollt – oder richtiger: abgehaspelt. Ludwig Schubart glaubte, an seinem Vater sei ein bedeutender Epiker verlorengegangen; verloren, insofern die größten seiner Epen Projekte oder Fragmente blieben. All diese Entwürfe sollten von dem epischen Gedicht *Der ewige Jude* gekrönt werden. Beim blinkenden Kelchglas, so berichtet Ludwig, erzählte Schubart oft von diesem Riesenwerk, das in der mündlichen Mitteilung stets neuen Zuwachs fand. Was Ahasver alles sah – noch mehr fast als Gott selbst: Dieser Jude sah den Fall des römischen Colosseums; die Wiege der europäischen Reiche; die Riesenerscheinungen des Papsttums ... er sah die Reformation mit ihren Helden, sah die fürchterlichen Kriege, Schlachten und Taten – er übersah die ganze ungeheure Geschichtsepopöe von Gallien, England, Spanien, Deutschland usw. »Mit verhältnismäßigen Beschauungs- und Gedächtnis-Kräften ausgerüstet [...], steht [er] auf einem Standpunkte, worauf noch kein Adamssohn gestanden; – hoch erhaben über Bücher und alles Menschengemächt, und schildert mit großen kühnen Freskozügen, was er erfahren«[19].

Das ist Selbstporträt Schubarts im Vergrößerungsglas; aber nur einer Seite seiner selbst. Die Kehrseite bekundet sich in der Fortsetzung der Erzählung vom *Ewigen Juden*: »Dann wüthet er gegen sein eignes Daseyn; kann das Ungeheuer Einerlei nicht länger ertragen; versucht die Schrecknisse des Todes alle, um sich selbst zu vernichten, – vermags aber nicht«[20].

»Die Schrecknisse des Todes alle« hat Schubart versucht; und zwar nicht erst auf dem Asperg, von dem der Tod Erlösung versprach. Mit der Gier nach dem »Weltgetümmel« lagen bei Schubart stets selbstquälerische Adieu-Welt-Stimmungen im Streite. Ganz aus solchen heraus entstanden ist Schubarts früheste Gedichtsammlung, die *Todesgesänge*. Die Geislinger Landschaft hat sich hier in echt christliche Seelenlandschaft verwandelt:

> Da steh ich! Wie auf einem Thurme
> Und sehe in gelaßner Ruh
> Tief unter meinem Fuß dem Sturme
> Des Todes und der Hölle zu[21].

»Gott ist mein Fels«[22]; »Mein Glaube steht auf einem Berge«[23]. In der Besteigung dieses Berges beruht, für Schubart den Christen, der eigentliche Sinn des Lebens: »Das Leben ist eine Reise auf ein hohes Gebirge. Wir reisen in Gesellschaft dahin und einem jeden ist eine gewisse Verrichtung aufgetragen. Einige sind bestimmt eine gewisse Last hinanzutragen, anderen ist ein Vorrath übergeben worden, die Lastträger zu erquicken [...]. Auf der Höhe des Gebirges wartet Belohnung und Strafe für einen jeden [...]. Mit jedem Jahre ersteigen wir einen höheren Hügel«[24].

Mit achtundzwanzig Jahren glaubt Schubart, den beschwerlichen Teil seiner Lebensbesteigung bewältigt zu haben. Er blickt voll Zutrauen in die Zukunft: »Ich stehe gleichsam auf der Spitze eines Berges, von der ich auf zwei Gegenden hinsehen kann. Hier liegen die Gefilde der Jugend – wie sie der anmutige Lenz schmückt. – Diese habe ich nicht ohne Vergnügen durchwandert. Hier liegt die Zukunft vor mir. Ein nächtlicher Nebel hindert die Aussicht [...] und meine Phantasie soll ruhen, jene schwach durchschimmernden Gegenstände, die mein Aug mehr erräth, als sieht, zu erklären. Ich will getrost fortschreiten«[25].

Fromme Selbstbescheidung. Der Nebel, den kein Vorwitz lüften soll, gibt der Zukunft so etwas Behütetes. – Kann es wundernehmen, daß Schubart schwindelte, wenn die Nebeldecke dennoch riß? »Ich stehe auf einer schrecklichen Höhe und schaue in ein unendlich tiefes Grab hinunter«[26].

Dies schrieb er, als er spürte, wie sein Christenglaube brüchig wurde.

Schubart hat, in seiner Autobiographie, die (häufig beanstandete) grelle Nachbarschaft von »hohem« und »niederem« Stil, von religiösem Pathos und weltlicher Frivolität in seiner Lyrik und Prosa aus seiner schon von Jugend an zu entgegengesetzten Stimmungsextremen neigenden Natur hergeleitet:

»So wechselten in meiner Seele die Farben der Nacht und des Tages, die Bilder der Schwermuth und der Freude beständig, und daher läßt sich psychologisch erklären, wie ich nachher bald Todtengesänge, bald Trink- und Freudenlieder machen konnte«[27].

Aber, bleibt hinzuzusetzen, die letzteren machte er mit schlechtem Gewissen. – In einer so steilen Seelenlandschaft wie der Schubartschen gibt es nur die Möglichkeit des Steigens oder die – des Fallens. Die Furcht, zu stürzen, ist das Gespenst, das diese Landschaft besiedelt.

Auch das ist ein Motiv, das sich gut zur Verarbeitung im Kirchengesangbuch eignet:

> Ich werde fallen – denn er schwingt
>   Den Pfeil, der nimmer ruht –
> Und ach! Aus meinen Adern dringt
>   Schon Todesschweiß und Blut[28].

Das Bild gründet jedoch in Schubarts Wirklichkeit – oder: diese im Bilde.

Seine Gewissensangst und Seelennot kamen zu ihrer ersten Krise, als er, in Ludwigsburg, die theologische Laufbahn gegen die eines Musikers eintauschte. Er fürchtete, vom »Weltgetümmel« der Residenzstadt verschlungen zu werden und ganz im »Schlamm der Wollust« zu versinken:

> Dicht stand ich schon am Abgrunde!
> Weit sperrte das Verderben
> Den Rachen gähnend auf. –[29]

Und Schubart stürzte; aber er fiel gut. Es war ihm bestimmt, von den erhabenen Höhen seiner geistlichen Gesänge und Oden hinab mitten ins »Menschengemächt« zu treten und dessen »Lasten« mitzutragen. Als Zeitdichter und Journalist war er nahe daran, festen Boden unter den Füßen zu gewinnen . . . bis eine wachsame Obrigkeit sich genötigt sah, ihn wieder in höhere Regionen zu versetzen. Als man ihn, nach zehn Jahren, vom Asperg entließ, war er physisch und geistig gebrochen. So schien es, daß Schubart seine Mitte nicht finden konnte. Allen Reizen seiner Epoche ausgeliefert, erblickt er das Gleichnis ihrer widerspruchsvollen Forderungen in seiner Lebensgeschichte.

SCHILLER UND SEIN PRINZIPAL »DER TOD«

Der Monolog Karl Moors (*Die Räuber* IV 5) »Wer mir Bürge wäre« ist »inhaltlich, gedanklich« als »Nachahmung des Hamletmonologs ›Sein oder Nichtsein‹« bezeichnet worden: in beiden handele »es sich um den Selbstmord als eine Flucht ins ungewisse Jenseits«[1]. – Ungewißheit herrscht da freilich bei Karl Moor in ganz anderer Weise als bei Hamlet. Beunruhigt Hamlet die Frage nach dem Wie des Jenseits, so Moor erst einmal die Frage nach dessen Ob: zuvörderst wird von ihm die Möglichkeit in Betracht gezogen, daß es vielleicht »aus wäre mit diesem letzten Odemzug – Aus wie ein schales Marionettenspiel –«. Und erst durch eine Kette logischer Schlüsse gelangt er zur Vision jenes »fremden nie umsegelten Landes«, das ihm der Tod aufschließen soll.

The undiscovered country, from whose bourn
No traveller returns –

ist für Hamlet etwas Gefürchtetes, d. h. ängstlich Geglaubtes, das, keiner Beweise bedürftig, sich von dem Gedanken an den Tod nicht trennen läßt. – Damit ist die geistige Situation des 18. Jahrhunderts von der des 17. abgegrenzt. Walter Rehm faßt es so zusammen: »Geistesgeschichtlich merkwürdig bleibt, wie der Rationalismus es versteht, den Gedanken des Todes von dem der Unsterblichkeit zu sondern, wie er allein diesem seine strengste Aufmerksamkeit zuwendet. Das bedeutet gegenüber dem 17. Jahrhundert eine vollkommene Wertverschiebung: der Barock kümmerte sich nicht um die Unsterblichkeit, an der er nie zweifelte, sondern um den Tod. Nun ist es geradezu umgekehrt. Keine Frage wird stärker um die Jahrhundertmitte erwogen als die der Unsterblichkeit«[2].
Als die logische Folge dieser Infragestellung der Unsterblichkeit in der ersten Jahrhunderthälfte erklärt sich die merkliche Rückverschiebung der Werte nach der Jahrhundertmitte: die erneute Beschäftigung mit dem Gedanken an das Sterben. – Schiller gehört zu den Wiederentdeckern des Todes. Auch in dem hier zu erörternden Monolog Karl Moors wird am Ende der Todesgedanke, entgegen aller zuvor gemusterten Jenseits-Eschatologie, gleichsam wieder ertrotzt – mit Konsequenzen, die in ihrer geistesgeschichtlichen Bedeutung und Tragweite von der Forschung bisher kaum beachtet wurden.

I

Von den großen Selbstaufopferern, potentiellen oder tätlichen Selbstmördern, welche die Bühne des 18. Jahrhunderts so erstaunlich dicht bevölkern, bieten sich uns Gottscheds *Sterbender Cato* (V 1, vollendet 1730) und Goethes *Faust* (v. 686–736, entstanden um 1800) als spannungsreichste Vergleichsobjekte. Wie in der Zeit, so denn inhaltlich-gedanklich liegt Fausts (durch den Klang der Osterglocken verhinderte) Selbstverabschiedung am nächsten an Moors Betrachtungen: da ist die letzte Erinnerung an die »holde Erdensonne«, der Moor schon im vorangehenden Akt (III 2), bei ihrem

Untergang, seinen letzten Gruß entsandte. Da werden »Pforten aufgerissen«, vor denen sonst »jeder gern vorüberschleicht« (Moor: »Grauser Schlüssel, der . . . vor mir aufriegelt die Behausung der ewigen Nacht«). Da gilt es seine »Manneswürde« zu wahren, um »vor jener dunklen Höhle nicht zu beben« (Moor: »Ein Mann muß nicht straucheln«). Endlich ist da auch bei Faust die für Hamlet noch schwer denkbare Erwägung jener Möglichkeit, von der Karl Moor ausging: daß die aufgerissenen Pforten nämlich sich ins Nichts öffnen möchten – mit der Folge für Faust, »ins Nichts dahinzufließen«. Und nicht erst hierdurch werden die zuvor heraufbeschworenen Wunsch- und Schreckensbilder in Frage gestellt. Sie wurden das schon durch ihre Verweisung in den Bereich der Phantasie – »Phantasie«, die sich »zu eigner Qual verdammt« (Moor: »Und die Phantasei, der mutwillige Affe der Sinne, gaukelt unserer Leichtgläubigkeit seltsame Schatten vor –«). Bei Hamlet stand, an der Stelle der »Phantasie«, das »Wissen«: *conscience does make cowards of us all!* Hier liegt der Unterschied.

Einer Idee gegenüber, die fragwürdig geworden ist, meint Bernhard Blume in diesem Zusammenhang, gebe es schließlich »immer zwei Möglichkeiten: sie aufzugeben oder um so heftiger an ihr festzuhalten«[3]. Die letztere Taktik läßt sich beobachten in den feierlichen Alexandrinern, mit denen Gottscheds Cato, am Rande des Freitodes, sich zum Unsterblichkeitsglauben überredet:

> Ja, Plato, du hast recht, dein Schluß hat großen Schein.
> Wahrhaftig, unser Geist muß doch unsterblich sein.
> [. . .]
> Ja, ja, es wohnt in uns ein göttlich hoher Trieb,
> Der Himmel macht uns selbst die stete Dauer lieb,
> Und führt uns aus der Welt in ungleich größre Schranken.
> O Ewigkeit! du Quell entzückender Gedanken!

– »Ja«, »großer Schein«, »Wahrhaftig«, »Ja, ja«! Jedoch: auch Cato ringt mit Zweifeln. Auf seine vernünftige Weise schöpft dabei schon er aus dem, uns von Moor und Faust vertrauten, motivischen Reservoir:

Durch was für Kümmerniß, Bemühung, Noth und Pein
Und Wechsel dringet man zu deinen Thoren ein!
Dein Anblick liegt uns zwar ganz offen im Gesichte,
Man sieht sehr weit hinaus, allein bei schwachem Lichte;
Denn Schatten, Dampf und Nacht verhindern stets den
                                                    Blick,
Und ziehn der Augen Stral allmählich gar zurück.

Aber die Gewißheit siegt:

Die Sonne selbst wird alt, so wie der Sterne Zahl
Allmählich schwächer scheint, Natur und Welt geht
                                                    unter;
Nur du allein, mein Geist, bleibst ewig jung und
                                                    munter.

Diese Gewißheit beruht auf dem folgenden Gedankengang:

Woher entstünde sonst das Hoffen und Verlangen,
Ein unaufhörlich Glück und Leben zu empfangen?
[...]
Doch wenn geschieht's? Und wo? Gewiß nicht hier auf
                                                    Erden.
Die fällt ja Cäsarn zu und ist für ihn gemacht.
Wo denn? – das weiß ich nicht, so sehr ich nachgedacht.

Auch Karl Moor hat darüber, sehr ähnlich, nachgedacht; er ist
»nicht glücklich gewesen«:
»Aber wofür der heiße Hunger nach Glückseligkeit? Wofür das
Ideal einer unerreichten Vollkommenheit? Das Hinausschie-
ben unvollendeter Pläne?«
Diese Fragestellung dient als Grundargument für die Unsterb-
lichkeitslehre der Aufklärung, von Leibniz bis Kant[4]. Noch der
junge Hölderlin spricht es (1795) artig nach: »der Glaube an
eine unendliche Fortdauer« sei »notwendig«, weil das »Ziel«
des Menschen, die »höchstmögliche Sittlichkeit [...] auf Erden
unmöglich, weil es in keiner Zeit erreicht werden kann«[5].
Ähnlich (1774) C. F. D. Schubart, der uns die geistige Münze
seines Jahrhunderts meist schon im Stadium manieristischer
Zersetzung übermittelt: »... Geisteskraft müssen entwickelt

werden; es sei hier oder dort; da aber selbst Leibnize, Neutone und Klopstocke unter dem Mond nicht zeitig werden können; so ist mir dieß immer der stärkere Beweiß von der Fortdauer unserer Seelen«[6].

Aus diesem Zusammenhang heraus verbot sich bekanntlich für Mendelssohn und Lessing der Selbstmord[7]. – Blickt man indessen hinter die Kulissen, so sind es freilich ganz andere, viel näherliegende Gründe, welche z. B. Schubart, in seinen zermürbenden Lebensumständen, von dem letzten Verzweiflungsschritt bewahrten: »Der Gedanke an Weib, Kinder, Mutter – nicht der Gedanke an mein ewiges Verderben hielt mich zurück«[8]. Und Schiller, zur Zeit der Karlsschule, an den Vater des verstorbenen Schulkameraden: »Wäre mein Leben mein eigen, so würde ich nach dem Tod Ihres theuren Sohns geizig seyn, so aber gehört es einer Mutter, und dreien ohne mich hilflosen Schwestern, denn ich bin der einzige Sohn, und mein Vater fängt an graue Haare zu bekommen«[9].

Vor solch schlichten, diesseitigen Erinnerungen verblassen alle Jenseitsspekulationen.

II

Der Pfarrer von Welwyn, Eduard Young, notiert (1724): »Erörterungen religiöser Fragen und Ausübung der Religion vertragen sich schlecht miteinander. Daher, je knapper die Erörterung, desto besser [...]. Viel wirksamer, für den Menschen, als alle abstrakten Beweisführungen sind sinnliche wahrnehmbare Erscheinungen«, und deren wirksamste ist, für Young, der Tod[10]. Klopstock singt (1752) ein Loblied auf Young, denn dieser habe ihn gelehrt, daß ihm »der Name Tod wie der Jubel ertönt, den ein Gerechter singt«[11]. Reine Jubelklänge sind es allerdings nicht, die uns da aus Klopstocks Grabeslyrik entgegentönen; schon Klopstocks erster zeitgenössischer Biograph, Cramer, wunderte sich über »so viel finstre Aussichten«[12]. Klopstocks Todeserlebnis hat sich, gegenüber Youngs, vertieft und verdüstert – ein Prozeß, der sich weiter verfolgen läßt bei Klopstocks Jüngern (besonders dem todkranken Hölty)[13] und an dessen Ende das Frühwerk Schillers steht. Vergleicht man etwa die der *Anthologie auf das*

Jahr 1782 vorangestellte Widmung (»Meinem Prinzipal *dem Tod*«) mit der Dedikation des *Wandsbecker Boten* an »Freund Hain« – wie harmlos freundlich wirkt da noch Claudius' »Ruprecht Pförtner« neben Schillers »großmächtigstem Zar alles Fleisches«, dem »unergründlichen Nimmersatt« und »garstigen Schwager«. Was bei Claudius ein noch gemütlicher »Schauer über'n Rücken« war, das steigert sich bei Schiller zu barem Entsetzen; Claudius' sanftes »Heimweh« wird bei Schiller zu einer Art anrüchiger Sympathie.

Wie im Allgemeinen, so scheint Schiller auch in seiner Anschauung des Todes die Erlebnisformen der Aufklärung, der Empfindsamkeit und des Sturm und Drang gleichsam in einem Zuge aufzuholen. In ihrer launigen Intimität wirkt diese Rede an den Tod wie ein Nachklang der anakreontischen »Neckereien mit dem Tode«[14], ein verzerrter Nachklang! Angeblich um sich selbst zu immunisieren, sucht der Sprecher die Bundesgenossenschaft des Todes; Werbungen sind das, die in ihrem sinistren Komplizentum den Boden der »Neckerei« entschieden verlassen: »Doch Spaß beiseite! – Ich denke, wir zween kennen uns genauer denn nur vom Hörensagen. Einverleibt dem äskulapischen Orden, dem Erstgebornen aus der Büchse der Pandora, der so alt ist als der Sündenfall, bin ich gestanden an deinem Altare...«

Man horcht auf, schon bei dieser ersten blumigen Schimpfrede auf den eigenen ärztlichen Beruf, den Schiller sich freilich nicht selbst erwählt hatte. Aber weiter: »... habe, wie der Sohn Hamilkars den sieben Hügeln, geschworen unsterbliche Fehde deiner Erbfeindin Natur, sie zu belagern mit Medikamenten Heereskraft, eine Wagenburg zu schlagen um die stahlische Seele, aus dem Feld zu schlagen mit Sturm die trotzige, die deine Sporteln schmälert und deine Finanzen schwächt, und auf dem Wahlplatz des Archäus hoch zu bäumen deine mitternächtliche Kreuzstandarte.«

Höchst sonderbare Worte für einen jungen Arzt. Brüstet er sich eigentlich, seine Patienten vergiftet zu haben? – Man denkt nicht gern in diesem Zusammenhang an die Gespräche mit dem Eleven Grammont, der wegen seiner »Hypochondrie« dem angehenden Medicus zur Pflege übergeben worden, wobei der Pfleger, um sich das »Vertrauen« des Pfleglings zu »erschleichen«, so einfühlsam dessen »eigene Sprache gebraucht«, daß die Obrigkeit offenbar Anstoß nahm an seiner »Gelindigkeit und nachgebenden Methode«. Darüber wiederum war der Arzt so gekränkt, daß es ihn »beinahe hätte reuen können«, jemals seinen »redlichen Eifer in dieser Sache bewiesen zu haben« – also wohl statt dessen nicht lieber einfach dem Patienten den »Schlaftrunk« verabreicht zu haben, mit dem jener sich aus dem Leben stehlen wollte[15]. Diese persönlichen Erfahrungen, so wird vermutet, haben die Szene inspiriert, wo Karl Moor von der untergehenden Sonne Abschied nimmt; möglicherweise auch Moors nächtlichen Monolog[16]. Man muß von dort freilich einen Blick weiter in das Frühwerk werfen, um zu sehen, was der junge Schiller für seinen Prinzipal zu leisten vermag: die frühe Lyrik, die aus diesem Gesichtspunkt bereits gründlich untersucht wurde[17], und, vor allem, die Todesapologie Luisens (*Kabale und Liebe* V 1), wo Schiller alle nostalgischen Todesbilder aufhäuft, deren er in seinem Jahrhundert habhaft werden konnte: Lessings »holder niedlicher Knabe«, Herders »Liebesgott«, die Todes-»brautschaft« der Romantiker[18].

Im Licht der von uns oben angeführten Betrachtungen Walter Rehms und unserer bisher daran geknüpften Beobachtungen können wir Bernhard Blume nicht völlig beipflichten, wenn er meint, daß in der Dichtung Tod und Unsterblichkeit »thematisch einander bedingen«[19] – gewiß nicht jedenfalls in dem Sinne, daß das Erfülltsein von dem einen den Glauben an das andere fördern müßte. Blume demonstriert es ja selbst, wie mit der Vertiefung des Todesbewußtseins, z. B. Klopstocks, eine bedenkliche Verflachung des Unsterblichkeitsbegriffs Hand in Hand geht, wie nämlich persönliche Unsterblichkeit halb verwechselt wird mit literarischer »Unsterblichkeit«, das heißt, mit Nachruhm.

Nicht allzu weit entfernt von solchen Verwechslungen ist der junge Schiller in seinen zweideutigen Lobpreisungen der wahrenden, bewahrenden oder auch restaurierenden Kräfte des Todes. Man hat die für Schiller bestehende Nähe vom Reich der Kunst zum Totenreich beobachtet[20]. Die Beziehung interessiert uns, aus entgegengesetztem Blickwinkel: der Tod als Künstler, als das Vermögen, den vergänglichen Formen Dauer zu verleihen. Deshalb wünscht Schiller, da er sich »dem reifern Alter nähert« (1780!), schon »als Kind gestorben zu seyn«, gleich jenem früh verschiedenen Schulkameraden, »in der reinsten Unschuld des Herzens, mit der vollen Fülle jugendlicher Kraft zur Ewigkeit ausgerüstet«[21]. Die Hauptaufgabe dieser Ewigkeit scheint es zu sein, das Bild des Verstorbenen, in möglichst tadellosem Zustand, in Sicherheit zu bringen – in Sicherheit: jedenfalls für uns, die Hinterbliebenen. In diesem Sinne »verewigt« der Tod. – Eine Rose brechen, ehe der Sturm sie entblättert! Bei Schiller: »Henker, kannst du keine Lilie knicken?« *(Die Kindsmörderin)*

Das von Lessing (*Emilia Galotti* V 7) geborgte Bild paßt nicht ganz auf die Mutter, die ihr Kind gemordet hat. Hier wird keine Blume gebrochen; aber die Gebrochene wird wieder zur reinsten aller Blumen – vor Gott und den Menschen. Und zwar, je ungewisser das erstere, desto wichtiger das letztere. Unter den vielen Gründen, die Don Cesar, der mörderische Bruder der *Braut von Messina* (und späte Halbbruder Karl Moors) zugunsten seines von ihm beschlossenen Selbstmordes vorbringt, ist der eine ausschlaggebend: die Hoffnung, durch die erhabene Tat das Bedauern, die Liebe und Bewunderung der Seinigen zu erzwingen. So retten sich Schillers Theaterhelden öfters in eine Ewigkeit, deren Schwerpunkt in dem bleibenden Eindruck liegt, den sie hienieden hinterlassen.

Schiller zeigt sich um so bereiter, den Unsterblichkeitsglauben im Sinne der religiösen Überlieferung preiszugeben, je unmittelbarer die Wucht seiner Todeserfahrung. Ein Beispiel aus der Jugendlyrik ist die *Elegie auf den Tod eines Jünglings,* »Erlebnisdichtung« im engsten Begriff, wo nach sieben Strophen der Klage über den Verlust des Freundes, die Klage über den Verlust des eigenen Glaubens durchbricht:

> Nicht in Welten, wie die Weisen träumen,
> Auch nicht in des Pöbels Paradies,
> Nicht in Himmeln, wie die Dichter reimen, –
> Aber wir ereilen dich gewiß.

Daß es wahr sei, was den Pilger freute?
Daß noch jenseits ein Gedanke sei?
Daß die Tugend übers Grab geleite?
Daß es mehr denn eitle Phantasei? –

Das wiegt schwer gegen den lakonisch christlichen Schluß-
schnörkel:

Erde mag zurück in Erde stäuben,
    Fliegt der Geist doch aus dem morschen Haus!
Seine Asche mag der Sturmwind treiben,
    Seine Liebe dauert ewig aus!

Und selbst damit vergibt sich der Dichter im Grunde wenig
genug: indem er nämlich durch die geflissentliche Verwi-
schung der Frage, wessen »Liebe« es ist, die da »ewig
ausdauert« (Gottes? die des Freundes? unsere dem Freund
zugewendete?), auch das Wort »ewig« wieder in das gewohnte
Zwielicht rückt.
Die Meditationen Karl Moors holen weiter aus – ohne es doch
in der Eroberung eines transzendenten Ewigkeitsgedankens
weiterzubringen. Die »vernünftige Philosophie«, die Schiller
aufgeboten haben mag, um den Eleven Grammont von seinem
Entschluß abzubringen, wird von Moor Punkt für Punkt
durchexerziert, um Punkt für Punkt von ihm zurückgewiesen
zu werden. Dem ersten, allgemein orientierenden Blick auf das
Jenseits – als Postulat der praktischen Vernunft, jedoch nur
Produkt der »Phantasei« – folgt die Vorstellung der ewigen
Höllenstrafen. Gegen diese weiß Moor sich mit der Selbstsi-
cherheit des Sturm und Drang zu behaupten: wenn er nur sich
»selbst mit hinübernehmen« kann, er wird dann auch »die
schweigende Öde« mit seinen »Phantasien bevölkern« und
»das verworrene Bild des allgemeinen Elends [...] zerglie-
dern«. Das heißt wohl ungefähr (darf man hier einen
Augenblick Dichter und Held verwechseln): Schiller wird auch
in der Hölle noch »Komödien schreiben« und dadurch sein
autonomes Ich in Freiheit setzen. – Weit schlimmer als die
Vorstellung der ewigen Verdammnis ist für Moor die nun sich
öffnende Aussicht: die Lehre von der ewigen Wiedergeburt, in

welche das 18. Jahrhundert, in seiner zweiten Hälfte, die Monadenlehre des Leibniz (kaum im Sinne des Autors) überführte[22]. Mit welcher Behaglichkeit hat noch der alte Goethe diese Lehre nachformuliert:

»Ich bin gewiß, wie Sie mich hier sehen, schon tausendmal dagewesen und hoffe wohl noch tausendmal wiederzukommen«[23].

Dagegen Karl Moors Schreckensvision – man achte auf den genauen Wortlaut: nicht etwa zur »höchstmöglichen Sittlichkeit«, wie Hölderlin, oder zur höchsten Entwicklung seiner »Geisteskräfte«, wie Schubart, wird Moor durch »immer neue Geburten« geführt werden, sondern »von Stufe zu Stufe – zur Vernichtung«. Das ist Romantik, »Fliegender Holländer«! Es liegt schon auf unserer Seite des Wendepunkts von der ewigen Verjüngungskur der Monadenlehre zum Sehnsuchtstaumel Schopenhauers nach Erlösung vom drehenden Rade des Ixion. – Und Karl Moor läßt es bei der Sehnsucht nicht bewenden. Mit beispielloser Vehemenz behauptet er den Todesgedanken gegen den Gedanken der Unsterblichkeit:

»Kann ich nicht die Lebensfäden, die mir jenseits gewoben sind, so leicht zerreißen wie diesen? –«

Eben hiermit aber tritt eine wieder neue, entscheidende Wendung ein. Man hat sie, geblendet durch die konventionell pathetischen Schlußworte des Monologs, übersehen[24]:

»Du kannst mich zu nichts machen – Diese Freiheit kannst du mir nicht nehmen. (Er lädt die Pistole. Plötzlich hält er inn) Und soll ich für Furcht eines qualvollen Lebens sterben? – Soll ich dem Elend den Sieg über mich einräumen? – Nein! Ich wills dulden! (Er wirft die Pistole weg) Die Qual erlahme an meinem Stolz! Ich wills vollenden.«

Was geschieht da eigentlich? Ein Mensch findet in äußerster Verzweiflung den Mut zum Leben, nicht, weil die »Qual an seinem Stolz erlahmt« (das passiert erst in der Folge), auch nicht, wie wir zeigten, im Hinblick auf ein fragwürdiges Jenseits, sondern angesichts des Todes, eines ewigen, immer wieder selbst herbeizuführenden Todes, ohne Transzendenz. Moor, um es ganz einfach zu sagen, beschließt zu leben im Bewußtsein der Freiheit zu sterben.

Der Fall ist einmalig, vielleicht in der Literatur des 18. Jahrhunderts, gewiß im Werk Schillers. Es ließ sich das wohl auch nur einmal erleben. Viele der Protagonisten in Schillers späteren Dramen gelangen zu Karl Moors Freiheitsbewußtsein, um jedoch von dieser ihrer Freiheit tödlichen Gebrauch zu machen. Neben Don Cesar Max Piccolomini, Thekla und die Gräfin Terzky, Mortimer, Ferdinand; auch, wenn man will, Posa und die Jungfrau. In ihrem Todesheroismus stellen sie sich in eine Reihe mit Gottscheds Cato oder Lessings Philotas. Karl Moors Todesdialektik wird sich mit solcher Leichtigkeit kaum einordnen lassen; nicht ohne das Wagnis eines weiten geistesgeschichtlichen Sprungs.

III

»Als Taglöhner und Bettler würde er immer vergnügter sein als hier [in der Militärakademie], weil er da frei sei. Gott erhalte ja den Sperling auf dem Dach. Er werde auch ihn nicht verhungern lassen, und wenn ihm auch die Erwartung fehl schlagen sollte, worauf er das größte Vertrauen setzte, so sei ihm noch immer der Tod übrig.«

Auch in diesen uns von Schiller übermittelten Worten des Eleven Grammont erkennen wir Schillers »verlorenen Sohn« wieder: Karl Moorsch gedacht, aber nicht gehandelt! Denn: Grammont wirft seine Pistole nicht weg – so wenig wie die Gräfin Terzky, in *Wallensteins Tod,* das Fläschchen, das sie schon lange zu ihrem Trost mit sich führt (V 3). Die in schwerer Stunde gelegentlich buhlerisch ins Auge gefaßte Möglichkeit des Todes ist eines, ein anderes Karl Moors intellektuelle Begegnung mit dem Tode und seine daraus geschöpfte Entschlossenheit zum Leben. Wieder etwas anderes wäre der Mut zur praktischen Begegnung mit dem Tode, wie er dem Helden, dem Soldaten ansteht (und wie er von der deutschen Dichtung des 18. Jahrhunderts etwa seit dem Siebenjährigen Kriege so gerne besungen wurde):

Der dem Tod ins Angesicht schauen kann,
Der Soldat allein ist der freie Mann.
[...]
Und setzt ihr nicht das Leben ein,
Nie wird euch das Leben gewonnen sein.

(*Wallensteins Lager* I 11)

Übertragen ins Philosophisch-Religiöse, erhöht sich dies Soldatenethos zu Goethes »Stirb und werde« oder zur Bewährung in jenen rätselhaften Prüfungen, denen der Tamino der *Zauberflöte* sich unterzieht. Prüfung, Bewährung, stärker werden durch das, was nicht umbringt: man könnte da wohl auch an Schillers Wallenstein in seinen letzten Tagen denken:

Die Sonnen also scheinen uns nicht mehr,
Fortan muß eignes Feuer uns erleuchten.

(*Die Piccolomini* II 2)

Nacht muß es sein, wo Friedlands Sterne strahlen.

(*Wallensteins Tod* III 10)

Das ist das Gegenteil von Max Piccolominis zagem:

In mir ist Nacht, ich weiß das Rechte nicht zu wählen.

(*Wallensteins Tod* III 21)

Damit nähern wir uns aber unversehens wieder der Ausgangssituation von Karl Moors Monolog:
»Es ist alles so finster – verworrene Labyrinthe – kein Ausgang – kein leitendes Gestirn –«
Was Max umbringt, macht Wallenstein und schließlich auch Karl Moor stärker: es ist das völlige Zurückgeworfensein auf das eigene Subjekt. – Man hat, in diesem Zusammenhang, neben den »objektiv-platonischen« Aspekten, eine diesen entgegengesetzte, »subjektiv-aktivistische oder spontaneistische« Tendenz in Schillers »Idealismus« bemerkt[25]. Schillers »subjektiver Idealismus« gestattet, ja nötigt uns eine Verbindung mit der Ideenwelt unseres Jahrhunderts herzustellen.
Sonderlich gelungen ist dies der neueren Forschung im Rapprochement von *Schiller und Sartre*. Aus der so betitelten Untersuchung Käte Hamburgers ist Sartre als der »Idealist des

96

Existenzialismus«, Schiller als der »Existenzialist des Idealismus« hervorgegangen[26]. Beiden gemeinsam sei die »Verselbständigung der Willensproblematik«, d. h. Loslösung eines subjektiven Freiheitsbewußtseins vom objektiven Moralgesetz – ein Prozeß, der sich bei Schiller (entgegen Kant) erst tastend anbahnte, um von Sartre zu seinen letzten Konsequenzen geführt zu werden. In Schillers theoretischen Schriften bekundet sich das in einer, der Grundfärbung seiner Welterfahrung eigentlich widersprechenden, aber immer wieder durchbrechenden Neigung zum Zugeständnis an die Realität, das praktische Handeln, als die *existence* gegenüber dem Ideal, dem Gedanken, als der *essence*. Schillers Neigung zu einer »existenziellen« Lebenshaltung läßt sich wohl kaum besser illustrieren als an dem Monolog Karl Moors.

Wie bei Sartre ist der fruchtbare Ausgangspunkt die Angst, die Ungewißheit des radikal auf seine eigene Entscheidung gestellten Menschen. Aus ihr heraus werden die dem Sprecher überlieferten Glaubensbekenntnisse ohne Glauben abgehaspelt und abgetan; aus ihr enthüllt sich ihm endlich das Bewußtsein der Freiheit. – Die existentielle Angst (*l'angoisse*) hat ihr Objekt im Ich (in Karl Moors Sprache, der Sprache des Sturm und Drang: »Ich bin mein Himmel und meine Hölle«). Hierdurch unterscheidet sie sich von der Furcht *(peur)*. Der in die Schlacht ziehende Soldat hat vielleicht Furcht, aber nicht notwendigerweise Angst – oder vielleicht »Angst davor, Furcht zu haben« *(il a »peur d'avoir peur«, c'est à dire qu'il s'angoisse devant lui-même)*[27]. Furcht schließt die Möglichkeit nicht aus, sich aus dem Zustand der Angst in Freiheit zu setzen. Auch Karl Moor wird seiner Furcht nicht Meister (»Heftig zitternd«, »Von Schauer geschüttelt«), aber seiner Angst: seine Ungewißheit bricht sich an der einen Gewißheit – der Gewißheit des Todes. In diesem letzten, einzigen Orientierungspunkt offenbart sich Karl Moor nicht nur seine Freiheit, auch seine Verantwortung; denn im Bewußtsein seiner Freiheit wird sein Schicksal zu etwas selbst Gewähltem, selbst Gewolltem:
»ich wills dulden! ... Ich wills vollenden.«
Auch das läßt sich ohne Schwierigkeit in die Sprache Sartres übersetzen:

»La situation est mienne en outre parce qu'elle est l'image de mon libre choix de moi-même ... Je la mérite d'abord parce que je pouvais toujours m'y soustraire, par le suicide«[28].

Man unterschätze diese Umkehrung der bei Kant herrschenden Verhältnisse nicht: der Kantische Mensch gewinnt das Bewußtsein des freien Willens erst angesichts des ihm gegebenen Wissens um das Moralgesetz – er kann, weil er soll. Karl Moor gewinnt, mit Sartre, sein Moralgesetz erst angesichts seines Freiheitsbewußtseins – er soll, weil er kann.

Moors Entscheidung für das Dasein ist eine geistesgeschichtlich rare Vor- oder Frühform jener »Tollheitsbejahung«, dem *défi à la mort*, der den Tod ins Leben hineinnimmt, in dem sich, nach Bernhard Blume, die verschiedensten Dichter unseres Jahrhunderts begegnen: Rilke, Hemingway, Faulkner, Sartre, Camus[29]. Die Aufdeckung solcher Zusammenhänge, so scheint uns, ist tröstlich. Eine engstirnig konservative Literaturkritik soll sie uns nicht nehmen. Die in Emil Staigers Schillerbuch vertretene Meinung, es sei das Anliegen der heutigen Dichtung, sich in »Klagen, Angst und Ekel zu erschöpfen«, ist ebenso verfehlt wie die gegen jene Dichtung gemünzte Belehrung, Schiller habe es »verschmäht zu klagen« und »die Angst aus seinem Herzen als eine des Menschen unwürdige Stimmung verbannt«[30]. Der Fall liegt eher so: ähnlich, im Grunde ähnlich, wie uns Heutigen wird Schiller seine »Angst« immer wieder von Neuem zum Sprungbrett auf seine Flugbahn, in den Worten Camus', »einer maßlosen Hoffnung«[31].

Ein etwas ernüchternder, fast beschämender Nachtrag bleibt uns nicht erspart: Karl Moor liefert sich am Ende den Behörden aus. Das läßt sich auf vielerlei Arten deuten[32] – so viel bleibt sicher, es ist wider die Abmachung, nämlich: legalisierter Selbstmord. Auch der Dichter der *Räuber* hat sich, schon wenige Monate nach der Premiere seines Stückes, in jener dunklen Stunde auf der Sachsenhauser Brücke des Moorschen Tollheitsentschlusses offenbar nur mit größter Mühe erinnert[33]; und das wird nicht bloß dieses eine Mal so gewesen sein ... bis ihn die tödliche Krankheit aller eigentätigen Buhlerei mit dem Tode enthob.

„DAS GESETZ" (a)

(1943 ..... 9v)
(menschl. p. ökonomische Zweck
[Gottes feel. Reformen]

= r c) Freud
u) Die Gese...

felix culpa 814 von neben Entstellung
857 „ von Knarr Jo. Sohn Rev... heit "

Existenzielle Dialektik (M: Gesund etc)   <> a   (M.s Weltschul v2 AT)

b) GEIST <—> Natur
855 Mahnen

821 „ quell des Zulnarvers
835 Letzlirisum er Nordleik...

(847
848 „ Unbestiasteit!"
851 „ Einzelnsein"

M <> Künstler   (810 „ Stoa me
811 „ Stoart ser... Spi

(871 „ Feld der (v2 869 „ Oberst. Freiheit ")
Dualistik LM

819 Grundamesticke
„ h Gestaltung

824 „ Gottes

831 Gesenland
Vernicht.
850 aus C

838
„Gott Jökut knnay"

841 Gott hat Lust zu ihm.

LM · M. Hohlegten Neas
840 geschlegteng

860 „ Jean v. d. ...
aber ra ihre...

V2 Gottes
Ausschlag

865
„ Gottes einfall er Jule...

Gottes Dualismus 872 (v2 AT)
873 (Anthrop...themen)

Dialektik Staatshilfe LM (851) · Der Mama der um aus Egypten ge)Jult hat "

KU: (168) TH <> Erzählweise Mo. B.bel dann Rowgl
Panezotion 9v EX 18.13 <> TM

Verknüpfung [v2 Aussuchung ...] / <> 51: Pg 831 v2 833
v2 845

b) Radionalisierung 821 (Sellemya unverst. σ)
825 (10 Plaga) = + 809 (Dornbusch)
829 („ wunderbar Verwecklerung des Vor(sätze)
865 (Niederschlacht der Gesch-b)

828 (Zari
Auszieken

c) Gnadenkr <> LM 809 (M ...)
839 (Gebitschlüssel)   812) 838 Schlach
Aus. Talio

Inversierung der mythisch Klischei 812 „ Wie in allen Märchen

Sturm Blusaule (a. b Honne.)

V2 855 „ Zieranoi

Josua (+ Vollbaphas 818 . „ Kools in Kopf " (836)
Mirzan (die Prophet.) 820
Dona. (die Salbungsvolle)

Bemerkenswertes aus Michael Manns Universitätszeit in Berkeley:
Als Lehrer war Michael bei anspruchsvollen Studenten angesehen, weil er auch in dem Massenbetrieb einer modernen Universität einen ausgeprägten Sinn für den Einzelmenschen und seine Nöte hatte, ohne dabei jegliche »Ideology of Individualism« in Anspruch zu nehmen. Seine Vorträge waren gedrungen, ja oft undurchdringlich dicht in der Fülle ihrer komplexen Bezüge, Überschneidungen, Andeutungen. In zwei Seminaren (1969 über Wieland und 1976 über Thomas Manns »Joseph und seine Brüder«) versuchte er sogar von der linearen Logik traditioneller Vorleseform abzukommen. Seine Vorlesungsnotizen ähnelten visuell der Kompositionstechnik von Schönbergs Zwölfton-Musik, wie aus der auf S. 99 abgebildeten Seite zu einer Vorlesung über Thomas Manns Novelle »Moses und das Gesetz« ersichtlich wird.

Michael Mann hält einen Vortrag über seinen Vater. Aus einem Gespräch mit Professor Bluma Goldstein:
Am 30. April 1975 hielt Michael eine Festrede anläßlich des hundertsten Geburtstags seines Vaters an der University of California in Berkeley. Der größte Vorlesungssaal, Wheeler Hall, war überfüllt. Michael war soeben von der ersten Etappe seiner Goethehaus-Reise mit einem gebrochenen Bein zurückgekehrt. Man fuhr ihn deshalb mit einem Rollstuhl auf die Bühne, setzte ihn in einen Stuhl und drehte ihn Richtung Publikum. Sein in Gips verpacktes Bein wurde vor ihm auf einem Schemel hochgelegt, und ein Mikrophon an seiner Krawatte befestigt.
Michael hatte eine ganz besondere Art, Vorträge zu halten. Sein Sprechrhythmus hing nur indirekt mit der Bedeutung der Sätze zusammen. Er sprach langsam, plötzlich schnell, und dann wieder langsam, nach rhythmischen Verfremdungseffekten, die nur er durchschaute. Es war deshalb manchmal schwer, ihm in seinen Gedankengängen zu folgen, besonders bei einer offiziellen Veranstaltung wie in diesem überfüllten Saal. Die ganze deutsche Kolonie der San Francisco Bay area war anwesend – alte Damen mit Filzhüten, die Fakultät der

Universität und Studenten. Da saß er nun auf der Bühne, der Festredner, mit angehefteten Mikrophon und dem vergipsten Fuß, der so hoch vor sein Gesicht aufgebettet war, daß man seinen Mund kaum noch sehen konnte. Er hielt sein Manuskript vor sich aufgestellt, so daß sein Kopf fast auf die Brust heruntergesunken schien. So begann er seine Rede hinter der Schutzwand seines strategisch plazierten Gipsbeines. Michael war ein sehr kinetischer Mensch, der sich beim Sprechen lebhaft bewegte, mit großen ausladenden Gesten. So kam es, daß er immer wieder unversehens das angeheftete Mikrophon von der Krawatte riß und er nicht mehr zu hören war. Jedesmal, wenn Michaels Stimme stumm wurde, kletterte ein junger Mann feierlich aufs Podium und heftete das Mikrophon wieder an seine Krawatte... »Oft ist es, bei solch seligem Musizieren, ungewiß, ob die Mikrophone noch angestellt sind. Vielleicht sind die Techniker schon nach Hause gegangen.« (*Smorzando*)

Die deutsche Fakultät in Berkeley ist mit den anderen Geistes- und Geschichtswissenschaften in der Dwinelle Hall untergebracht, einem Riesengebäude mit labyrinthischen Gängen, wo selbst Ortskundige verloren gehen. Den Faden der Ariadne hatten nur ganz wenige Menschen. Michael Mann gehörte zu ihnen. Er hielt sich in der akademischen Enge dieses Gebäudes so wenig wie möglich auf. Wenn er aber erscheinen mußte, so raste er vom Eingang zu seinem Büro, vom Büro in den Vorlesungssaal, und von dort direkt wieder zum Ausgang. Leicht vorgebeugt, ging er, manchmal begleitet von einem seiner großen Schäferhunde, schnell an Freund und Feind vorbei, so daß kaum Zeit zum hastigen Gruß blieb.
Fakultätssitzungen, besonders in den Fachbereichen der Geistes- und Sozialwissenschaften, waren in den sechziger Jahren hitzige Angelegenheiten, in denen über politische und akademische Auseinandersetzungen Freundschaften gebrochen und geschlossen wurden. Zu diesen Zwecken traf man sich alle drei Monate. Michael Mann war nach einem Jahr Forschungsurlaub wieder zurückgekehrt, und er kam eine halbe Stunde nach

Eröffnung der Sitzung geräuschvoll in den Raum, begrüßte
stumm die Kollegen, setzte sich zu ihnen, ohne die Bespre-
chungen zu unterbrechen. Nach kurzer Zeit stand er wieder
auf und verließ den Raum mit der Bemerkung: »Dummes
Geschwätz!«
Er war auch Kollegen abhold, die ganz in den Institutionen
aufgingen und ihre Professorenwürde zu ernst nahmen. Aus
einem Brief an die Mutter:

13. September 1961
Die Eindrücke an der neuen Wirkungsstätte sind bisher
gemischter Art. Professor [X] kann uns kein bißchen gefallen,
ist wohl, fürchte ich, ein intriganter Wichtigmacher. Aber
Professor [Y] ist ein netter Mann. Mit [Z]'s verkehrten wir
bisher nur von Frau zu Frau, wollen das Paar aber bald zum
Abendessen einladen, zusammen mit den Kindern, die aus
Sparsamkeitsgründen bekanntlich nur Trockenmilch bekommen. – Da werden wir hoffentlich mit unserer Villa keinen
Anlaß zu unnützem Gerede geben (instructors are not
supposed to live in the hills!) So ist das.

Germanisten: Frederic C. Tubach, Herbert Penzl und Michael
Mann (von links nach rechts)

Wenn er sich persönlich betroffen fühlte, so konnte er mit einer ungeheuren Verbissenheit für seinen Standpunkt kämpfen. Er hatte ein besonderes Gespür für politische Phrasen (gleich welcher Richtung) und für Abstraktionen, in denen nicht die Menschen im Mittelpunkt standen. So bekämpfte er die Universitätsbürokratie und war ein überzeugter Gegner des amerikanischen Vietnam-Kriegs.

1968 sammelte er Unterschriften von Kollegen zur Unterstützung der Kriegsdienstverweigerer unter unseren Studenten. Ich (F. C. T.) war damals Fakultätsvorstand für Studentenangelegenheiten und hatte Bedenken, mich diesen Unterschriftslisten anzuschließen. Offenbar war ihm der radikale Stellenwert seiner Aktion in dem politischen Spektrum von Berkeley nicht voll bewußt. Er ließ aber nicht locker, blieb nach dem Abendessen beharrlich in unserem Wohnzimmer sitzen und packte eine Flasche Scotch Whiskey aus, die wir im Laufe des Abends unter politischen Diskussionen austranken. Je mehr wir tranken, um so heftiger und überzeugender seine Argumente. Zu fortgeschrittener Stunde unterschrieb ich, mit dem Einwand: »Ich merkt' es wohl, vor Tische las man's anders«, und er quittierte die mir abgedungene Unterschrift mit Isolanis Worten: »Wo andere Namen, kann auch deiner stehen«, und verschwand.

Noch eine Fakultätssitzung:
Michael und ein Kollege waren auf Urlaub in Ensenada an der mexikanischen Küste. Die Gegner des neuen Curriculum-Plans, für den sich auch Michael eingesetzt hatte, wollten die Abwesenheit der zwei nach Mexiko verreisten Ja-Stimmen ausnützen. Sie hatten deshalb kurzfristig eine Sitzung auf zehn Uhr morgens anberaumt. Die Opposition hatte zwei Stimmen Mehrheit. Wir riefen die beiden zu fortgeschrittener Abendstunde in Mexiko an, aber ohne viel Hoffnung, denn sie waren des Weins und Essens voll und kaum reisefähig. Wie staunten wir aber, als kurz nach zehn die zwei Ja-Stimmen zur Tür hereinwankten – unrasiert, in schäbiger Strandkleidung, übernächtigt und verkatert. Die abenteuerlichen Gestalten

waren per Boot – Auto – Flugzeug – gerade noch zur rechten Zeit erschienen. Es war wie eine Szene aus einem Abenteuerfilm der dreißiger Jahre.
Die Studenten haben ihm sein Engagement hoch angerechnet. Wer sonst wäre aus Mexiko zurückgeflogen nur wegen einer Abstimmung, die den Studenten wichtig war? Wir alle wußten, wo er stand und wo er zu finden war. Intolerant konnte er werden, wo er Druck, Unterdrückung, Gewalt und Unduldsamkeit sah oder witterte.

In den folgenden Jahren der allgemeinen politischen Introversion stellte sich Michael die Frage nach Freiheit ganz unmittelbar als Verfügbarkeit über den eigenen Körper. Dazu eine Skizze aus seinem dramatischen Fragment »Das Kapital«:

Der Mohr im Rollstuhl: er ist sich selbst abhanden gekommen, denn alle seine Bewegungen und Handlungen sind nicht seine eigenen. Er muß sich dem Tempo, den Launen und der Willkür und – noch schlimmer – der Ungeschicklichkeit seiner Umwelt anpassen. So lebt er mehr in ihnen als in sich selber. Jede Handreichung ist nicht seine eigene, sondern die der zufällig Umstehenden, die ihn nach Gutdünken umherstoßen oder stehen lassen und vergessen. Die Gesellschaft verstattet ihm nicht den ihm genehmen Lebensrhythmus, sondern er ist dem Rhythmus der Vielen, einer Vielheit von fremden Rhythmen preisgegeben und hat sich in dieser längst verloren...
Der Mohr hat nur *einen* Wunsch: sein Knie wieder bewegen zu können. »Mein Knie wieder biegen lernen! Meine Herrn. Das klingt nach wenig. Eine Einzelheit im Koordinationssystem. Aber es wäre der Anfang.« ... Das wäre das »Reich der Freiheit«.

Die Goethehaus-Reise anläßlich der Zentenarfeier von Thomas Mann begann im Frühjahr 1975 mit einem Beinbruch. Aus einem Brief von Professor Victor Lange, Princeton University:

Michael Mann sprach am 10. April 1975 im Rahmen eines Thomas Mann-Symposiums vor einem stattlichen Publikum an der Rutgers University. Er sprach, quicklebendig und engagiert, von den Lebensumständen seiner Eltern, wie er sie selbst noch in München erfahren und beobachtet hatte. Zur Konkretisierung seiner Ausführungen zeigte er eine Reihe von Bildern, darunter einige vom Münchener Haus. Der Raum war leicht verdunkelt; Michael zeigte verschmitzt, wie es seine Art war, sein eigenes Zimmer in einem Teil des Hauses, der auf dem Bilde nicht sichtbar war. Mitten im Satz machte er einen Fehltritt und stürzte vom Podium, stieg aber, wenn auch etwas zögernd, zur Erleichterung des Publikums wieder auf das Podium und setzte den angefangenen Satz fort, als sei nichts geschehen. Soweit ich mich erinnern kann, schloß er seine Ausführungen bald ab, hinkte zu einem Stuhl und erkannte offensichtlich, daß er verletzt war. Er wurde von einem der Organisatoren zu einem Arzt transportiert, der einen Beinbruch konstatierte. Das Bein wurde dann, wie sich später herausstellte, nicht ganz sachgemäß eingerichtet, und er verbrachte ein paar Tage in einem Motel in New Brunswick, wo ich ihn besuchte. Er war zwar verärgert über das erlittene Pech, war noch unsicher, ob er die geplante Vortragstour durchführen könne, war aber im ganzen so aufgeschlossen und witzig wie immer.

THOMAS MANN: WAHRHEIT UND DICHTUNG

Die *Tragische Literaturgeschichte* des Schweizers Walter
Muschg enthält einen gegen Thomas Mann gerichteten Satz,
der auf sehr merkwürdige Weise in die Weltliteratur eingegangen ist. Der Satz lautet: »Er [Mann] glaubte mit seiner
Doppelzüngigkeit alle bisherigen Begriffe von Dichtung hinter
sich zu lassen und ergötzte eine verlorene Welt, die seinen
Glauben teilte, ohne ihr die Spur eines rettenden Gedankens zu
geben.«

Thomas Mann – im ganzen erstaunlich immun gegen Muschgs
»schönen Zorn« – notiert hierzu in einem Brief vom 18. Juli
54: »Mit seinem Spruch ›Er ergötzt eine verlorene Welt, ohne
ihr die Spur einer rettenden Wahrheit an die Hand zu geben‹
hat Dichter Muschg ja nicht so unrecht.«

Nur, so ungefähr Manns Bedenken: warum dies gerade mir?
Schon mancher gewissenhafte Schriftsteller, meint er, habe
sich fragen müssen: »Betrüge ich nicht die Leser mit meinem
Talent, da ich die letzten Fragen doch nicht zu beantworten
weiß?« Und Mann führt als Beispiel Anton Tschechow an, über
den er eben arbeitet. Kurz darauf erschien der *Versuch über
Tschechow,* in dessen letztem Abschnitt wir lesen: »Es ist nicht
anders: Man ›ergötzt mit Geschichten eine bedürftige Welt,
ohne ihr je die Spur einer rettenden Wahrheit in die Hand zu
geben‹.«

Die literarische »Montage«, mit der wir es hier zu tun haben,
gewinnt an Vertracktheit noch durch das Nachfolgende: »Man
hat auf die Frage der armen Katja: ›Was soll ich tun?‹ nur die
Antwort: ›Auf Ehre und Gewissen, ich weiß es nicht‹.«

Katja ist der Name der weiblichen Hauptgestalt in Tschechows
Erzählung *Eskaučnaja Istorija,* woraus Thomas Mann ziemlich
wörtlich zitiert. Katia heißt ja aber auch die eigene Gattin!
– Wird also der unvoreingenommene Leser dazu neigen, das
erste, in Wirklichkeit auf Mann bezogene Muschg-Zitat,
Tschechow zuzuschreiben, so legt der Nachsatz die Vermutung

nahe, daß der Autor hier von seinem Sujet, Tschechow, zur autobiographischen Reflexion abgeglitten ist.

Das objektiv Gegebene »aufkleben« und »die Ränder sich verwischen« lassen, so bezeichnet Thomas Mann einmal (Br. 30. XII. 1945) die *Montage*technik, wie er sie, mit äußerster Konsequenz, in dem Roman *Doktor Faustus* geübt hat. Und an Verwischungen der Ränder fehlt es ja auch nicht im vorliegenden Beispiel: auffallend sind schon im Briefzitat mehrere kleine Korrekturen des »aufgeklebten« Textes – so in der Vereinfachung durch Streichung aller Nebensätze (d. h. Nebengedanken), die für Mann nicht zur Sache, seiner Kontaktnahme mit Tschechow, zu gehören scheinen, wie auch eine gewisse Erhöhung der gesamten Sprachebene (am wichtigsten: statt Muschgs »rettenden Gedankens« bei Mann »rettende Wahrheit«). Noch einen entscheidenden Schritt weiter geht die Korrektur des Muschgschen Versatzstückes in der essayistischen Endfassung – durch die Umformung von Muschgs »verlorener Welt« in eine »bedürftige Welt«. Das ist menschenfreundlicher. Und dem entspricht denn auch der versöhnliche letzte Ausklang des *Versuchs*:

»Und man arbeitet, dennoch, erzählt Geschichten, formt die Wahrheit in der dunklen Hoffnung, fast in der Zuversicht, daß Wahrheit und heitere Form wohl seelisch befreiend wirken und die Welt auf ein besseres, schöneres, dem Geiste gerechteres Leben vorbereiten können.«

Das ist wohl nicht eben eine »rettende« Lebenswahrheit, aber doch eine Ehrenrettung der Kunst. Muschg hat ausgedient. Er war gut genug, als an den Rändern verwischte Guru-Gestalt, auf Thomas Manns Weg zur *unio mystica* mit Anton Tschechow.

Die (für Manns Literatur- und Kulturkritik so überaus bezeichnende) Tendenz zur autobiographischen Identifikation setzt eine wechselseitige Zuordnung von »Ich« und »Welt« voraus, über die auch der Erzähler nie aufgehört hat, sich Gedanken zu machen – sehr verschiedene Gedanken zu verschiedenen Zeiten. So erklärte er, in späten Jahren (in dem Vortrag *Meine Zeit*), bei aller »Abneigung gegen die Autobiographie« könne er, um seine Zeit zu betrachten, doch wohl »das

autobiographische ›Ich‹ nicht ganz fernhalten«: eine entschiedene Akzentverlagerung also, im produktiven Prozeß, auf die »Welt«. Anders beim jungen Autor der *Buddenbrooks*. Seinen Lübecker Mitbürgern, die sich als »Modelle« für den Roman kompromittiert glaubten, ruft Mann indigniert zu:
»Nicht von euch ist die Rede, gar niemals, seid des nun getröstet, sondern von mir, von mir [...]. Wie aber kann ich mein ganzes Selbst preisgeben, ohne zugleich die Welt preiszugeben, die meine Vorstellung ist? *Meine* Vorstellung, *mein* Erlebnis, *mein* Traum, *mein* Schmerz?« *(Bilse und ich)*
Er gab sich preis, kostete alle Möglichkeiten, Ängste und Hoffnungen seiner selbst so rückhaltlos, daß er eine Sammlung seiner Novellen mit Fug als »gleichsam eine zusammengefaßte, kurze Lebenschronik des Autors« bezeichnet (»Vorwort« *Stories of three Decades*). Und er fuhr fort, »seine Welt« preiszugeben. Er arbeitete nach Modellen, menschlichen wie sachlichen, setzte sich persönlichen Unannehmlichkeiten aus, schrieb den durch den fernhin treffenden Pfeil des Apoll verletzten Vorbildern beschwichtigende Briefe und verwahrte sich, seit den *Buddenbrooks* bis in die letzten Monate seines Lebens, immer wieder gegen »falsche Schlüssel« – gelegentlich, glaube ich, auch gegen richtige, worauf noch zurückzukommen sein wird. Aber er hielt eben fest daran, daß die von ihm abkonterfeite Welt nur *seine* »Vorstellung« war, *sein* »Erlebnis«, *sein* »Traum«, *sein* »Schmerz«. Bis er eines Tages mit hochgezogenen Augenbrauen entdeckte: »Man glaubt sich nur zu geben, nur von sich zu reden, und siehe, aus tiefer Gebundenheit und unbewußter Gemeinschaft gab man Überpersönliches.« *(Tischrede bei der Feier des Fünfzigsten Geburtstags)*
Es ist dies der Zeitpunkt der Schwergewichtsverschiebung vom »Ich« zur »Welt«, mit anderen Worten, des erwachten Bewußtseins der *Repräsentanz*. Das poetische Ich repräsentiert die Welt durch eine geheime Übereinstimmung, einen »zufälligen« Parallelismus zwischen individueller und gesellschaftlicher Problematik. Die Konstellation ist deutlich genug in Manns letzter, aus bewußter Egozentrik und noch »unbewußter Gemeinschaft« konzipierter Künstlernovelle, vor dem

Ersten Weltkrieg, dem *Tod in Venedig* – so klar, daß sich allenfalls die Frage stellen ließe, ob nicht schon hier das Schwergewicht tatsächlich eher auf der »Welt«, der Auflösung einer nur noch in Schein und Trug sich haltenden Gesellschaft liegt, als im persönlichen Erlebnis ihres überforderten Repräsentanten, des Schriftstellers Gustav Aschenbach. Hat man aber erst einmal einen Blick dafür gewonnen, finden sich nicht ähnliche Übereinstimmungen am Rande von Thomas Manns frühester beachteten Novelle *Der kleine Herr Friedemann?* Warum, in dieser gewiß aus eigenstem, privatestem Schmerz geborenen Geschichte, erfolgt der Einbruch in das so sorgsam umhegte Dasein des Protagonisten, des Männleins, das da nur mit Mühe, mit einer gewissen künstlichen »Wichtigkeit« seine Bürgerrolle spielt, warum ereilt ihn sein Schicksal gerade in Gestalt jener Frau, deren Ankunft im Städtchen, wie die ihres Gatten, des neuen Bezirkskommandanten, »alle Welt in Erregung versetzte«? Der ehemalige Kommandeur, der »beleibte, joviale Herr, der lange Jahre hindurch diesen Posten innegehabt hatte, war in den gesellschaftlichen Kreisen beliebt gewesen, und man sah in ungern scheiden«. Der »Wechsel« (»Gott weiß infolge welches Umstandes!«) bedeutet eine Zeitwende, deren erstes Aufspüren im Kleinen, wie die Heimsuchung der Kanalstadt die Besiegelung des epochalen Abschlusses im Großen. In beiden Fällen, so darf man wohl ohne übermäßige Vereinfachung sagen, sammeln sich die Strahlen eines historischen Prozesses im persönlichen Brennspiegel: zum Krematorium des tragisch Auserkorenen.

Das von uns herangezogene Selbstzeugnis der Einsicht in den »überpersönlichen« Charakter seiner Kunst fällt zeitlich ungefähr zusammen mit der Beendigung des *Zauberberg.* Die Entdeckung kommt der glückhaften Erfahrung gleich, daß »aus autobiographisch selbstbildnerischem Bekennertum ungeahnterweise das rührende und große Erlebnis der Erziehung erwachse« *(Von Deutscher Republik).* Vorbildlich dafür ist Goethes *Wilhelm Meister,* wo »die Idee der persönlich-abenteuerlichen Selbstausbildung« als letzte Erziehung, in den *Wanderjahren,* »völlig ins Soziale, ja Politische« mündet *(Goethe und Tolstoi).* – Bei der bewußten Ausdehnung des

»dichterischen Ichs« ins Repräsentative handelt es sich also zunächst (und nicht nur zunächst) um eine Wendung ins Pädagogische, fast dürfte man sagen, eine aktivistische Tendenz. Die wechselseitige Zuordnung von Ich und Welt bedeutet Zeitgerechtigkeit, nicht nur im lakonischen Aufrollen der aller Welt auf den Nägeln brennenden Zeitprobleme, sondern auch deren Inangriffnahme, sie gewährleistet eine Bildsamkeit der Welt durch das Persönliche, »das Übergewicht der Einzelbestimmung über die allgemein bestimmende Macht der Umstände« (Br. 7. X. 1941). Die zuletzt zitierten Worte könnten von Jean-Paul Sartre stammen. Und es ist in der Tat, ganz allgemein gesprochen, kein so gar weiter Weg zum Sartreschen Gedanken der existentiellen Freiheit und Verantwortlichkeit, von dem neuen »Humanitätsbegriff«, der Weitung eines romantisch-unpolitischen, überständig deutschen Bildungsidealismus ins demokratische Kollektive, »westlich« Europäische, wovon bei Thomas Mann seit dem Ersten Weltkrieg (und schon kurz zuvor) so viel die Rede ist.

Noch um die Zeit des *Tod in Venedig* hatte er offenbar auch im Hinblick auf sein eigenes Werk äußern können: »Liebe zu sich selbst [...] ist [...] der Anfang aller Autobiographie. Denn der Trieb eines Menschen, sein Schicksal literarisch zu feiern und die Teilnahme der Mit- und Nachwelt leidenschaftlich dafür in Anspruch zu nehmen, hat dieselbe ungewöhnliche Lebhaftigkeit des Ichgefühls zur Voraussetzung, die [...] ein Leben nicht nur subjektiv zum Roman stempeln, sondern auch objektiv ins Interessante und Bedeutende zu erheben vermag.«

Und er hatte, als Beleg hierfür, auf die großen Urkunden »leidenschaftlichen oder doch innigen, sinnlich-sittlichen Ichgefühls« Augustins, Rousseaus und Goethes Konfessionen verwiesen, die der Welt, so schien es, viel mehr bedeuteten als »Meisterwerke spielend erfinderischer Kunst« (»Vorwort« zu dem *Roman eines Jungverstorbenen*). Mit einem gewissen Heimweh, so möchte mich dünken, zitiert Mann die Eingangsworte jener Reflexionen einige Jahre später, anläßlich der Vorlesung eines Kapitels aus dem *Krull*-Fragment *(Der autobiographische Roman)*. Die »Liebe zu sich selbst« als literarisch formative Hauptkraft verträgt sich nicht länger mit der

Moralität, der sozialen Sympathie des neuen Humanitätsge-
fühls. So werden vorerst die *Bekenntnisse des Hochstaplers
Felix Krull* zum Abgesang des autobiographischen Romans;
wobei für den Autor der stilistische Hauptreiz eben darin
besteht, »die großen Autobiographen des achtzehnten Jahrhunderts einschließlich Goethes *Dichtung und Wahrheit* zu
parodieren«. Ähnlich, nur »noch deutlicher«, glaubte Thomas
Mann, mit dem *Zauberberg* »die Geschichte des deutschen
Bildungsromans parodierend« abzuschließen *(On Myself)*.
Mann stellt sich »seiner Zeit«, allerdings, wie wir schon
wissen, ohne, bei aller in ihm erwachten »Abneigung gegen die
Autobiographie«, das »autobiographische ›Ich‹ [...] ganz
fernhalten« zu können – oder wohl auch nur zu wollen. Es
bleibt präsent in einer bestimmten Lebenskurve seiner Romanhelden, die ich an anderer Stelle als das sich in verschiedensten
Varianten wiederholende Erlebnis der »felix culpa« zu definie-
ren versucht habe: die (urchristliche) Vorstellung also einer
»glückhaften Schuld« oder Erhebung durch Schuld – das
zutiefst erfahrene Bewußtsein tragisch-segensreicher Bevor-
teilung. Hans Castorp im *Zauberberg* erfährt es in Form des
deutschen »Stirb und werde«. Joseph wird es zuteil als durch
das Dunkel geführter, lichter Menschheitsmythos; und der
Roman *Der Erwählte* deutet die nämliche Lebenskurve als das,
was sie im Grunde immer war: als Wirksamkeit der dem
Christenmenschen gewährten Gnade.
Die mehr oder weniger geübte Diskretion, in der Miteinbezie-
hung des subjektiv-autobiographischen »Ichs«, hat nun aber,
wie früher angedeutet, Mann (jedenfalls bis zum *Joseph*)
keineswegs daran gehindert, ausgiebig Gebrauch zu machen
von den ihm objektiv zugefallenen autobiographischen Materialien. Es gibt, vornehmlich in den kürzeren Erzählungen der
Mittelperiode, wohl kaum irgendein Vorkommnis, das frei
erfunden wäre. In einigen Fällen kann ich sagen: »ich bin dabei
gewesen«. Die kleine Tanzgesellschaft meiner älteren Geschwister, welche der Novelle *Unordnung und frühes Leid* zur
Vorlage wurde, gelangt dort zu einer Darstellung der (mir noch
sehr wohl erinnerlichen) Wirklichkeit, die an Genauigkeit
kaum zu überbieten ist. – In *Mario und der Zauberer* ist *nichts*

erfunden (Kinder sehen meist mehr als die Erwachsenen argwöhnen!); ausgenommen der Schuß am Ende. Der wurde nicht abgefeuert, hätte es aber gewiß werden sollen.

Solch äußere autobiographische Bezüge werden hinfällig mit dem Eintritt in die Welt des *Joseph*-Romans. Einer Dichtung, der es (wie aller mythologischen Dichtung) um die Gestaltung des Typischen, Allgemeingültigen, Ewigwahren geht, kann mit spezifischen »Modellen« wenig gedient sein. Hier ist weder in erster Linie »von mir, von mir!« die Rede, noch auch etwa »von euch«, den »mir« Zugefallenen. Thomas Mann nennt den *Joseph* seine »erste Arbeit ohne menschliche ›Modelle‹«. Ihre Charaktere seien »im Gegensatz zur früheren Abhängigkeit von einer angeschauten Wirklichkeit [...] durchaus ›erfunden‹« (Br. 23. III. 1940). Das trifft, wenn auch nicht bis in alle Einzelheiten, so doch auf die Gesamttendenz der Konzeption fraglos zu.

Interessant: aber auch im Hinblick auf die früheren Werke warnt nun, im Rückblick, Thomas Mann *(On Myself)* vor einer Überschätzung seiner »Abhängigkeit« von dem »naturalistisch beobachteten Material«, denn stets sei es ihm doch wohl in erster Linie um dessen »Stilisierung und geistige Steigerung« zu tun gewesen. Was damit gemeint ist, wird anhand des *Zauberberg* erklärt: Die Figuren seien mit Fug für das Gefühl des Lesers alle mehr, als sie scheinen: »Lauter Exponenten, Repräsentanten und Sendboten geistiger Bezirke, Prinzipien und Welten.«

Allerdings gibt Mann der Hoffnung Ausdruck, seine Gestalten seien deswegen nicht etwa bloße »Schatten und wandelnde Allegorien«; und er sieht sich »durch die Erfahrung beruhigt, daß der Leser diese Personen, Joachim, Clawdia Chauchat, Peeperkorn, Settembrini und wie sie heißen, als wirkliche Menschen erlebt« – wie sie (so dürfen wir erinnern) ja auch, in den meisten Fällen, vom Autor selbst erlebt wurden.

»In der über das Werk hinausdeutenden« *Repräsentanz* der Romangestalten oder -ereignisse besteht also jene geistige Steigerung der Wirklichkeit durch das Werk, welche Mann auch als »symbolische« Steigerung bezeichnet. Und doch erblicken wir hier nur eine Seite des künstlerischen Verwandlungsprozesses. Ich möchte dessen andere Seite als Steigerung der Wirklichkeit durch eine werkimmanente Symbolik bezeichnen. Thomas Mann beschreibt den hier in Frage stehenden Beziehungskomplex gerne in musikalischer Terminologie. So spricht er auch hinsichtlich des *Zauberberg* von einer »Kontrapunktik« und einem »Themengewebe«, worin »die Ideen die Rolle musikalischer Motive spielen«. Hier weisen die Romangestalten und -ereignisse nicht über sich hinaus, auf eine Welt, der etwa »eine rettende Wahrheit in die Hand zu geben« es gälte, sondern sie verweisen aufeinander als integrale Komponenten der dichterischen Komposition.

Vermutlich spricht Thomas Mann von beiden Möglichkeiten dichterischer Symbolik, der repräsentativen wie der werkimmanenten, wenn er zur Frage »was ist ein Dichter?« orakelte: ein Dichter sein, hieße einfach »sich aus den Dingen etwas machen« *(Denken und Lesen)*. Wenden wir uns zur Inspektion »der Dinge« noch einmal zurück zum *Tod in Venedig,* Manns letzter in seiner bewußten Konzeption ganz im autobiographischen »Ich« wurzelnder Erzählung. Ausgangspunkt war, wie wir vom Autor wissen, die Erfahrung (oder Angstvorstellung) der »Entwürdigung eines hochgestiegenen Geistes durch die Leidenschaft« *(On Myself)*. Als stoffliche Verkörperung für das Motiv bot sich Mann zunächst, bekanntlich, die vom alten Goethe für ein junges Mädchen empfundene Leidenschaft; dann zog der Dichter es aber doch vor, den Stoff in die Gegenwart zu verlegen. Einerseits wuchs hierdurch das Motiv in seiner Repräsentanz (der Zusammenbruch des alternden Künstlers steht für den Zusammenbruch einer Epoche, nämlich der des bürgerlichen Individualismus), andererseits gestattete die zeitliche Annäherung stärkere Unmittelbarkeit in der autobiographischen Mitteilung. Erst an diesem Punkt treten »die Dinge« recht eigentlich ins Spiel. Ein mehrwöchiger Ferienaufenthalt im Hotel des Bains am Venezianischen Lido und die dortige Anwesenheit eines auffallend hübschen polnischen Knaben werfen eine erste Ernte ab. Offenbar »macht sich« der Dichter genug aus dem kleinen Badegast, um Goethes junges Mädchen durch ihn zu ersetzen, also die zarte Beziehung novellistisch zur Leidenschaft zu »steigern«. Um die somit schon »bedeutend« gewordene Begegnung gruppiert sich nun eine Anzahl an sich gleichgültiger Reisebegegnungen und -erlebnisse: schon vor der Abreise die Begegnung mit dem unangenehm auffallenden Fremdling am Münchener Nordfriedhof, der Anblick eines ulkigen Alten auf dem Dampfer nach Venedig, ein betrügerischer Gondoliere, das Gerücht von der Erkrankung der Stadt usw. usw. – Begebenheiten, aus denen, im Hinblick auf die »Steigerung« der Begegnung mit dem kleinen Polen, der Dichter sich nun ebenfalls so viel »zu machen« vermag, daß sie sich alle ins »Bedeutende« erheben, so sehr, daß den Autor, während ihrer Integrierung in die Komposition, »das Gefühl einer souveränen Getragenheit« überkam, wie er »sie sonst nicht gekannt« *(On Myself)*. Fast wie von selbst also sind alle Episoden der Reise zueinander in Beziehung getreten, haben sich aus ihnen Gestalten- und Ereignisreihen ergeben, deren jedes einzelne, gleichsam durchsichtig gewordene Glied auf alle anderen zu verweisen scheint. Und so ist, mit der Hilfe auch noch mythologischer Überhöhung des Materials, das unzerreißbare werkimmanente Symbolgewebe der Novelle entstanden.

Viel später (1928), zu einer Zeit denn, als das autobiographische »Ich« seinen Anspruch auf Zentralität in der dichterischen Konzeption längst aufgegeben hatte, hat Thomas Mann den Vorgang einmal so dargestellt. Auf die Frage »wie fixieren Sie den ersten Einfall?« lautet die Antwort:

»Da gibt es nichts zu fixieren. Ich führe kein Taschenbuch. Dagegen bildet das zu Machende fortan den Mittelpunkt aller Aufmerksamkeit, und alles Erleben wird, wenigstens versuchsweise, in Beziehung dazu gesetzt: nicht nur das Gegenwärtige, sondern auch das Frühere und Einverleibte; das ›Werk‹, klein oder groß, wird zum Brennpunkt des gesamten Ich- und Weltgefühls.« *(Zur Psychologie dichterischen Schaffens)*

Die Thomas Mann von Muschg zugesprochene »Doppelzüngigkeit« erweist sich hier allerdings in einer gewissen Neigung zum geistigen *circulus vitiosus:* da gibt es wohl ein »zu Machendes«, das »zum Brennpunkt des gesamten Ich- und Weltgefühls« wird, aber keinen zu fixierenden »ersten Einfall«. Mit anderen Worten, dem »Werk« fehlt sein Anfang. Es erscheint, in seiner werkimmanenten Symbolik, selbst als *circulus vitiosus.*

Symbolik, symbolische clairvoyance im Sinne von Manns dichterischer Deutungsfähigkeit gegenüber den »Dingen«, hat etwas zu tun mit (man verzeihe mir das plumpe Wort) Aberglauben. Keine Frage, auch Thomas Mann war (wie so viele Künstler) etwas abergläubisch. Er glaubte fest, weil seine Mutter mit 70 starb, auch er müsse in eben diesem Alter sterben. – Übrigens erlitt er gerade dann eine lebensgefährliche Krankheit. In einer frühen Novelle *Der Tod* ist der Protagonist der (nicht weiter begründeten) Überzeugung, sein Todestag falle auf den 12. Oktober. Stattdessen wird dies der Todestag seiner Tochter. – Thomas Mann starb am 12. August.

Bei seinen dichterischen Anfängen frönt Mann seinen abergläubischen Neigungen mit entwaffnender Naivität. So zum Beispiel, wenn er im *Herr Friedemann* die Katastrophe in ausgerechnet Loge 13 sich vorbereiten läßt (später wurde bekanntlich die Nummer 7 zur magischen Zahl).

Während aber das von dem Abergläubigen geglaubte »böse Omen« im täglichen Leben (wie etwa die Spaziergangsbegegnung mit einem unangenehm auffallenden Fremdling) sich stets auf ein Endliches bezieht, erhebt sich dasselbe Handlungsmoment in der Dichtung auf symbolische Ebene eben dadurch, daß es zur Komposition in unendliche, nämlich ästhetische Beziehung tritt.

Hierin, im Hinauf- und Hineinheben unserer zerstückelten, immer sinnentleerteren Wirklichkeit, auch deren »letzter Fragen«, in eine in sich ruhende, in sich vollkommene Totalität bot sich Thomas Mann die »seelisch befreiende« Wirkung der Kunst, seiner Kunst, aller »heiteren Form«. Sie gewann, diese Form, an »Heiterkeit« mit dem Untertauchen des Dichters im Mythos ; und das nicht zuletzt dadurch, daß im *Josephs*-Roman die Zugehörigkeit des Einzelgliedes zu einem Ganzen nicht nur von uns *durch* die Romanhelden, sondern *von* den Romanhelden selbst erlebt wird : sie alle erkennen sich ja selbst in ihrer Transparenz als Funktionäre eines unendlichen Beziehungskomplexes. – Thomas Mann kehrte zurück aus jener gehobenen Sonntagswelt, *where form confounded makes most form in mirth,* in eine äußerst verdüsterte Welt des Alltags – in dem Roman *Doktor Faustus.* Er weist in dem Künstlerroman dem autobiographischen »Ich« seinen ehemaligen Platz an, ja dies »Ich« thront nur noch höher als wohl je zuvor im Zentrum, aber es besichtigt von dort »die Dinge« mit unheimlich mythisch geweitetem Blick. So sehr hat sich das Dichterauge für die »Transparenz« der Dinge geschärft, daß diese kaum noch einer Prüfung auf ihre ästhetische Tauglichkeit zu bedürfen scheinen. Ein gewisser Mangel an Wählerischkeit gegenüber dem faktischen Material, eine Art von Material-Gier, ist ein sehr wesentlicher Aspekt in der Konzeption dieses »schonungslosen Lebensbuches«. Was hätte sich nicht hineinzaubern lassen in die magische Flasche dieser »übertragenen Autobiographie«? Ich erinnere mich da, beispielsweise, eines von meiner Mutter am Frühstückstisch erzählten Traumes, den der Zauberer noch am selbigen Vormittag, oder einem der nächsten, dem Werk »einverleibt« haben muß. – Es beginnt von neuem die Zeit der persönlichen Unannehmlichkeiten und beschwichtigenden Briefe. Irgendein scharfsinniger Leser hat in der Verkörperung des Teufels als Musikgelehrter eine gewisse äußere Ähnlichkeit mit Adorno-Wiesengrund entdeckt. An einem tieferen Sinn hierfür würde es jedenfalls nicht fehlen. Thomas Mann nun wendet sich in einem entsetzten Schreiben an den Betroffenen: die Zumutung, meint er, sei absurd; und frägt, scheinbar in aller Unschuld: »Tragen Sie überhaupt eine Hornbrille?« – Für mein Teil könnte ich mir Adorno, den ich damals oft sah, auch im Bett kaum ohne Hornbrille vorstellen.

Aber, wie bei der früheren Aneignung des »naturalistisch beobachteten Materials« (nur jetzt noch mehr), geht es Thomas Mann offenbar so über alles um dessen kompositorische Funktion, daß die äußere Ähnlichkeit mit dem »Modell« – der vorliegende Fall illustriert es – sich öfters ganz unbewußt einstellt. Und doch erblickte der Autor selber in der für den *Faustus* charakteristischen Direktheit bei der Aneignung der ihm »zugefallenen« Materialien: wörtliche Zitate über weite Strecken, Beibehaltung der Namen von in die fiktive Welt hinein versetzten Personen, auf jede Retuschierung verzichtende Übernahme philosophischer, theologischer, musiktheoretischer Systeme, eine Art von Ruchlosigkeit.

Wie erklärt sich diese (vom Autor als »Montagetechnik« bezeichnete) Ruchlosigkeit? Mann selbst neigt dazu, den in der »Montage« von der Kunst gezeitigten »Durchbruch« zur Wirklichkeit, zum »Leben« als Rettung der Kunst zu verstehen, insofern diese als Sonderwelt des »schönen Scheins« keine Lebensberechtigung mehr hätte. Der »Durchbruch« wäre demnach nur eine äußerste Konsequenz der, fast ein halbes Jahrhundert früher bewußt gewordenen »sozialen Sympathie«. – Ich möchte daran nicht zweifeln. Und doch scheint mir ein anderer Aspekt der Sache wichtiger. Thomas Mann berührt ihn, wenn er, in einem Brief, im Hinblick auf den noch unvollendeten Roman etwas lakonisch von einer gewissen »Altersneigung« spricht, »das Leben als Kulturprodukt und in Gestalt mythischer Klischees zu sehen, die man der ›selbständigen‹ Erfindung in verkalkter Würde vorzieht« (Br. 30. XII. 1945). Auch diese »verkalkte Würde« scheint mir nicht ohne logische Konsequenz, denn sie führt von der den *Tod in Venedig* ermöglichenden symbolischen clairvoyance in ungebrochener Linie zum unendlichen Beziehungszauber des *Faustus*. Hier allerdings scheint der »Durchbruch«, entgegen der von Mann bevorzugten Deutung, in umgekehrter Richtung zu verlaufen: nicht von der Kunst zum »Leben«, sondern vom »Leben« zur Kunst. Der berühmte von Arno Holz aufgestellte Lehrsatz, daß alle Kunst letztlich wieder Natur werden müsse, wäre demnach hinsichtlich des *Faustus* auf den Kopf zu stellen, mit der Einsicht, daß hier offenbar alles Leben Kunst werden sollte. Es scheint dies, nach Manns Material-Gier zu schließen, das Leben heute noch weit dringender nötig zu haben als zur Zeit von Schlegels Traum einer »progressiven Universalpoesie«.

Ich möchte hier noch abschließend hinweisen auf eine weitere, über die Betrachtung von Manns Werk hinausführende Folge seiner zunehmenden Neigung, das Leben als »Kulturprodukt« zu betrachten. Das durch das Werk hindurchgegangene Leben wirft, mehr und mehr, einen vernehmlichen Abglanz vom Werk zurück auf seine persönliche Existenz: *Er lebt den Mythos des eigenen Werkes.* Er besucht nach Vollendung des

Erwählten den Papst in Rom, an welcher Stadt er ein ganz neues Interesse gewonnen zu haben scheint, das sich brieflich in unverkennbaren Anklängen an den Schlußteil des Romans bekundet. Und das ist noch spielerisch harmlos im Vergleich zu dem vom Dichter »gelebten Mythos« des *Joseph*-Romans. Ich rede nicht von der (öfters seitens des Autors kommentierten) »Ähnlichkeit« des kalifornischen mit dem ägyptischen blauen Himmel oder dergleichen. Nein, hier geht es um Entsprechungen viel weitläufigerer Art; und sie scheinen sich ohne Zutun des Autors »eingestellt« zu haben: der Sturz in die »Grube« – die notreichen Anfänge der Emigration, das Wachstum in der Verbannung und endlich das versöhnliche Wiedersehen mit einer ausgehungerten Heimat . . . all dies ungefähr gleichzeitig mit der Niederschrift des Romans, in dem die Lebenskurve des Titelhelden so erstaunlich ähnlich verläuft.

»Was ist Talent?« fragte Thomas Mann einmal und beantwortet die Frage, indem er meint, daß man vielleicht einfach »sagen könnte, Talent bedeute nichts weiter als Schicksalsfähigkeit«. – Ich glaube, wir dürfen es hierbei bewenden lassen bei unserer Untersuchung der autobiographischen Bezüge im Werk Thomas Manns: Talent als »Schicksalsfähigkeit«.

Michael hielt die Reise anläßlich des 100. Geburtstages seines Vaters bis zum Dezember 1975 in Briefen fest, in Tagebuchform an F.C.T. geschrieben. Auf dieser Reise begleiteten ihn die Tagebücher seines Vaters. Es war verwegen, wie er auf Krücken dahinhumpelnd, mit umgehängter, schwer beladener Reisetasche und vollem Arbeitsköfferchen (mit einer kleinen eingebauten Whiskey-Bar) behend im Überseeflugzeug entschwand.
Die Reise entsprach seiner Vorstellung vom Leben als Fest und Selbstdarstellung auf der Weltbühne, bis hin zur restlosen Entäußerung. Parodie und Apotheose des Vaters zugleich, geben die Briefe scharfblickende Charakterisierungen von Menschen und Situationen dieser denkwürdigen Fahrt kurz vor seinem Tod:

Kopenhagen, 29. September 1953 (!) [1975]
Unsinnig langes Warten auf den Anschlußflug nach Kopenhagen. Im Flugzeug leidliche Nacht. Zum Frühstück eine halbe Grapefrucht, 1½ Tassen Tee, ½ Hörnchen. Am Flughafen Kopenhagen Herr und Frau Dr. R. (vom Goethe-Institut), die schon gestern drei Stunden dort auf mich warteten. Er (Philosoph) soll der Mann sein, mich hier bei meinem Vortrag einzuführen. Seine Anfrage, ob ich zu einer Geselligkeit mit dem deutschen Botschafter etc. am Vorabend des Vortrags zu haben wäre, was ich wohl bejahen mußte. Vorgefunden viel Post. Verstörend. – Schöner klarer Spät-Herbstabend. Allein zu Tische. Dann Kamillentee, den ich mir selbst, auf meiner Stube in meinem alten Reisekocher bereitete.

Kopenhagen, 30. September 1975
Der Himmel schier dunkel wie um Mitternacht und blieb es auch. Auf den Straßen fröstelnd eilige, aber auch lustige Menschen. Eine anziehend gediegene Stadt. Ich lunchte alleine im Hotel Angleterre, wo mich ein netter blonder Kellner bediente. Räucher-Aal und Brathuhn. Einigen Appetit. Bereitete mir den Tee selbst. Etwas am Manuskript. Abends Vortrag Dr. R.s: »Das Vermächtnis des Sokrates«.
P.S. Der Vortrag war eine Predigt über das Gute, Schöne und Wahre. Der Mann war zuletzt in Indien (Vorsitzender des Mueller Bhavan Instituts in Madras). Seine Frau gestand mir, daß sie den Vortrag vor einundzwanzig Jahren zum ersten Mal hörte, was zum Anlaß ihrer Ehe wurde.
Bei meiner Rückkunft im Hotel wurde ich mit dem König von Dänemark verwechselt. Mehrere Polizisten halfen mir salutierend aus dem Auto. Endlich!
Ich trinke, zur Feier, auf meiner Stube CH^{au} Sarasot-Dupré 1964 (Appellation controlée).

Kopenhagen, 4. Oktober
In einer halben Stunde Abreise nach Helsinki.
Der Philosoph und Humanist, Dr. R., entlarvte sich gestern,

beim intimen Abendessen, als Tierliebhaber und Hundenarr. Seine Frau zog Fotografien ihres vor längerer Zeit verstorbenen, 16jährigen Pudels hervor. Er selbst erzählte von seiner Rettung mehrerer ausgehungerter indischer Hündinnen. Darauf läuft die deutsche Kultur hinaus – – Thema für eine Novelle.

Eine Germanistin, die gestern eine halbe Stunde mit mir über meinen Vortrag telefonierte, erzählte mir, daß es nicht zur question-period gekommen sei, weil der Leiter befürchtete, die linksradikalen Studenten möchten den Anlaß zu Unannehmlichkeiten nutzen. Die »Selbstbestimmungs«-Kräche der Studenten sind hier in vollem Schwunge; und überall liegen von den Studenten verbreitete Schriften aus der DDR auf (wofür der Direktor sich entschuldigte).

Beim Lunch heute rutschte mein Teller, auf dem ich den Fasan schnitt, auf meine Knie, Sauce und Kartoffeln ergossen sich über meine Hosen und das letzte saubere Hemd. Der hinzueilende Kellner tat das seinige. Und nur noch die halbe Portion vor mir, wuchs mein Appetit.

Helsinki, 5. Oktober
Heute blauer Himmel – – aber: was weiß ich noch von der Sonne! Algabal. – Das finnische Hotel-Personal spricht kaum ein Wort englisch oder deutsch. Die (mir lange unverständliche) allgemeingebrauchte ausländische Wendung ist: »geht daß«. – Gestern bei der Zwischenlandung in Turku, vor Einbruch der Dunkelheit, unendliche dunkelgrüne Wälder, durchsprenkelt mit zahllosen Wasserarmen und Gewässern, und wenig Häusern. – Herr B. meinte, ich soll mich auf keine sonderlich belebte Diskussion nach dem Vortrag gefaßt machen, denn je höher man nach Norden kommt, desto weniger wird gesprochen.

Jyväsklä, 8. Oktober
Gestern Flug von Helsinki nach Tampare (Flug).
Heute von Tampare hierher (Autobus). Meine Reiseroute läuft gleich mit der des Grafen P., dem Oberinspektor der Goethe-Institute, der das halbe Jahr den ganzen Globus bereist und dem

ich noch mehrfach begegnen werde. – Über meinen Vortrag in Tampare konnte ich ihm kein Kompliment abringen. Ich biß bei meiner Bemühung um die dortige studierende Jugend aber auch wirklich auf Granit – eine nicht zu belebende Masse. Die wenigen nach dem Vortrag hervorgekitzelten »Fragen« kamen von Ausländern und waren äußerst töricht, wo nicht boshaft. Z. B.: Ob ich als »Prophet« meines Vaters oder als »Germanist« reise. – Ich versuchte den Fall zu erklären. Heute, nach meinem Vortrag hier in Jyväskla fragte einer, was er denn nun eigentlich als die Summe meiner Darlegungen mit nach Hause nehmen solle? – In Berkeley hätte ich ihn in mein Office gebeten. Das Schlimme ist, daß sie kaum deutsch verstehen. Ich vereinfache meinen Text, improvisierend, so sehr wie möglich. Werde froh sein, nach England zu kommen. So schön und seltsam es hier ist. Aber bedrängte, verwirrte Menschen. Am Rande der westlichen Kultur finden sie sich vom Westen verlassen und vom Osten (Rußland) bedroht oder angezogen. Im ganzen überwiegt das konservative, verängstigte Element, die Angst vor dem »Kommunismus«.

14. Oktober, Oslo
Empfang eines neuen Schubs (50 Seiten) der [Thomas Mann-] Tagebücher von 1918, auf die ich mich stürze: ihr rückhaltloses Durchleben einer erregenden Zeit. Literarisch durchaus verwertbar, wenn auch die ungeschminkte Intimität mich vor herausgeberische Probleme stellt.
Verschiedene Lösungsmöglichkeiten. [...]
Die Tagebücher: ich als Embryo, der eigentlich abgetrieben werden soll. Aber die Mutter will es nicht. Die Wirtschaftslage ist zwar nicht nach weiterm Zuwachs angetan. Aber, ob 5 oder 6 Kinder – was macht es schon aus? So die väterliche Position. Sein fast einziges Bedenken, daß ein weiteres »Kindchen« seine poetisch ausgekostete Freude am Kindchen »Lisa« (Medi) vermindern könnte. Sehe meiner Geburt im nächsten Schub entgegen. Morgen Stockholm.

16. Oktober (noch immer Oslo)
[...] Aufbruch und Trennung vom Hotel fallen, wie immer,

schwer. Zumal ich hier ein eigens für Krüppel eingerichtetes Zimmer zugewiesen bekam: überall Haken, Hanteln zum Festhalten, Klappbrettchen zum Niedersitzen. Ich bin zu entmutigt, um Pool und Sauna aufzusuchen, resp. zu suchen und arbeite lieber noch 1½ Stündchen (am Essayband), niesend obgleich wohl verhüllt im Bett. Der skandinavische Endspurt sieht ziemlich böse aus.

York, 23. Oktober
Gestern die *Eisenbahnfahrt* (Speisewagen!) von Edinburgh (eine weitere Märchenstadt) hierher: Kindheitserinnerungen, nur noch halb nachvollziehbar, aber doch so weit. – – Zwei neue Tagebuchlieferungen aus Orinda. Man wird sehr wählerisch sein müssen: der Mann wußte, warum er sich in die Form zurückzog. Meine Vorträge (heute Leeds – bevorstehend) fangen an mich zu langweilen. Die zunehmende Interesselosigkeit ist gefährlich, weil der Text manchmal ins Nichts zerrinnt und ich plötzlich in anhaltender Stille das Publikum warten sehe. Gestern bis zum Krankheitszustand übernommen. 12 Stunden Schlaf, mit skrupelloser chemischer Nachhilfe. Frisch blauer Herbsttag. Ich humpelte zur Bank, mit berstender Brieftasche.

Eisenbahnfahrt Triest-Milano, 11. November [1975]
Heute strahlend blauer Herbsttag – könnte auch Frühling sein. Zauber der Landschaft, glänzendes Meer, Hügel mit Pinien und Felsen, Landhäuser und Türme. Fürchte etwas davon zu versäumen, während ich schreibe und lese (Tagebuch 1954 – die mißglückte Italienreise; habe leider den mir mitgegebenen Schub nun beendet). Unwissentlich lang entbehrtes Land. Ob man vielleicht doch hier einmal wieder sich länger aufhalten sollte! – Mein Vortrag, in ungemütlich großem Saal mit hohem Podium, aber gut gefüllt; und auch das Italienisch ging glatt (und offenbar verständlich) von der Zunge. Erfolg. Dr. F., heute dementsprechend freundlicher, schleppte mit künstlichem Arm meinen Koffer. Nahm aus Takt den ersten Platz über den Rädern; entsetzliches Geschüttel. Durchfall. Gestern abend noch souper mit dem österreichischen Generalkonsul

Michael Mann, zur Zeit seiner Goethehaus-Reise auf kurzem
»Urlaub« in Orinda, und Sally P. Tubach

und einem reichen Kaffee-Firmen-Besitzer. T-Bone-Steak, das
sich »Bisteca Fiorentina« nennt. Hotel-Mundvorrat für die
sechsstündige Bahnfahrt.

Genua, 12. November
Nica fuhr mich hierher in ihrem Volkswagen. – Unklarheit
wegen der Vortragszeit: ich glaubte 7 P. M., sie glaubte 7.30
P. M. Es war aber 6.30 P. M.; und bei unserer Ankunft (gegen
7 Uhr) stand bereits die Goethe-Sekretärin zitternd am
Hotel-Portal. Eiliges Umziehen, *verspätetes Einnehmen des
Rötchens!!* Verzögerte aus diesem Grund den Beginn nach

Kräften... Unglaubliche Menschenmenge. Außer im Hauptsaal noch in zwei anschließenden Räumen (mit Kopfhörern).
Rührende Jugend, z. T. mitschreibend. Las nur den Anfang
italienisch, dann deutlich improvisierend, so daß den geplanten
italienischen Schluß glatt vergaß. Nachher ungeheueres Buffet. Ein Triumphzug ist das für T. M. Aber so gut wie Kissinger
stelle ich meinen Mann noch allemal als »Gesandten«.
– Unsinnige Autogramm-Bitten (zwei Dutzend). Bin alt
genug, um dergleichen Unfug psychisch gewachsen zu sein.
Aber physisch?? – Telefonat mit Nica nachher.

13. November, Eisenbahnfahrt Genova-Bologna
Die Romanischen Confusionen (falsche Information, falsche
Bahnhöfe, im letzten Augenblick dann doch noch Erreichen des
Zuges) beginnen. Graf G., mein Goethegastgeber, Koffer
schleppend, während ich meiner Krüppel-Hilflosigkeit mich
erfreue. Enormes Mittagessen am Meer, mit Ausblick nach der
Küstenspitze Portofino. Gefühl einer Stopfgans, die gemästet,
um ihre Leber herauszuschneiden. Vor, während, und nach
solchen Mahlzeiten erbarmungsloses Ausgequetschtwerden
von den Journalisten. Verfängliche Frage: T. M.s Papstbesuch,
seine Rückkehr in die Schweiz (statt Deutschland). Wahrscheinlich meist unbedachte Antworten. Fortwährend wach-
sende Liebe für Land und Leute. Erinnerungen! Meine
Mitfahrer stiegen in La Spezia aus (– Sommerferien 1954!
1955 –), Händedruck. An den Wänden des Abteils Heiligenbil-
der: Eselritt des Jesuskindes mit Maria in Damen-Sattel. Engel
mit zwei erhobenen Fingern vor weißer Blume (?), Jesus und
seine Jünger...

Florenz, 15. November
Am Montag mein Vortrag von dem kommunistischen Bürger-
meister veranstaltet.
– Florenz im übrigen das altgewohnte, nur wenig entfremdete
Museum, dessen Sehenswürdigkeiten mich nun zunehmend
durch meine Unbildung beschämen.
– Meine verspätete Ankunft stiftete einmal wieder Verwirrung
und Aufregung: die erregte Goethe-Dame erhielt die polizei-

liche Erlaubnis, mit dem Taxi bis an den Perron heranzufahren, um mir jeden Schritt zu ersparen. Gleichzeitig Polizeiaufgebot wegen zwei entflohener Sträflinge aus Rom, in Ketten.
– Wohne in einem ete-pe-te-te Hotel mit bemalten Schränken, Blumen, Früchten, Donatello . . .

Palermo, 20. November
Überall Auftauchen von Gestalten aus ferner Vergangenheit: in Florenz der Baron Ruccelai, in dessen Palazzo wir vor 20 Jahren konzertierten (im Radio wurden alte Bänder von mir gespielt!), Lucia Tumiati (die mich aber mied), eine Freundin der Cellistin Jenifer Goess aus Angwyn (die jetzt in Wien studiert); in Rom Leonore Lichnowski (uralt aber unverkennbar). Langweilig/dumme und interessante/intelligente Post-Vortragsgespräche. Kehrte in der Diskussion T. M.s marxistische Tendenzen hervor (unwissend der Zeugenschaft Leonores!). Mein Opportunismus. Gefahr einer solchen Reise, die Welt zu einer Drehbühne herabzumindern. Mache es mir, wie der Führer, zum Prinzip, die *Kinder* (und Frauen) der mir dienenden Goethe-Herren zu besuchen. Lud auch die Dame, deren Veilchenstrauß mich hier im Hotel empfing, heute zum Tee (bevorstehend). In Florenz saß ich, eine Viertelstunde vor der Veranstaltung, im Riesensaal des Palazzo Vecchio und ließ mir die Statuen von Michel Angelo erklären. Selten ist wohl jemand mit solcher Unwissenheit wie ich als Kulturträger durch die Welt gekommen.

Rotterdam, 30. November
Ich weiß meistens nicht mehr wo ich bin. Das Bein macht leichten Kummer, denn es wird eigentlich nicht besser.

3. Dezember, Flug Amsterdam-Paris (›Bordeaux)
Wilde Abreise: Mein Koffer blieb versehentlich im Hotel zurück. (Fraglich ob der vom Flughafen zurückeilende Taxi-chauffeur meinen Flug noch schafft. Stattdessen wurde der von mir irgendwo am Flugplatz ergatterte Rollstuhl fast irrtümlich in mein Flugzeug verladen!) Aufrechthalten der SERENITAS.
Der Vortrag gestern in Nimwegen gelungen. Viel üppige

Mahlzeiten, eine (abends) mit einem alten höchst eigenartigen (fluchenden) Priester. Übliche Gespräche (über Germanistik etc.) durch ihn witzig gewürzt. War in Holland weiterhin überall eingeladen und hoch bezahlt. Konservativ intaktes Land – mein Eindruck. Lange Autofahrten mit dem Goethe-Herrn N. (Schwager meiner Nichte Connie), Musikologe, verkommen und angenehm. Trank bis in die Morgenstunden schlechten Cognac und Kamillentee. Schönes Wetter. Angenehme, sogar mit Bedauern gemischte Empfindungen ob des herannahenden Abschlusses dieser wahnsinnigen Unternehmung.

Athen (Flughafen), 13. Dezember
Herr L. in Athen schlauer Schwabe. Die Stadt läßt mich kalt (keine Tränen beim Anblick der »Akropolis«). Viel Betrüger – Tradition der Sophisten und des Odysseus! Ekelhafter Nationalismus (Zypern!–). Gespenstischer Besuch bei einer augenleidenden Dame (Kopftuch, um irgend etwas Greuliches zu verbergen), Mythologin. Ich lernte manches über *Joseph* von ihr. Höhepunkt des Aufenthaltes; mein Wiedersehen mit dem ehemaligen Schulkameraden Dirk Onken, der hier deutscher Botschafter. Lunch in seinem Palais mit 10 griechischen Literaten. Nach dem Vortrag Fahrt mit ihm in seiner Prachtslimousine ins Hotel. Berauschte Umarmung.

Nicosia (Zypern), 14. Dezember
Hier bin ich mitten in das Elend der Türkenbelagerung der (200000) Flüchtlinge, aus dem belagerten Teil der Insel etc. hereingeraten. Ich scheine fast der einzige Gast weit und breit. Und mir scheint Goethe irrte, mich mit meinem literarischen Vortrag hierher zu entsenden. Jedenfalls werde ich diesen gehörig umbauen müssen, denn gewiß wollen die Leute hier nur von T. M., dem Freiheitskämpfer hören wollen und nicht von »werkimmanenter Symbolik«. – Meine »Audienz« bei dem Erzbischof Makarios ist vorgesehen. Ob ich sie wirklich durchführen soll, ist mir noch ungewiß. Mein Vortrag ist von Deutschen und Amerikanern co-veranstaltet. Und beide sind hier augenblicklich gleich verhaßt. Gestern abend noch ins

Kino gehinkt, bot sich mir alles gleich auf der Leinwand: die
Geschichte des Freiheitskampfes, der coup gegen Makarios,
Heroentum um eines kleinen Streifen Landes willen, seitens
attraktiver junger Menschen, weinender Großmütter, aufge-
störtes, idyllisches Städtchen – und dies im Jahre 1975! Als ob
die Welt keine anderen Sorgen hätte als diese anachronistische
Kleinkriegerei. – Ich erwachte um 12^{15}, trank Tee und werde
mich nun in den Speisesaal begeben und Zypernwein genießen.

Thessaloniki, 17. Dezember
Ich hatte meine Brieftasche in der Nachttischschublade vergessen. Die chamber maid, die das Zimmer machte, hat sie
durchwühlt, aber nichts genommen (3300 Drachmen), die
Arme! Was für Gewissenskämpfe. Wenn wohl auch die
Einsicht ihrer Überführbarkeit ausschlaggebend für ihre Tu-
gendhaftigkeit gewesen sein dürfte. Was soll ich ihr zur
Belohnung schenken? – – Aus dem Kino kommend, erinnerte
mich das an Abende in Orinda, an denen ich, um Gret zu
schonen, mich ins Kino verzog. Nur ist der Austritt dann in
eine pittoreske Fremde gewissermaßen ein Vorteil. – Morgen
wieder Athen und wahrscheinlich Verlegergespräche. Vormittags noch ein Radio-Interview und Lunch beim Konsul (dem
deutschen). Mein neuer Freund, Dirk Onken, behält recht,
wenn er meinte, daß ich »auf dieser Reise *Deutschland* kennen
lerne«! In 1½ Stunden mein Schluß-Bouquet! – Schlief
– vager Traum von bevorstehendem Sonnen-Strand-Erho-
lungs-Dasein am Roten Meer mit Raju.

Aus dem unveröffentlichten dramatischen Fragment »*Das Kapital*« *von Michael Mann:*

Dialektik des Gelähmten: Er muß immer warten! Auf den Rhythmus der anderen angewiesen, heißt nicht teilhaben können: warten, zusehen, sich vorstellen, wie es vor sich geht. Demütigung. Antithese: der Gelähmte ist ein unvergleichlich Berücksichtigter. Selbst Offiziere geben ihm den Vortritt. Nur ein Krüppel kann in dieser sich unaufhaltsam demokratisierenden Welt noch aristokratisch leben. Er wird geschoben, getragen, Hilfsbereite eilen herbei. Mühelos wird das Mühsamste erreicht. Alle Ärgernisse des Anstehens, Verwiesenwerdens, Gepäcktragens, schmelzen dahin vor seiner Krüppelhaftigkeit. Er führt, als letzter, das Leben eines echten Fürsten.

KAPITEL IV

ZAUBERER

> Der Aufbruch des verlorenen Sohnes aus dem
> Pfarrhaus vollzieht sich heftig und geräuschvoll.
> Die Gedanken an Rückkehr, die Sehnsucht nach
> der väterlichen Autorität, schleichen sich leise
> ein, sind von Anfang an heimlich da. Wir werden
> diesen konservativen Gegenpol zum emanzipato-
> rischen Selbsterlebnis des verlorenen Sohns im-
> mer wieder zwischen den Zeilen in allen mögli-
> chen Verkleidungen aufzusuchen haben.
>
> Michael Mann, C. F. D. Schubart:
> Der verlorene Sohn

THOMAS MANN, »TAGEBÜCHER«:
Sonnabend den 28. IX. 18.
– Ein sechstes Kind? Zwischen 5 und 6 ist kein großer
Unterschied, und auf wirtschaftliche Ausrüstung werden
Kinder nach dem Kriege überhaupt kaum noch zu rechnen
haben. Das Erbrecht wird bis zur Vernichtung beschnitten sein,
Vermögen überhaupt illusorisch. Erziehung ist Atmosphäre,
weiter nichts. Abgesehen von K.'s Gesundheit, habe ich
eigentlich nichts dagegen einzuwenden, als daß das Erlebnis
»Lisa« (sie ist in gewissem Sinne mein *erstes* Kind) dadurch
beeinträchtigt, verkleinert wird.

*Als Thomas Mann seinen Jüngsten zum ersten Mal sah, soll er
achselzuckend auf eine Ähnlichkeit mit dem Zwillingsbruder
von Katia hingewiesen haben. Wenn man durch typologische
Zuordnung auch nicht Realitäten setzt, so war dem Jüngsten
dadurch schon ein gewisser Platz durch den pater familias
zugewiesen, der ihn mit Heinrich und Klaus Mann, den
Antipoden einer geordneten Welt, zusammenbrachte.*

Freitag den 13. II. [1920]
Stelle immer wieder Fremdheit, Kälte, ja Abneigung gegen
unsern Jüngsten fest, den zu taufen ich gestern Erika's
Religionslehrer, einen Pfarrer, schriftlich ersuchte.

Sonnabend den 24. IV. [1920]
Lisa's Geburtstag, mit dem der des kl. Mischa zugleich gefeiert
wurde. Lisa beim Frühstück mit einem Kranz aus Efeu und
Blumen auf dem Köpfchen. Ich schrieb eine Seite weiter. Ging
¾ Stunden spazieren, bei bedecktem Wetter. Nach dem Essen
Beschenkung der Kinder im Eßzimmer auf der schrägen Fläche
meines am Boden stehenden, nie mehr benutzten Stehpultes.
Benommenheit Lisa's. Michael, mit gepudertem Ausschlag
und bekränzt, komisch.

Montag den 3. V. [1920]
Besuchte die Kleinsten oben. Mischa wackelte, wie gewöhnlich,
ein wenig idiotisch im Stuhl.

*Thomas Manns »Fremdheit« seinem Jüngsten gegenüber zeigt
sich nicht nur in den Tagebucheintragungen, sondern wurde in
»Unordnung und frühes Leid« zur Fiktion, in der Michael und
seine Schwester Elisabeth für den »Beißer« und das »Lorchen«
Vorbild waren:*

[Die »Kleinen«] kommen, wie üblich, die Eltern nach Tisch zu
begrüßen [...]: Beißer zur Mutter, auf deren Schoß er mit den
Knien klettert, um ihr zu sagen, wieviel er gegessen hat, und
ihr zum Beweis seinen geschwollenen Bauch zu zeigen, und
Lorchen zu ihrem »Abel«, – so sehr der Ihre, weil sie so sehr die
Seine ist, weil sie die innige und wie alles tiefe Gefühl etwas
melancholische Zärtlichkeit spürt und lächelnd genießt, mit
der er ihre Klein-Mädchen-Person umfängt, die Liebe, mit der
er sie anblickt und ihr fein gestaltetes Händchen oder ihre
Schläfe küßt, auf der sich bläuliche Äderchen so zart und
rührend abzeichnen.
[...] Das ist ein kleiner Adam und eine kleine Eva, deutlich
betont, – auf seiten Beißers, wie es scheint, sogar bewußt und

»Lorchen« und »Beißer«

vom Selbstgefühl her betont: Von Figur schon ist er gedrungener, stämmiger, stärker, unterstreicht aber seine vierjährige Manneswürde noch in Haltung, Miene und Redeweise, indem er die Ärmchen athletisch, wie ein junger Amerikaner, von den etwas gehobenen Schultern hängen läßt, beim Sprechen den Mund hinunterzieht und seiner Stimme einen tiefen, biederen Klang zu geben sucht. Übrigens ist all diese Würde und Männlichkeit mehr angestrebt als wahrhaft in seiner Natur gesichert; denn gehegt und geboren in wüsten, verstörten Zeiten, hat er ein recht labiles und reizbares Nervensystem mitbekommen, leidet schwer unter den Mißhelligkeiten des Lebens, neigt zu Jähzorn und Wutgetrampel, zu verzweifelten und erbitterten Tränenergüssen über jede Kleinigkeit und ist schon darum der besondere Pflegling der Mutter. Er hat kastanienbraune Kugelaugen, die leicht etwas schielen, weshalb er wohl bald eine korrigierende Brille wird tragen müssen, ein langes Näschen und einen kleinen Mund. Es sind die Nase und der Mund des Vaters [...].
Im Grunde hat er [Cornelius] ein Gefühl dafür, daß die Vorliebe seiner Frau wohl hochherziger gewählt hat als die seine und daß die schwierige Männlichkeit Beißers vielleicht mehr wiegt als der ausgeglichenere Liebreiz seines Kindchens. Aber dem Herzen, meint er, läßt sich nicht gebieten, und sein Herz gehört nun einmal der Kleinen, seitdem sie da ist, seitdem er sie zum erstenmal gesehen. [...]
Beißers Haar ist unregelmäßig blond, noch in langsamem Nachdunkeln begriffen, ungeschickt angewachsen überall, struppig, und sieht aus wie eine kleine, komische, schlechtsitzende Perücke. Lorchens dagegen ist kastanienbraun, seidenfein, spiegelnd und so angenehm wie das ganze Persönchen. Es verdeckt ihre Ohren, die, wie man weiß, verschieden groß sind: das eine hat richtiges Verhältnis, das andere aber ist etwas ausgeartet, entschieden zu groß. [...]
Beißers selbstkritische Sorgen betreffen mehr das Moralische. Er neigt zur Zerknirschung, hält sich auf Grund seiner Wutanfälle für einen großen Sünder und ist überzeugt, daß er nicht in den Himmel kommen wird, sondern in die »Höhle«. Da hilft kein Zureden, daß Gott viel Einsicht besitze und fünf

gern einmal gerade sein lasse: er schüttelt in verstockter Schwermut den Kopf mit der schlechtsitzenden Perücke und erklärt sein Eingehen in die Seligkeit für völlig unmöglich. Ist er erkältet, so scheint er ganz voll von Schleim; er rasselt und knarrt von oben bis unten, wenn man ihn nur anrührt, und hat sofort das höchste Fieber, so daß er nur so pustet. [...]

Beißer schläft. Er hat wie gewöhnlich, unter Blau-Anna's Assistenz, mit schallender Stimme gebetet und ist dann sofort in Schlaf gefallen, in seinen stürmischen, rot glühenden, ungeheuer festen Schlaf, in dem auch ein neben seinem Lager abgefeuerter Kanonenschuß ihn nicht stören würde: seine geballten Fäuste, aufs Kissen zurückgeworfen, liegen zu beiden Seiten des Kopfes, neben der von vehementem Schlaf zerzausten, verklebten, schlechtsitzenden kleinen Perücke.

Auch etwas später war das »Herr Papale« wenig erbaut über die schulischen Leistungen seines Jüngsten. Die Angst des Pennälers vor dem Vater war mäßig, dem Michael selbst ging es nur um gute Noten in den Fächern Deutsch und Singen. Alles andere war für ihn leidlich durchstandene Pflichtübung.

Es bleibt unklar, wieweit Michael als Kind die Abneigung des Vaters bewußt empfand. Einiges in den Briefen an die Mutter deutet darauf hin. »Das Atmosphärische des Hauses« jedoch – als Erziehungsprinzip von den Eltern befolgt und empfohlen – war dem erwachsenen Sohn keine durchweg angenehme Erinnerung. In seinem Aufsatz »Thomas Mann – Zwanzig Jahre Amerika« spricht er von der »(mir aus meiner Kindheit einigermaßen schreckhaft erinnerlichen) häuslichen Ordnung und Hierarchie«.

Und noch im Jahre 1968 erinnerte er sich an einen peinlichen Vorfall aus seiner Kindheit: Als Achtjähriger wurde er von den Eltern auf eine Schlittenfahrt mitgenommen. Er stand zwi-

Wilhelms-Gymnasium München.

Sommer-Zeugnis

für den Schüler der ___3.___ Klasse **A**

Mann Michael.

Betragen	Fleiß	Religionslehre	Deutsch	Latein	Griechisch	Englisch	Mathematik	Physik	Naturkunde	Geschichte	Erdkunde	Zeichnen	Turnen	Singen	Bemerkungen
2	3	3	2	4	.		4	.	4	3	3	3	4	1	*Zu fleiß*
															bedarf in mehreren Fächern einer ordentlichen Besserung!

München, den 15. Juli 1931

Kenntnis genommen:
(Unterschrift der Eltern)

Das Direktorat:
D. Lenz.

Der Klaßleiter:
Werner.

Winter-Zeugnis

Betragen	Fleiß	Religionslehre	Deutsch	Latein	Griechisch	Englisch	Mathematik	Physik	Naturkunde	Geschichte	Erdkunde	Zeichnen	Turnen	Singen	Bemerkungen
3	4	3	2	5	.	.	5	.	4	3	3	3	3	3	*Warnung ge- fährdet*
															Seine Leistungen werden auch durch wenig Zuverlässigkeit beein- trächtigt.

Die Noten des Winterzeugnisses beziehen sich nur auf das zweite Schuljahrdrittel.

München, den 22. Dezember 1931

Kenntnis genommen:
Katia Mann
(Unterschrift der Eltern)

Das Direktorat:
D. Lenz.

Der Klaßleiter:
Werner.

Notenstufung:
1 = hervorragend
2 = lobenswert
3 = entsprechend
4 = mangelhaft
5 = ungenügend

schen der Mutter Katia und dem Herrn Papale auf dem
dahingleitenden Gespann. Mit der Zeit kam der Junge in
Bedrängnis, brachte aber nicht den Mut auf, die Eltern davon
zu unterrichten, daß eine kurze Fahrtunterbrechung immer
dringender vonnöten sei. Die Schlittenfahrt erwies sich als zu
lang. Michael, in seiner patschnassen Hose, blieb stumm,
während die Eltern nichtsahnend sich der Schneelandschaft
erfreuten.

KATIA MANN, »MEINE UNGESCHRIEBENEN MEMOIREN«:
Ich habe auch immer gesagt: das Wesentliche ist die Atmosphäre eines Hauses. Das wirkt auf die Kinder. Und da wir,
mein Mann und ich, uns nie zankten und eine ganz harmoni-
sche Atmosphäre herrschte, war es auch für die Kinder nicht
ungünstig.

KLAUS MANN, »KIND DIESER ZEIT«:
Im übrigen blieb er [Thomas Mann] meist in seinem Arbeitszimmer, das wir kaum betreten konnten.

Michael behielt das Arbeitszimmer weniger in Erinnerung.
Beeindruckt hat ihn vielmehr, daß er während seiner Kindheit
nur einmal im Schlafzimmer des Vaters gewesen ist. Es war an
einem Nachmittag im Jahr 1929, als seine Mutter ihm und
seiner Schwester Elisabeth erlaubte, hineinzugehen, um ihren
schlafenden Vater zu wecken und die Nachricht zu bringen, er
hätte den Nobelpreis für Literatur erhalten.

Fand der Vater das Kind Michael »komisch«, »merkwürdig«,
so wirkte der rebellierende Teenager »problematisch«, ja
»fatal« auf ihn.

THOMAS MANN, »TAGEBÜCHER«:
Dienstag den 10. VII. 34
Unglückselige Manier Bibi's auf irgendwelche Vorhaltungen
zu reagieren. Er kennt keinen Versuch, ruhige und erklärende
Worte, was in Heiterkeit geschehen könnte, sondern wird
sofort bockig, frech und grob. Traurig und fremd.

Dienstag den 14. IV. 36
Bubenstreich Bibi's mit Phanodorm und anderen Mitteln.
Besuch des Küsnachter Arztes, Gespräche mit Golo, K. und
dem jungen Köster in der Halle über den harmlosen, aber das
Haus einigermaßen verstörenden Fall.

Sonntag den 29. XI. 36
Da ich gestern Nacht sah, daß die arme K. doch nicht würde
schlafen können, riet ich ihr, mit Medi im Wagen die Suche
nach dem törichten Jungen aufzunehmen. Sie taten es ohne
Erfolg. Ich begann die Lektüre von J. V. Jensens »Dr. Renaults
Versuchung«. – K. die Nacht schlaflos verbracht. Brach beim
Frühstück zu meinem Herzweh in Tränen aus vor nervöser
Erschöpfung. Während ich mich an die Arbeit machte, fuhr K.
wieder aus, wobei auf meinen Wunsch Medi sie wieder
begleitete. Nachdem ich einiges an der Novelle geschrieben,
kehrte K. zurück: Hatte den Jungen in seinem Stadtzimmer
und Bette gefunden, nachdem er die Nacht bei dem jungen
Hesse verbracht. Man habe ihn ja fortgejagt. – Froh, daß K. aus
der gröbsten Sorge heraus war, arbeitete ich noch etwas weiter.

*Die Rebellion des Teenagers war nicht einfach »bockig, frech
und grob«, sondern eher vielseitig und einfallsreich.*
*Es ist zunächst die Zeit seiner ersten Selbstmordspiele, die
mehr als einmal mit dem Vater oder mit väterlichen Figuren
verbunden waren. Es waren Selbstbehauptungen, hyperbo-
lisch und maßlos. Er war dem Vater danach dankbar dafür, daß*

Michael, Frido und Thomas Mann; Carmel-by-the-Sea, 1941

er ihm keine Vorwürfe machte und einmal nach ausgeschlafenem Drogenrausch ihn lediglich im Familienkreis mit der Bemerkung begrüßte: »Es ist gut, daß Du wieder bei Tische bist.«

Weniger abenteuerlich waren seine Fluchtversuche, die der Mutter weit mehr Kummer bereiteten als dem Herrn Papale. Trinkereien, fragwürdige Freundschaften, Gelage provozierten Ärger und Tadel, kaum in der Gesellschaft, um so mehr aber im elterlichen Hause.

Exotischer und subtiler waren seine manchmal »undeklarierten« Krankheiten (so Thomas Mann), die – echt oder herbeigewünscht – dann doch väterliche Reaktion und ärztliche Befunde erbrachten, wie sie Thomas Mann manchmal in seinen Tagebucheintragungen vermerkt: Typhus, Para-Typhus, Vergiftung (11. XII. 37), Regenbogenhautentzündung, Anschlußkrankheit der Hirnhautentzündung (24. XII. 37), Darmverschluß (15. XII. 42), die besonders zur Weihnachtszeit in Erscheinung traten.

In alledem neigte er auch noch zu Unfällen, über die er später selbst des öfteren nachdachte. Was ihn, zum Beispiel, bei der Blindheit Jizchaks in »Die Geschichten Jaakobs« interessierte, war der Zusammenhang von äußeren Zufällen und psychologischer Prädisposition, ein Ineinander von erlebtem Mythos und Spontaneität, das »Krankheiten« und »Unfälle« hervorbringen kann.

Selbstmordversuche, Fluchtergreifungen, Unfälle, Krankheiten, verwegene Kumpaneien – das ganze Repertoire des Teenagers, der bei allem intensiven Ernst schon früh das Moment des Zufalls, des Spiels einübte.

Bibi (Michael) [...] verliebte sich [...] in eine veritable Schweizerin, was wahrscheinlich die männliche Art ist, sich dem Gastland zu assimilieren. [...] aus der Schweiz ist sie ihm nachgekommen, eine sehr hübsche und angenehme Schweizerin namens Gret: sie wird Bibis Frau, meine Schwägerin. Gerade Michael, der immer als so besonders jung galt, trotz seiner schönen Behendigkeit auf der Violine! Womöglich wird er gar noch Kinder in die Welt setzen! Sein relativ bejahrter, nicht mehr ganz junger Bruder wundert sich und ist übrigens ein bißchen neidisch.

(Aus Klaus Manns »Der Wendepunkt«)

Gret, Frido und Michael Mann; Carmel-by-the-Sea, 1941

Michael und Gret ließen sich 1940 in Carmel-by-the-Sea in Nordkalifornien nieder. In der offenen und sonnigen Landschaft fanden sie sich zurecht. Der Krieg und seine Unruhen lagen weit ab und die Gleichheit des kalifornischen Alltags, mit viel Natur und wenig Geschichte, gab ihnen einen eigenen Spielraum. Der Vater wurde immer mehr zum Großvater des Sohnes Frido.

Die Söhne von Michael und Gret Mann: der jüngere Toni (links) und Frido im großelterlichen Garten in Pacific Palisades beim Studium von Modereklamen und Comic strips der »Los Angeles Times«

THOMAS MANN:
Pacific Palisades, Sonnabend den 4. IV. 42
[...] Ankunft der Kinder aus San Francisco mit Frido und dem Colly. Entzückt vom Wiedersehen mit dem Kleinen. Entstehendes Lächeln der Erinnerung und des Wiedererkennens. Allein mit ihm im Living Room, zutunlich. Zu Bette gebracht. Nach dem Abendessen Lieder-Platten.

P. P. Freitag den 25. X. 46
Verabschiedung von Bibi und Gret und ihren Bübchen, die mich oft gestört haben, wenn ich ruhig sitzen wollte, und die ich doch ungern, mit einem Segenskusse, ziehen ließ.

Selbst in Kalifornien galten die alten, von Deutschland hergebrachten Familientraditionen, die für die Nachkommen auch dann noch bindend waren, als diese ihre eigenen Kinder hatten und von den Eltern als »die Leutchen« bezeichnet wurden. Gret Mann:

Ein Familientreffen zu Weihnachten war geradezu ein Muß. Die Eltern wohnten in Pacific Palisades, Michael, ich und die Kinder in Mill Valley. Wir waren [1947] in einem alten Auto mit den Kindern fast 12 Stunden unterwegs. Sie waren damals noch sehr klein. Verstaubt und mit Öl bespritzt kamen wir in Südkalifornien an. Bei einer Bezinstation machten wir erst einmal Halt, um uns zu waschen und sauber zu machen. Wir wollten möglichst früh dort ankommen und es war dann auch noch Tag. Walters waren zur Soiree bei den Eltern. Sie hörten sich gerade eine Schallplatte von Bruno Walter an. Beethovens *Pastorale.* Unsere Ankunft in diesem Moment schien bei allen ein großes Ärgernis auszulösen. Der Zauberer wünschte nicht unterbrochen zu werden. Zutiefst betreten haben wir uns mit den Kindern in eine Ecke des großen Raums zurückgezogen.

Thomas Mann sah diesen Abend anders:
P. P. Mittwoch den 24. XII. 47. Weihnachtsabend:
Sommerhitze, absurd... ½8 brennender Tannenbaum und Bescherung in Gegenwart der Gäste: Walters, Onkel und

Sohn, Eva Herrmann. [...] Nach dem Kaffee, während des Spiels der Pastorale, einbrechende Ankunft der Leutchen aus San Francisco mit dem Hunde Micky. Die guten Bübchen. Herzliches *Wiedersehen mit Frido.* Beschenkung, Tumult. Die Gäste gingen ½12. Bettung der Knäbchen bei K. auf Couch und Liegestuhl. Der Kleine sehr unruhig. Ihre liebe Zutraulichkeit. Gute-Nacht Winken.

Die Jungen paßten sich streng dem Lebensrhythmus der Eltern an. Über eine andere Ankunft in Pacific Palisades berichtet Gret Mann:

Ein andermal kamen wir ganz spät, nach elf Uhr nachts in Santa Monica an. Michael sagte: »Jetzt können wir nicht mehr nach Hause.« Wir haben uns deshalb mit den Kindern in den Sand am Badestrand von Santa Monica vergraben, um dort den Morgen abzuwarten. Aber die Polizei hat uns von dort vertrieben, so haben wir hinten im Garten des elterlichen Hauses übernachtet.

Der Krieg aber verfolgte die Familie auch im kalifornischen Frieden. Thomas Mann am 31. XII. 44:

Das Schicksal Bibi's beim Militär beschäftigt uns.

Michael bekam einen Einzugsbefehl in die US-Army, machte aber alle Anstrengungen, ihm zu entgehen. Vor der medizinischen Untersuchung hatte er sich durch ungewohnte Leibesübungen körperlich überanstrengt, anschließend zu heiß gebadet und sich nackt im Garten hingelegt, um sich eine Erkältung zuzuziehen. Dazu trank er viel Kaffee, und um sich vollständig herunterzuwirtschaften, hockte er die ganze Nacht in den Kinos von San Francisco herum. Es hat alles nichts genutzt. Vier Wochen später mußte er sich im Militärausbildungslager Fort Ord melden. In der Nacht vorher gingen Gret und Michael betrübt durch die Altstadt von San Francisco, und traurig verabschiedeten sie sich am nächsten Morgen. Überrascht war aber die zurückgebliebene Ehefrau, als der Rekrut

am Abend schon wieder vor der Haustür stand, und zwar als
Zivilist. Als die Militärbehörde ihn nämlich etwas näher
besehen hatte, kam sie zu dem Schluß, daß die bei der
medizinischen Untersuchung konstatierte Nervosität gar
nicht gespielt war; sie hatten ihn mit der Bemerkung
verabschiedet: »You can go home.« In seiner freudigen
Überraschung wehrte er sich gegen die unvorhergesehene,
plötzliche Befreiung und sprudelte heraus: »Ich wollte doch
Soldat werden. Warum lehnen Sie mich ab? Ich nehme ja nur
Bellergal zur Beruhigung meiner Nerven.« Es half nichts. Er
war wieder frei: man klassifizierte ihn offiziell als »over tense«
(übernervös).

Michael läuft in ein Sperrgebiet der US-Army, wird als
ausländischer Spion verdächtigt und muß eine Nacht im
Gefängnis verbringen, wie sich Gret Mann erinnert:

1942 lebten wir in Mill Valley, einem Vorort nördlich von San
Francisco. Michael hatte die Angewohnheit, mit unserem
Hund lange Spaziergänge auf dem Tamalpais-Berg in der Nähe
der Golden Gate-Brücke zu machen. Während des Krieges
galten Deutsche hier als »enemy aliens« (feindliche Auslän-
der), und Michael war zwar tschechischer Staatsbürger, aber
von seiner Sprache her unverkennbar deutscher Abstammung.
Auf der Bergspitze hatte die US-Army einen Stützpunkt, und
Michael wanderte in das Sperrgebiet, in der Annahme nicht
aufzufallen. Er las beim Gehen Caesars *De Bello Gallico*, weil er
gerade dabei war, sein Latein aufzubessern. Er kam von diesem
Spaziergang nicht zurück. Gegen Abend verständigte mich die
Polizei, sie hätten einen Mann verhaftet, der meine Telefon-
nummer angegeben hätte. Mir wurde befohlen, unverzüglich
zum Gerichtsgebäude nach San Rafael zu kommen, die Papiere
von Michael mitzubringen und den Hund abzuholen. Michael
war der Spionage verdächtigt, zunächst einmal wegen seines
deutschen Akzents und dann vor allem wegen eines Buches,
welches Schlachtpläne zu enthalten schien und in einer Sprache
geschrieben war, die man nicht hatte lesen können. Er mußte
über Nacht im Gefängnis bleiben, bis sein Fall anderntags

geklärt werden konnte. Noch lange erzählte er, was für ein herrliches Frühstück er im Gefängnis bekommen, und noch Jahre später unterhielt er mich mit allerlei wunderlichen Geschichten, die er damals im Gefängnis in uralten Zeitschriften und Journalen gelesen hatte.

Jahre später sagte Michael seinem Vater eine »gewisse praktische Demokratisierung und eine ihm mehr und mehr zur Gewohnheit gewordene Zwanglosigkeit des äußeren Lebensstils« nach. Für Sohn und Vater war das »Amerika-Erlebnis« zunächst einmal von der Erwartungshaltung geprägt, die sich trotz kulturkonservativer Vorbehalte in den USA »seelische Freiheit und Heiterkeit« erhoffte, die aber in den Nachkriegsjahren konfrontiert wurde von der »frevlerischen Herstellung von Vernichtungswaffen« und dem Abbau politischer Rechte während der »dunkelsten Jahre der McCarthy-Herrschaft«. Die Spannung zwischen den Möglichkeiten zur freieren Lebensgestaltung und der Bedrohung durch nukleare Rüstung und innenpolitische Reaktion bestimmten Michaels politische Einstellung gegenüber den USA. Er sah seinen Vater ähnlich, wie sein Aufsatz »Thomas Mann – Zwanzig Jahre Amerika« zeigt.
Die »Amerikanisierung« des Vaters und ihrer beider politisches »Amerika-Erlebnis« entkrampften ihre Beziehung, was aus einem der seltenen Briefe Michaels an den wieder in die Schweiz zurückgekehrten Vater hervorgeht:

Pacific Palisades, 2. März 1953
Lieber Zauberer: von Mielein erfuhren wir natürlich, daß Du mit Grippe (die ja in der Schweiz überhaupt recht wüten soll, wie man Frido hört) darnieder warst; und längst wollte ich schreiben. Aber nun kam die Reise nach San Francisco, mit all ihren kleinen Pflichten, dazwischen; und ich komme wohl, Gott sei Dank, reichlich spät mit meiner Kranken-visite.
Da ich schon Frido erwähnte, so will ich doch gleich berichten, daß er schrieb, daß auch Direktor Huber recht krank war. Und

nun, da er wieder auf ist, soll er ganz besonders streng sein und
»verträgt gar nichts«: An einem Tag soll er 3 verschiedene
Zöglinge übers Knie genommen und einem eine Ohrfeige
versetzt haben; und bei *letzteren* Gelegenheit soll *Toni* ganz
laut »Bravo« gerufen haben. Dafür wurde er natürlich bestraft.
Die Kinder schreiben recht regelmäßig und nette Briefe; ich
habe ihnen auch gerade, zur Belohnung, zwei riesige bunte
Postkarten aus San Francisco geschickt.
Seit einigen Wochen haust nun ja mein Lukas Foss bei uns in
der San Remi, und er ist ein recht anregender Gesell. Auch
nützt er mir viel beruflich, – angesehn wie er hier ist. WIE
angesehn, magst Du von dem Umstande ermessen, daß wo
immer er sich aufhält, ihm die Firma Baldwin UMSONST einen
Flügel ins Haus schickt! – So stehen nun im Moment zwei
Flügel im Living-room, bis mein Miets-Klavier abgeholt wird.
Ich werde hier im Mai eine ganze Menge kleiner lectures
haben; auch im Osten, sogar an der doch recht feinen
Columbia-University. Bei der Vorbereitung dieser lectures
geriet ich daran ein Essay zu schreiben – eigentlich vor allem
aus Verdruß über Adorno's »Philosophie der neuen Musik«.
Dieser Aufsatz wird wohl in einer Englischen Musikzeitschrift
erscheinen; und ich sollte denken, er ist mir besser gelungen,
als alles bisherige. Überhaupt ist ja wohl das Theoretisieren
und Spintisieren im Grunde eher meine Sache als das sportliche
Instrumentalistentum. Aber weitere zehn Jährchen werde ich
wohl trotzdem der Bratsche treu zu bleiben versuchen, und
man wird sich irgendwie durchzuschwindeln wissen, – in
diesen »tough«en Zeiten.
Übrigens gibt es ja viele interessante neue Werke zu spielen,
wenn Adorno auch nicht daran glaubt. Gerade spielte ich
Milhaud sein neues Bratschen-Konzert vor, und er schien es
ganz zufrieden. In meinem Los Angeles-Konzert im Mai,
zusammen mit Lukas, muß ich eine neue Solo-Sonate von
Krenek ins Programm aufnehmen, um dem Meister, den wir
häufig sehn (und mit dem wir auch Kammermusik spielten) zu
huldigen. – Kann das Stück aber noch garnicht!
Auch Sessions sahen wir natürlich in Berkeley. Er war etwas
verdüstert. Und ganz allein kann die Gegenwart der Schwie-

Es wurde der 75. Geburtstag des pater familias im Züricher
Zunfthaus gefeiert, mit dem (sozialistischen) Stadtpatriziat
und einigen Vertretern der literarischen und offiziellen Welt,
mittelalterliche Säle ... livrierte Diener ... Kerzenbeleuch-
tung. Es blieb aber noch Spielraum für private Scherze.

germutter (»too much counterpoint in my family!«) daran die Schuld doch nicht tragen.

Ja, die Real-Estate-Leute gehen nun, seitdem die Michèle entfernt wurde, emsig im Haus aus und ein; und tun so als ob es schon ihnen gehören würde. Recht gespannt sind wir auf die Erlenbacher Villa, die wir ja schon von verschiedenster Seite (zum Beispiel vom Markuse) rühmen hörten. Aber wann wir dort vorsprechen werden, läßt sich im Momente noch nicht recht sagen.

So denn also meine und Grets Wünsche für schleunigste völlige Genesung und Erholung

der B.

In den letzten Jahren seines Lebens, besonders seit der Eröffnung von Thomas Manns Tagebüchern im Jahr 1975, fesselte Michael das Werk seines Vaters mehr und mehr. Was er nicht voraussehen konnte, war, wie der kulturelle Apparat der Zentenarfeier desselben Jahrs ihn in Anspruch nehmen, ja überwältigen würde: Vortragsreisen, Aufsätze für fachwissenschaftliche Journale, Festreden, Radio- und Zeitungsinterviews, intensive Arbeit an einer Ausgabe der Thomas Mann-Tagebücher – kein Ende, trotz nicht heilenwollenden Beinbruchs und trotz körperlicher und seelischer Erschöpfung. Er kam sich dabei abhanden.

ERINNERUNGEN AN MEINEN VATER

In seinem Erinnerungsbuch *Les môts* meint Jean-Paul Sartre, daß der Mensch normalerweise kaum vor seinem 50. Lebensjahr seinen »Infantilismus« überwinde. Bis dahin lebe man wesentlich zu dem Zwecke, seine Eltern zu beeindrucken. Ich bin jetzt 56. Als ich 6 war, wurde mein Vater 50. Er bekam zu seinem 50. Geburtstag sein erstes eigenes Auto; einen offenen grünen Sechssitzer-Fiat. Das Auto stand fahrbereit vor dem Haupteingang des Hauses; die Fahrbahn zur Garage war etwas abschüssig. Ich setzte mich vorerst allein in den Wagen und öffnete die Handbremse. Der Wagen begann langsam aber sicher rückwärts zu rollen, bis er endlich und unvermeidlich mit beträchtlichem Aufprall rücklings gegen eine Steinmauer schlug. – Mein Vater war von dem Resultat sehr unangenehm »beeindruckt«. Er nahm, um mich gehörig zu bestrafen, meinen eigenen Spazierstock und versetzte mir damit einige empfindliche Schläge. Eine sinnige Züchtigung, die ich ihm aber doch gewiß bis zu meinem 49. Lebensjahr nicht ganz verzeihen konnte.

Mein Vater ging nie ohne Spazierstock spazieren. Daher wollte ich auch einen Spazierstock besitzen. Kinder imitieren entweder ihre Eltern oder sie revoltieren gegen sie. Ich tat ersteres. Ich schrieb mit 7 Jahren Novellen, Seemannsgeschichten, und mein Vater beriet mich gelegentlich hinsichtlich ihrer Fortsetzung. Das erfüllte mich mit Stolz. Denn ich verstand sehr früh, daß er »ein berühmter Schriftsteller« war. – Er liebte die Musik und spielte Violine. So wollte ich auch Violine spielen. Etwa 9jährig erhielt ich die Violine meines Vaters, der das musikalische Dilettieren als seiner Jahre nicht mehr entsprechend zu empfinden schien. Er improvisierte nur noch gelegentlich vor dem Mittagessen an dem klangweichen Blüthner-Flügel im Salon meiner Mutter. Seither habe ich den Tristan-Akkord in meinem Ohr.

Zum Revoltieren gab uns unser Vater wenig Gelegenheit. Denn wir sahen ihn nicht eben viel. Eigentlich meist nur bei den Mahlzeiten. Er dominierte an der Spitze der langen Familientafel. Wir (meine Schwester Elisabeth und ich) saßen am andern Ende der Tafel mit unserem Kinderfräulein und durften nicht mitreden, außer wenn wir gefragt wurden. Auch sonst mußten wir »leise« sein, wenn er arbeitete. Und er arbeitete eigentlich immer. Vormittags bis 12 am Romanwerk; nach Tisch las er in seinem Lehnstuhl bei einer Zigarre. Nach dem Tee schrieb oder diktierte er Briefe. Abends oblag er wieder der Lektüre. Eine Abweichung von dieser Tagesordnung war undenkbar. Bei Tisch waren oft Gäste, deren Namen ich später bei meinem Studium der Literaturwissenschaft wieder begegnet bin. Diese Erfahrung ist gewiß ein wichtiger Aspekt der Tatsache, der »Sohn eines berühmten Mannes« zu sein.

Etwa 11jährig las ich *Unordnung und frühes Leid* und war verdrossen über das Porträt des Beißers, in dem ich mich erkannte, das ich aber nicht ähnlich fand. Mit 13 las ich *Tonio Kröger* in einer Nacht. Am Ende war ich in Tränen. Aber meine Rührung hatte mit meiner Beziehung zum Vater nichts zu tun. Übrigens soll dieser sich über meine starke Reaktion, die ich meiner Mutter anvertraute, gefreut haben.

Aber die Musik war doch noch glanzvoller als die Literatur. Und ich gebe Visconti durchaus recht, daß er in seinem *Tod in Venedig*-Film aus Aschenbach einen Musiker gemacht hat. Auch mein Vater träumte in seiner Jugend vom Musiker-Beruf. An Bruno Walter schrieb er einmal: »Wenn ich Musiker geworden wäre, würde ich komponieren wie César Franck und dirigieren wie Du!« Letzteres mag hingehen. Ersteres finde ich etwas zu bescheiden. Aber Bescheidenheit, ja Unsicherheit war überhaupt ein Grundzug seines Wesens. Er konzipierte seine großen Romane als bescheidene Novellen (und sehr witzigerweise hat ihn aus diesem Zusammenhang Bert Brecht einmal als einen »begabten short-story-writer« bezeichnet!). Er war überrascht und betroffen über seinen Erfolg, und sein Ruhm zu Lebzeiten gab ihm wenig Glauben an seinen etwaigen Nachruhm.

Vielleicht machte gerade seine Bescheidenheit, seine Unsicherheit und Schüchternheit ihn für uns Kinder unnahbar. Denn das war er – es sei denn, daß er selbst sich uns nahte. Es geschah dies etwa auf Spaziergängen, auf die er uns mitnahm (jeder mit seinem Spazierstock), und bei denen es ganz ähnlich humoristisch zuging wie in der Schilderung in *Unordnung und frühes Leid*; unter Begleitung des alten Wolfshundes Lux, den wir über alles liebten, der aber seinerseits unseren Vater noch mehr liebte und jedesmal bereitschaftlich herbeisprang, wenn mein Vater ihn rief, um ihm seinen Maulkorb anzuziehen; mein Vater nannte dies taktvollerweise »Luxens Brille«.

Abends las er uns auch manchmal vor. Das heißt, er las eigentlich meiner Schwester Elisabeth, dem »Kindchen«, vor und ich war nur Zaungast und verstand auch nicht alles: Andersens und Hauffs Märchen, *Die Schneekönigin, Das steinerne Herz*. Später schenkte er uns eine kleine Storm-Ausgabe und empfahl uns besonders den *Schimmelreiter*. Diese Storm-Bände, die sich noch heute in meinem Besitz befinden, enthalten viele Anstreichungen und Randbemerkungen von ihm. – Mitunter, bei Abwesenheit meiner Mutter (sie war zeitweilig krank und in einem Lungensanatorium), teilten wir auch das Abendbrot mit ihm alleine. Dann ließ er sich wohl in seltsame Erzählungen ein: am unvergeßlichsten die von den »Atomen«, jenem Mikrokosmos, der sich da in jedem Stückchen Holz drehen sollte, ohne daß man es sah.

Im Unterschied zu meinen älteren Geschwistern, die ihn den »Zauberer« nannten, nannten wir ihn »Herr Papale«, woraus wohl eine Art intimer Distanz oder distanzierter Intimität spricht. Fraglosen Gewinn an Intimität und Verringerung der Distanz brachte die Emigration 1933, von München nach der Schweiz (Küsnacht bei Zürich). Das Kinderfräulein blieb zurück, der Haushalt schrumpfte zusammen und man kam sich näher. Ich übte meine (seine) Violine zu den vorgeschriebenen Stunden, wenn er gerade einmal nicht »arbeitete«. Das Unheimliche war nur: er konnte damals manchmal überhaupt nicht »arbeiten«. Oder er »arbeitete« zu ungewöhnlichen Zeiten. Es war die Zeit des »Bonner Briefs«, des Bruchs mit Deutschland. Abenteuerliche Zeiten für uns; schwerste Zeiten für ihn. – Meine sonderbare Pflicht ist es, jetzt jene Zeiten, einen Großteil dieses ganzen »Herr Papale«-Lebens in der Lektüre seiner Tagebücher nachzuvollziehen.

Ob der Bruch mit Deutschland je ganz verheilt ist? Richtiger und wichtiger vielleicht die Frage, ob er je ganz vollzogen wurde. Die Antwort hierauf ist ein ziemlich simples Nein.

Seine – nicht aber simple – dichterische Gestaltung fand dieses »Nein« in der poetisierten Autobiographie, dem Roman *Doktor Faustus*. Der Protagonist des Romans, der »deutsche Tonsetzer Adrian Leverkühn«, Komponist, gottseidank nicht César Franck, sondern etwa ein Arnold Schönberg. Dieser experimentelle, in seiner Symbolik kaum zu entziffernde Ausflug Thomas Manns in die Problematik der zeitgenössischen Musik hat mich wohl im Verlaufe meines »infantilistischen« Lebens meinem Vater am nächsten gebracht. Und das in den Roman hinein »montierte« Porträt meines älteren Sohnes (»Echo«) habe ich ihm viel leichter nachgesehen als den »Beißer«!

Drei Wochen vor seinem Tod hatte Michael die Edition der Tagebücher Thomas Manns für den S. Fischer Verlag nach intensiver Arbeit abgeschlossen. Diese Fassung wurde bisher (1983) nicht veröffentlicht. Man entschied sich für eine ungekürzte Ausgabe, die zunächst von Peter de Mendelssohn besorgt wurde (im S. Fischer Verlag, ab 1977). Hier vermittelt Michael Mann seine ersten Eindrücke von den eröffneten Tagebüchern seines Vaters:

DIE ERÖFFNETEN TAGEBÜCHER THOMAS MANNS. ZUM TODESTAG DES DICHTERS [12. AUGUST 1975]

»29. Mai 1934 [...] Wir sind, zur Ankunft gerüstet, an Deck gegangen, der Einfahrt beizuwohnen. Schon hebt in der Ferne eine vertraute Figur, die Freiheitsstatue, ihren Kranz empor, eine klassizistische Erinnerung, ein naives Symbol, recht fremd geworden in unserer Gegenwart ... Es ist mir träumerisch zu Sinn.« *(Meerfahrt mit Don Quijote)*. Man stelle dieser Schilderung Thomas Manns seiner ersten New York-Ankunft, in dem fingierten Reisetagebuch, die entsprechende Eintra-

gung aus Thomas Manns dieses Jahr zur Öffentlichkeit gelangenden, authentischen Tagebuch gegenüber:
»[...] ½6 Uhr auf [...] Frühstück und letzte Trinkgelder. An Deck. Einfahrt. Die Freiheitsstatue, nüchtern und die Hochbauten als Silhouetten im Nebel. Plötzlich Knopf und ein Rudel Journalisten, die per Boot herangekommen.«
Die so unterschiedliche Akzentsetzung hat einen etwas desillusionierenden Effekt. – Tagebuchveröffentlichungen, wenn es sich dabei, wie bei den Mannschen, um Aufzeichnungen handelt, in denen kein Lebensaspekt unberührt bleibt, tendieren zur Zerstörung von Persönlichkeitsmythen. Thomas Mann wußte das. Und eben darum lag ihm an der »Öffnung« – oder: »Veröffentlichung« – wo ist die Grenze? – seiner Tagebücher so dringlich, daß er den noch 1951 auf 25 Jahre nach seinem Tode angesetzten Öffnungstermin mit »letzter Hand« um fünf Jahre verkürzte. »Warum schreibe ich dies alles?« so lautet eine Eintragung vom 25. VIII. 50. »Um es noch rechtzeitig vor meinem Tode zu vernichten? Oder wünsche [ich] daß die Welt mich kenne? Ich glaube, sie weiß, wenigstens unter Kennern, ohnedies mehr von mir, als sie mir zugibt. –«
Selbstpreisgabe ist das schöpferische Grundprinzip von Thomas Manns Werk, seit dessen Anfängen. Er hat oft genug darauf verwiesen. Das »Intimste« sei doch »zugleich das Allgemeinste und Menschlichste«, heißt es am 10. I. 19, während der Beschäftigung mit dem *Gesang vom Kindchen.* »Bedenken [...] gegen die Darstellung des Intimsten« seien ihm daher unbekannt. Damals las er Tolstois Greisentagebuch. Er notiert sich die folgende Stelle:
»Der Hauptzweck der Kunst ... ist der, daß sie die Wahrheit über die Seele sage u. alle die Geheimnisse offenbare u. ausdrücke, die man mit einfachen Worten nicht sagen kann ... Die Kunst ist ein Mikroskop, das der Künstler auf die Geheimnisse seiner Seele richtet und das dann den Menschen *die ihnen allen gemeinsamen Geheimnisse offenbart.*«
Die Tolstoische Maxime blieb paradigmatisch für Manns Poetik.
Am 4. XII. 50 notiert Thomas Mann: »Nebel-Dunkel. – Dies Tagebuch, Frühjahr 1933 begonnen, ist eine Geschichte, die

wieder den Charakter ihrer Anfänge anzunehmen scheint.« Gemeint kann hiermit nur sein das erneute Übergewicht der *politischen* Reflexionen, womit der Schreiber Erholung sucht von dem Schock des heraufkommenden McCarthy-Regimes: ebenso wie er »unter dem Schock des Exils« diese Aufzeichnung »begann und fortführte« (8. II. 42), »um die Geschichte zusammen mit meinem Alltag zu notieren«. Seit den ersten Tagen »der Krankheit durch seelische Erregung und durch den Verlust der gewohnten Lebensbasis« gewährten sie »Trost und Hülfe«.

»Ich liebe es, den fliegenden Tag mit seinem sinnlichen und auch andeutungsweise nach seinem geistigen Leben und Inhalt festzuhalten, weniger zur Erinnerung und Wiederlesen als im Sinn der Rechenschaft, Rekapitulation, Bewußthaltung und bindenden Überwachung . . .« (11. II. 34)

Diesem Versuch einer summarischen Motivierung der Aufzeichnungen wäre freilich manches hinzuzufügen, auch einiges davon abzuziehen. Die Tagebücher fanden verschiedenartigste Verwendung. Bekannt sind die Exzerpte für die *Entstehung des Dr. Faustus.* Dieser »Roman eines Romans« erweist sich als recht unkomplett nach Einsichtnahme in die Tagebücher, in denen viel ihnen über den Roman Anvertrautes still zurückblieb. Nicht zuletzt die in der *Entstehung* geflissentlich verschwiegene Identifizierung mancher »Modelle«. – *Die Meerfahrt mit Don Quijote* hält sich eng an das Tagebuch, was die »sinnlichen« Details der Überfahrt betrifft. Vom *Don Quijote* ist allerdings in den Schiffsaufzeichnungen nur *einmal* die Rede. (Häufigere Notizen zum Roman des Cervantes fanden sich in den Tagebüchern vom Sommer 1933). Während der Seereise 1934 liest Thomas Mann Wielands *Agathon* – auch eine gute Seereiselektüre! Solche Anpassungen des Lesestoffs an die eigene Situation werden prinzipiell kultiviert: während seiner Vortragstournee durch Amerika sind es mehrfach die Reiseromane Joseph Conrads, die den Reisenden begleiten.

In dem *Don Quijote*-Feuilleton bot sich Thomas Mann ein willkommener Anlaß, die erst 1946 herausgegebenen, aber schon 1934 in Angriff genommenen und immer wieder gequält beiseite gelegten *Leiden an Deutschland* zu unterbrechen. Geplant war zunächst ein offener »Bekenntnis- und Beschwörungsbrief« an ein englisches Blatt. Am 1. August 1934 wird zu diesem Zweck das »Roman-Manuskript« *(Joseph)* weggeräumt und wir lesen: »Schriftliche Auszüge aus den Tagebüchern vorigen Jahres, um Material für den geplanten Aufsatz zusammen zu bringen. Gründlichkeit erforderte eine wirkliche Abrechnung, ein Aufarbeiten der ganzen Erlebnisse, persönlich und allgemein.« Aber schon wenige Tage später (4. August) befällt ihn beim Fortfahren mit »den politischen Aufzeichnungen« das »Gefühl der Zwecklosigkeit und tiefer Niedergeschlagenheit vom elenden Unsinn der Ereignisse«. Tags darauf überwiegt wieder (bestärkt durch die Gattin) der Wunsch nach »einer befreienden Äußerung [...] gegen die deutschen Greuel«, wodurch der »Halbheit« seiner Stellung, seiner »Abhängigkeit von dem Lande« und nicht zuletzt »dem unwürdigen an der Nase herumgeführt werden« in Sachen seines »Besitzes« ein Ende gemacht würde. – Nach dem jahrelangen Ringen mit sich selbst, wegen eines ersten, öffentlichen Bekenntnisses gegen das Hitler-Deutschland, mußte der *Offene Brief an Eduard Korrodi* (1936) und die darauf erfolgte Ausbürgerung eine wahre Erlösung sein. Nach einigen (nur noch die Form des Briefes betreffenden) letzten Zweifeln notiert Thomas Mann in sein Tagebuch zur Veröffentlichung des Pamphlets: »Bin zufrieden und heiter.«

Der »fliegende Tag« wurde »festgehalten« vom 15. März 1933 bis zum 29. Juli 1955 – zwei Wochen vor dem Tode. Außerdem erhalten sind die Tagebücher vom 11. September 1918 bis zum 1. Dezember 1921.

Und besonders die letztgenannten, frühen Hefte dienten Thomas Mann sehr wohl und öfters »zur Erinnerung«. Er durchblättert sie, vornehmlich während der Arbeit am *Faustus*, um »den Anschluß zu finden und die Lust zu beleben« (9. IV. 45). Auch in noch älteren Notizen wird Umschau gehalten; einmal zwecks Übertragung gewisser eigener, langverjährter »Leidenschaftsnotizen« auf die »ratlose Heimgesuchtheit« einer gewissen »verhängnisvollen Person« im *Joseph*-Roman. Häufiger ist die schlichtere Funktion der Tagebücher als

Briefkonzepte, etwa zur brieflichen Übermittlung spontaner literarischer Eindrücke oder als Hilfsmittel zur detaillierten ehelichen Berichterstattung bei der Heimkehr von alleine absolvierten Vortragsreisen. Solche Unternehmungen sind zahlreich bis in die Anfänge der Emigration. Findet sich dabei nicht die Zeit zur täglichen »Rechenschaft« – und die hierdurch entstandenen Lücken belaufen sich mitunter auf mehrere Wochen –, so wird das Versäumnis stets in einem gewissenhaften Überblick der ohne die »Überwachung« des Tagebuchs zurückgelegten Reiseabenteuer nachgeholt. Viele der Solopartien sind jedoch auch Tag für Tag in die Aufzeichnungen eingegangen. Und der Schreiber gibt sich aufgeschlossener, fast möchte man sagen aufgeknöpfter, in der gelegentlichen Entrückung aus dem streng geregelten Dasein im bürgerlichen Heim. Wahre Idyllen sind die Beschreibungen der nach dem Ersten Weltkrieg gerne angetretenen, ein- oder zweiwöchigen »Ausflüge« nach dem München nahegelegenen Feldafing, versehen mit einem Rucksack voll Lebensmittel und einem Koffer, den »das Mädchen« zum Bahnhof tragen hilft. Bekannte, Freunde gesellen sich in der Bahn zu dem Ausflügler und die Herren verkürzen sich in angeregtem Geplauder die Fahrt. Aller politische Gram, die häuslichen Sorgen, sogar die Sorgen um die kränkelnde Gattin geraten in hurtige Vergessenheit. In Starnberg wird der Zug verlassen und der See per Dampfschiff durchquert, zum Bestimmungsort. In dem Hause des (meist abwesenden) Gastfreundes ist eine alte Magd zur Stelle für die Zubereitung der (im Tagebuch genauest verzeichneten) Rucksack-Mahlzeiten: eine kleine Terrine mit nahrhafter Suppe aus mitgebrachtem Hafermehl wird völlig geleert; es folgen Pfannkuchen mit Heidelbeerkompott oder auch Frikadellen mit Kartoffelpüree und roten Rüben, Griesauflauf, einmal ein mißlungenes Soufflé. Man sitzt, nach den reichlich genossenen Köstlichkeiten – ihre Rarität ist, wie die Landluft, appetitanregend – rauchend unter den Fichten im Freien, in der Sonne, die im Hut erträglich, ein Buch auf den Knien (etwa: Jean Pauls *Flegeljahre)* und entschlummert, schlendert dann zur Erfrischung in Begleitung des fetten, trägen, mit schwarzen Warzen bedeckten alten Dackels, den leicht gekräuselten

See entlang oder landeinwärts, zur sogenannten Wald-Schmied-Schlucht hinauf, auf Wald- und Wiesenwegen hin, sich des jungen Buchengrüns erfreuend. Stille ... Und dort: ein bildhübscher junger Rehbock, untersetzt und elegant zugleich, mit schwarzer, etwas süffisanter Schnauze und festen kurzen Geweihhörnern über der Stirn. – Auf einem seiner Spaziergänge nannte Thomas Mann das seine »*Tonio Kröger*-Einsamkeit«. Und:

»Über Einsamkeit und ›Weib und Kinder‹ wäre manches zu sagen. d. i. über ihre Würdigkeit, Ratsamkeit, Zuträglichkeit, ihre inneren Wirkungen. Die entscheidende Erwägung und Sicherheit bleibt mir, daß ich mich meiner Natur nach im Bürgerlichen bergen darf, ohne eigentlich zu verbürgerlichen. Hat man Tiefe, so ist der Unterschied zwischen Einsamkeit und Nicht-Einsamkeit nicht groß, nur äußerlich.« (22. V. 1919 Feldafing)

Gewisser idyllischer Aspekte entbehrt auch das Normaldasein mit »Weib und Kindern« nicht. Bestehend eben in der beharrlichen Widersetzlichkeit der bürgerlichen und ästhetischen Lebensausrichtung gegenüber dem Aufruhr der Zeit, an dem wohl leidend und schriftstellerisch äußerst aktiv teilgenommen wird, der aber nie vollständig beherrschend sein darf. Das gilt für die Jahre nach dem Ersten Weltkrieg, in denen die schwere Entwicklung von der nationalistischen Kaisertreue zum europäischen Demokratismus in allen ihren Phasen und Schwankungen gebucht wird, wie für die Jahre der Emigration. Reichen die letzteren fast bis in unsere Gegenwart, so wird in den ersteren eine längst historische versunkene Epoche heraufbeschworen mit allem Zubehör des einstigen »Bildungsbürgertums«, Beschreibungen der dem Familienkreis übermittelten Lektüre, musikalischer Genüsse und Aktivitäten, gemeinsamer Theaterausgänge oder auch der von den Kindern veranstalteten häuslichen theatralischen Darbietungen. Die *imitatio patris* zu überwachen, sie zu kultivieren oder aber auch zu kritisieren, läßt die ästhetische Einsamkeit des Vaters offenbar noch immer hinlänglich Zeit. Eine belustigende Eintragung hierzu vom 18. III. 1919:

»Klaus führt ein Tagebuch, worin er sich einerseits vormacht,

über Eisners Tod geweint zu haben, andererseits sein Verhältnis zum Bruder Golo analysiert und erörtert ob er ihn liebt«.
Zum eigenen Tagebuch findet sich am 20. I. 1919 der folgende überraschende Kommentar: »Übrigens hat die bisherige Art, das Tagebuch zu führen, keinen Sinn. Werde nur noch Bemerkenswertes eintragen.«
Der Entschluß ist ebenso schwer begreiflich wie folgenlos. Freilich, im Lauf der Jahrzehnte hat sich dann natürlich der Stil und Gehalt der Berichterstattung wesentlich geändert. Zur biologischen Begründung tritt der Wechsel der literarischen Einflüsse. Denn, wie sein schriftstellerisches Werk, so ist auch Thomas Manns Tagebuchführung von literarischen Vorbildern mitbestimmt. Kein Zufall die ausgiebige Lektüre 1918 und 1919 der Tagebücher nicht nur des greisen Tolstoi, auch dessen Jugendtagebücher. Dazu am 13. XII. 18:
»Er ist neben Goethe unter den fortlebenden Geistern derjenige dessen Lebensform mich am meisten anzieht und dessen Lebensgefühl durch alle seine Äußerungen das meine am unmittelbarsten belebt. Sein Künstlertum, eine großartige und organische Verbindung von Sinnlichkeit und Moralismus. In den Aufzeichnungen des 23jährigen finden sich einige glänzende Gedanken und ein paar Natur- und Menschenschilderungen von so ruhiger und unnachahmlicher Kraft wie nur irgendwelche späteren.«
Mit dieser Beschreibung sind weitgehend auch Thomas Manns Tagebücher aus den Jahren 1918–21 charakterisiert. Gewiß in ihren plastischen Natur- und Menschenschilderungen, welch letztere sich mitunter zu seitenlanger Wiedergabe von geführten Gesprächen erweitern. Darüber hinaus kennzeichnen diese frühen Aufzeichnungen weitschweifende philosophische und politische Diskurse und Selbstbetrachtungen (vor allem diese: in ihrer Zentriertheit auf das Werk, in den eingehenden Erörterungen technischer Schwierigkeiten und der »Plage« häufiger Umarbeitungen, sowie in Grübeleien über die literarhistorische Bedeutung des Werkes).
Außer Tolstoi liest Thomas Mann 1918 die Tagebücher Delacroix' und 1919 die Fontanes. Die berühmten Tagebücher Hebbels lernte er offenbar viel später kennen – mit Mißfallen:

»Ich kann das Knorrig-Konservative und in Tränen Schwimmende (Eichkätzchen) nicht leiden.« (13. II. 45)
Dem 43jährigen hätte das wohl mehr gesagt. Um so mehr sagen dem 60 und 70jährigen Goethes Selbstzeugnisse. Die *Entstehung des Faustus* wird »belebt« durch wiederholte Lektüre von Goethes *Dichtung und Wahrheit*. Vor allem aber werden Goethes Tagebücher wegweisend für die Entwicklung des eigenen Tagebuchstils von 1933–1955. Sie besteht, diese Entwicklung, wesentlich in der zunehmenden sprachlichen Verknappung, einem überhandnehmenden Lakonismus in der Darstellung des Erlebten, entsprechend wohl dem Ermatten des Erlebens. Zwischen den täglichen Eintragungen und dem Werk hat sich eine Wand aufgerichtet. Kaum ist in den letzten Jahren von der laufenden Arbeit überhaupt noch die Rede; allenfalls von deren Wirkung auf Hörer oder Leser. Stärkere Erwärmung bewirken die Gedanken an literarische Zukunftspläne. Während der Arbeit am *Krull,* den baldmöglichst abzuschließen es den Autor drängt, zeigt er sich erfüllt von der Konzeption des geplanten Luther- oder Erasmusdramas. Auch ist die Rede von einem »Memoiren«-Projekt, dessen »Reiz« darin bestünde, sein »Leben hineinzulegen, – selbst unbekümmert um ›Form‹ und ›Objektivität‹«.
In einer seiner veröffentlichten autobiographischen Skizzen (1936) hat Thomas Mann ein »aperçu« aus dem *Joseph*-Roman für sein eigenes Leben in Anspruch genommen: es sei – so heißt es dort – »dünner Aberglaube, zu meinen, das Leben von Segensleuten sei eitel Glück und schale Wohlfahrt. Bildet der Segen doch nur den Grund ihres Wesens, welcher durch reichliche Qual und Heimsuchung zwischenein gleichsam golden hindurchschimmert.« Die Aussage der Tagebücher ließe sich nicht besser zusammenfassen. Allein die von früh bis spät geführten Klagen über körperliche, nervöse Leiden – Husten, Halsweh, heißer Kopf oder Kopfschmerzen, Leibschmerzen und Verdauungsstörungen oder bestenfalls »unsicherer Magen«, juckende Exzeme, Herzklopfen, Angstzustände, Niedergeschlagenheit und Unlust – könnten überraschen seitens eines Mannes, dessen Leib von seinen Ärzten immer wieder als in bestem Zustand befunden wurde. Unlust und

Langeweile, auch an der Arbeit. Das »tägliche Blatt« gehört zu den Legenden. Thomas Mann arbeitete oft überhaupt nicht – und dies keineswegs nur zu Zeiten äußerer Überforderung (Vortragstourneen, politische Erregungen), oft auch, weil einfach das Werk nicht »weiter will«. Spaziergänge, Korrespondenzen und vor allem: das Tagebuch! leisten (unbefriedigenden) Ersatz. Seine Ehe, bei aller Glückhaftigkeit der Verbindung, war, besonders in ihrer ersten Hälfte, weit schwieriger, als die Legende es will: und wie oft ist er der Nachgiebige, Milde, sich selbst Beschuldigende gegenüber der zu Heftigkeit und Depressionen geneigten jüngeren Gattin. Die Teilnahme an den häuslichen Sorgen, an den Problemen der Kinder gibt sich im Tagebuch viel intensiver, als man dem »Olympier« zugetraut hätte. Andere im Tagebuch festgehaltene »Heimsuchungen« lassen eine Novelle wie *Der Tod in Venedig* in einem neuen persönlichen Licht erscheinen.

Die »Rechenschaft« über dergleichen machen das »Grauen« begreiflich, welches der Alternde bei der Lektüre der frühen Hefte empfindet. Anstelle des einstmals gewährten »Trostes« (31. VII. 1919: »ob nicht die gebethafte Mitteilung im Tagebuch Schutz gewährt?«) schreckt ihn nun »das Falsche, Schädliche und Kompromittierende des Tagebuchschreibens« (8. II. 42).

Mehrfach meldet sich die Sorge, das auf allen Reisen ihn begleitende Heft könnte in unbefugte Hände geraten. Auf einer seiner amerikanischen Vortragstourneen (23. II. 40) scheint es abhanden gekommen zu sein. Thomas Mann hegt »Verdacht gegen einen Journalisten, der vormittags kurze Zeit da war«. Hotel-Manager und Haus-Detektiv werden bemüht. Nach einiger Zeit findet sich das Stück hinter einem Fenstervorhang am Boden.

Bekannt sind die Qualen, die Thomas Mann 1933 litt um den bei der Emigration in Deutschland aufgehaltenen Handkoffer mit seinen alten Tagebüchern. Oder: sie sind nicht bekannt. Man muß das in dem Tagebuch selbst nachlesen:

»*30. IV. 33* . . . Ich schlafe [. . .] bis 5 Uhr, erwache dann, von dem sofort einsetzenden Schreckensgedanken an den Handkoffer mit den Tagebüchern erfaßt. [. . .] Meine Befürchtungen

gelten jetzt in erster Linie u. fast ausschließlich diesem Anschlage gegen die Geheimnisse meines Lebens. Sie sind schwer und tief. Furchtbares, ja Tötliches kann geschehen.«
In Anbetracht solcher Beängstigungen liest man fast mit einer gewissen Erleichterung die folgende Eintragung vom 21. V. 45: »Zum Thee Riebers. Danach alte Tagebücher vernichtet in Ausführung eines lang gehegten Vorhabens. Verbrennung im Ofen draußen.
Abendessen mit Erika [...]«
Es ist das Jahr, welches Thomas Mann, in seiner Neigung zu hellsichtigem Aberglauben, für seinen Tod vorbestimmt hatte (und tatsächlich befiel ihn ja kurz darauf eine fast tödliche Krankheit). – Wir wissen aus den Jugendbriefen, daß das Autodafé nicht das einzige seiner Art war. Bei der in Betracht stehenden Verbrennung handelt es sich, allem Anschein nach, um Hefte aus den Jahren 1927/28. Die diesen Heften anvertrauten »Geheimnisse« kommen dann allerdings in den erhaltenen, späteren Aufzeichnungen so ungeniert zur Sprache, daß man fast meinen möchte, der Gang zum Ofen habe sich eigentlich erübrigt.
Als »Plage« hat Thomas Mann sein Leben und seine Lebensmission bis zum Tode empfunden. Die Schlußzeilen der letzten Eintragung im Züricher Kantonsspital lauten:
»Das Wetter kühl und regnerisch. – Füttern der Spatzen. – las Shaws ›Heiraten‹ zu Ende. Lese Einsteins ›Mozart‹. Laß mir's im Unklaren, wie lange dies Dasein währen wird. Langsam wird es sich lichten. Soll heute etwas im Stuhl sitzen, – Verdauungssorgen und Plagen.«
Der goldene Grund seines Daseins schimmert jedoch hindurch, wenn er am 29. IV. 53 in vernehmlichem Anklang an den Gregorius-Roman *[Der Erwählte]* notierte:
»O seltsames Leben, wie es ebenso noch keiner geführt, leidend und ungläubig erhoben. Elend – Begnadigung. ––«

Eine Novelle Michael Manns mit allerlei Interpretationsmög-
lichkeiten:

DAS VERSCHIMPFIERTE STRAUSSENEI

Es passierte an einem Frühsommertag im Staate Kalifornien zu
einer Zeit, da die Zukunft der Nation sich ungewiß anließ: im
Zoo der Stadt X ließ ein Straußenweibchen ihr frisch gelegtes
Ei im Stich. Man gab für das widernatürliche Verhalten des
Vogels verschiedene, z. T. öffentliche Erklärungen. Darunter
fand geringste Beachtung die Hypothese von Henry Windrift,
eines kleinen Angestellten des Zoos, der das verwaiste Ei mit
sich nach Hause nahm, um es selbst auszubrüten. Er erklärte
bündig: der Vogel habe recht. Die Zeiten seien unbrütsam.
»Wir sind ausgelastet«, sagte Windrift, »überlastet.«
Diese Deutung des befremdlichen Vorfalls – fraglos die
einfachste und treffendste – wurde wohl gelegentlich in den
Zeitungen zitiert, aber doch nur so selten, daß die offensichtli-
chen Widersprüche in Windrifts Haltung allgemein entgingen.
Hatte das Straußenweibchen in ihrem Feingefühl sich ausge-
schaltet, wie kam Windrift dazu, sich in dieser Angelegenheit
einzuschalten? Die Frage wurde übergangen aus dem einfachen Grunde, daß die öffentliche Teilnahme, zunächst jedenfalls, weder dem Mann, noch dem Ei, sondern allein dem Vogel
galt, was wiederum seinen einfachen Grund in der von der
Zoo-Direktion gegebenen offiziellen Erklärung findet: die
Straußenmutter habe ihr Ei nicht etwa aus Weltschmerz,
sondern aus persönlichem Liebeskummer verlassen. Ihr
Männchen nämlich solle einem Straußenweibchen im benachbarten Käfig schöne Augen gemacht haben. Die Mutter verließ
ihre prächtige Hervorbringung in einem Anfall von Eifer-
sucht.
Wir werden hier künftig diese Deutung als die *persönlich-ro-*
mantische bezeichnen. Daneben behaupteten sich allerlei
andere Theorien: eine *wissenschaftliche,* nach der dem Ei
irgend ein Makel angehaftet, den das kluge Tier natürlich
sofort bemerkt hätte. Aber auch *moralische* Erwägungen
wurden laut: von jeher habe dieser Strauß es an Verantwor-

tungsgefühl fehlen lassen, ja mitunter Bosheit an den Tag gelegt. Weil jedoch all diese Thesen auf die Dauer in ihrer Beschränktheit das Publikum ermüden mußten, verschob sich das Schwergewicht des Interesses allmählich auf Windrifts Person und auf eine sehr viel weiter ausholende, und insofern auch tragfähigere, gewissermaßen *politische* Auslegung des Falles.

Mager von Gestalt, mit borstigem, bereits etwas schütterem rötlichem Haar, hatte Henry Windrift die Vierzigerjahre bereits überschritten. Es war seine Art, jedermann mit scheuer Liebenswürdigkeit zu begegnen, wozu allerdings ein gewisser Ausdruck von Starrsinn, sowohl in seinem von Falten durchzogenen Gesicht, wie in der sehnigen Dürre seines Halses, im Widerspruch zu stehen schien. Das Dasein der Windrifts (Mrs. Windrift tat es ihrem Gatten an Unscheinbarkeit gleich) war ereignislos, zurückgezogen bis zur Anonymität. Die Freuden des kinderlosen Ehepaars bestanden in kaum mehr als einem gelegentlichen Kinobesuch oder abendlichen Glas Bier und Käsebrot im »Emporium«. Gewöhnlich aber verbrachte man den Abend aufs angenehmste in den beiden geflochtenen Schaukelstühlen auf der Veranda, von wo aus über das mit Geranientöpfen verstellte Holzgeländer sich der spärliche Straßenbetrieb beobachten ließ. Selten fiel ein Wort.

Seit einiger Zeit jedoch hatte sich eine unerklärliche Reizbarkeit Henry Windrifts bemächtigt – ihm erklärlich allenfalls durch die fortgesetzte *Teuerung* des täglichen Lebens. Auch in besseren Zeiten war dem Windriftschen Haushalt Sparsamkeit Gebot. Bei den steigenden Preisen aber konnte man sich selbst die bescheidensten Vergnügungen, wie die Eskapade ins »Emporium«, kaum noch leisten.

Die Unzulänglichkeit von Windrifts eigener Erklärung für seinen Zustand sei hier sogleich vermerkt. Immerhin – in solch unleugbaren Tatsachen wie die zunehmende Schwierigkeit, den monatlichen Mietzins zu entrichten, die astronomischen Brot- und Butterpreise, die Preise der Eier und Tomaten, in dergleichen bot sich Henry ein greifbarer, *der* greifbarste Nenner für die allgemeine Instabilität der Weltlage. Ein Sinn war in Windrift erwacht für die Abgetrenntheit seiner Existenz von der Welt – einer, wie er dunkel fühlte, ihm feindseligen Welt, in der kein Platz für ihn, Henry Windrift, vorgesehen war. Die Empfindung beschlich ihn, es sei das ganze wirtschaftliche System, von dem er abhing, nicht eigentlich etwas, als dessen sinnvoll funktionierenden Teil er sich betrachten durfte, sondern eher etwas ihm Entgegengesetztes, etwas nicht dessentwegen, sondern trotz dessen er bestehen konnte: und auch dies nur dank der unablässigen, von ihm aufgebotenen Erfinderischkeit in seiner Lebensplanung.

Ging all dies, wie angedeutet, Windrift vorerst auch noch wenig klar zu Kopfe, so ging es ihm jedenfalls auf die Nerven. Furcht und düsterer Groll wuchsen mit den steigenden Preisen und erhitzten sich zu jähem Zorn. Im Banne seiner emotionellen Verstörtheit passierten Windrift um diese Zeit im Zoo verschiedene Ungeschicklichkeiten. Einmal wäre er bei der Löwenfütterung fast selbst zum Löwenfutter geworden; ein andermal starb ein Zebra, weil er es versäumt hatte, die Krankheitssymptome rechtzeitig zu beobachten. Und ein wertvoller Vogel entflog, dank seiner Unachtsamkeit.

Solche Zwischenfälle schürten seinen Zorn, um so mehr da er sich bisher stets auf seine Tüchtigkeit etwas zugute getan hatte. Und, anläßlich des dritten Vorkommnisses, lief er geradewegs zur Betriebsleitung und forderte einen Monat, ja sechs Wochen Urlaub mit der erregt vorgebrachten Begründung, er sei erholungs- und ruhebedürftig.

An demselben Tage hatte die Sträußin ihr Ei gelegt, es verachtungsvoll liegen gelassen und ihr Männchen, das versuchte, selber das Ei zu besitzen, wütend fortgetrieben. Die Sache sprach sich herum, und bald mischten sich unter die vor den Straußenkäfigen versammelten Zuschauer auch einige neugierige Journalisten. Der Oberaufseher des Zoos hielt große Stücke auf seinen Humor; und so gab er denn, auf die Frage der Pressevertreter, die bekannte humoristisch-romantische Erklärung zum besten. Es war kurz darauf, daß Windrift im Bureau des Oberaufsehers mit seiner ziemlich unbescheidenen Forderung erschien. Der schmunzelnden Zufriedenheit des Chefs mit dem Erfolg seiner Liebesgeschichte dürfte es zuzuschreiben sein, daß Windrift Urlaub und Ei ohne weiteres erhielt.

Zu Hause hatte Windrift bereits eine kleine Raritätensammlung aus dem Zoo – darunter ein Weißpinseläffchen-Embryo in Spiritus, ein paar ausgestopfte Vögel und mehrere Schlangenhäute –, und es war seine ursprüngliche Absicht, dieser Sammlung auch das Straußenei einzuverleiben. Bei den Straußenkäfigen angelangt, begegnete er Pressefotografen, welche die Sträuße von allen Seiten knipsten. Bei dieser Gelegenheit gab Windrift seine politische Erklärung: der Vogel habe recht, etc., etc.

Versehen mit einer Schachtel für Ei und Nest hatte Windrift den Käfig betreten. Das Ei war den ganzen Tag über an der Sonne gelegen und fühlte sich warm an. Das große Ding in der Hand, sinnierte Windrift, daß gewöhnliche Hühnereier eigentlich mindestens so groß wie dieses sein sollten, um ihren Preis zu rechtfertigen. In diesem Zusammenhang geschah es, daß sein Zorn erstmalig eine Idee gebar: irgend jemand mußte irgend etwas tun! Und hier bot sich ihm die Gelegenheit. Niemand anderes als er, der Ei-Besitzer, sollte der Brüter des Eis sein.

Die Umherstehenden, denen Windrift seinen Entschluß, das Ei selbst auszubrüten, kund tat, lachten und kehrten rasch zurück zu den Vögeln, die sie mehr interessierten als Windrift, der sich indessen nach Hause begab, um seine Frau darüber zu unterrichten, auf welche Weise er seine Ferien zu nutzen beabsichtigte.

Eine gewisse Veränderung wurde sogleich in Windrifts Wesen bemerkbar. Mit für ihn ganz ungewöhnlicher Energie befahl er seiner Frau: »Räume diese Schaukelstühle von der Veranda weg; ich will den Ohrenfauteuil hier herausstellen.« Und er setzte vorsichtig seine Schachtel auf den frisch gestrichenen morschen Holzboden nieder. – Der Ohrenfauteuil war der geräumigste und bequemste Stuhl im ganzen Haus, und Windrift war sich sofort völlig klar darüber, daß allein in diesem Fauteuil er in der seinem Geschäft gemäßen Haltung lange genug würde ausharren können. Auch war dieser Ohrenfauteuil mit kleinen Rädchen versehen, was den weiteren Vorteil mit sich brachte, daß er relativ leicht transportabel war. Und, obgleich die südkalifornischen Sommer gewöhnlich warm sind und Windrift wünschte, so viel wie möglich unter den Augen der Öffentlichkeit zu laborieren, gedachte er doch, bei unerwartetem Temperatursturz sich gelegentlich in das Hausinnere zurückzuziehen; um des Eis wie um seiner selbst willen. Er plazierte nun das Nest möglichst weit vorne auf dem dafür bereitgestellten Sessel und ließ sich sodann, zum nicht geringen Staunen Mrs. Windrifts, sachte darauf nieder, das Schwergewicht seines Körpers hinter das Nest verlagernd, die gespreizten Oberschenkel teils gegen das Nest, teils leicht gegen die Seiten des Eis gedrückt, die untere Beinpartie nach hinten gebogen, so daß er eigentlich auf seinen Fersen saß – eine alles andere als bequeme Positur; aber Windrift ertrug sie heroisch. Und nun begann die lange Brutzeit – eine Zeit ebenso des Brütens über die eigne Abgetrenntheit von der Welt wie des Protests gegen jene Welt.

Zuerst bemerkten ihn nur ein paar Nachbarn; gruppenweise standen sie vor dem Hause und reckten die Hälse. »Butter, ein Dollar sechzig das Pfund – sofern überhaupt noch erhältlich!« krähte es hinter den Geranientöpfen, und die Leute warfen sich bedeutsame Blicke zu. Bald scheuten auch die Anwohner entfernterer Stadtviertel nicht den Umweg über das Windriftsche Haus, um die hinter den Geranien schnatternde Stimme zu vernehmen: »Einheimischer Salat neunundsechzig Cents pro Kopf!« Nicht lange, und der vor dem Haus sich stauende Autoverkehr nötigte die Polizei, regelnd einzugreifen. Und von der Veranda her ließ die schon fast ermattende Stimme sich vernehmen: »Benzinpreise und Benzinrationierung kaum noch aufzuhalten! Schuftige Ölmagnaten! Gewinnsüchtige Skrupellosigkeit weit und breit!«

In wenigen Tagen hatten sich die Presse-Herren davon überzeugt, daß am Ende Windrift doch der Mühe lohnte. Und gleich in einem der allerersten Interviews unterlief Windrift eine kleine Peinlichkeit mit großen Resultaten. Einer der Presse-Herren machte ihn auf eine Ungenauigkeit in seiner Reportage aufmerksam. Die Zurechtweisung verletzte ihn, und er machte es sich von nun ab zum Prinzip, bloß das zu reportieren, was er schwarz auf weiß belegen konnte. Er las Zeitung. Er durchblätterte sie nicht wie ehemals gewohnt, er absorbierte sie Spalte um Spalte, Seite um Seite, so daß es bald kaum noch einen Fakt im öffentlichen Leben gab, über den auch der gewitzteste Presse-Herr ihn hätte zurechtweisen können – Sport- oder Börsenresultate, Staatsstreiche oder Diebstähle, kalter oder warmer Krieg. Und Windrifts Kenntnisse vertieften sich zu einem reflektierten Welterlebnis, währenddem Mrs. Windrift hinter ihren Spitzenvorhängen verging vor Scham über den draußen auf der Veranda sich bietenden Spektakel. Die deprimierende Lektüre hatte eine überraschend belebende Wirkung auf Windrift. Mit zunehmender Gelassenheit betrachtete er das Welttheater, gewissermaßen aus der Vogelperspektive. Schon ziemlich gegen Ende der Brutzeit soll er in einem Interview geäußert haben: »Ich wünschte, die Großen der Welt, die regierenden Generäle und zart besaiteten Präsidenten be-säßen männlich aufrecht ihre Eier, anstatt sie sich gegenseitig niederträchtig einzutreten. Ach, fühlten sie wie ich die süßen kleinen Stöße unter der Schale . . . !« Der (im *Playboy* abgedruckten) Reportage ist ein Farbfoto im Großformat beigefügt, das Windrift in tadelloser Haltung auf seinem Ei sitzend zeigt, ein Anblick strotzender Kraft, von den stämmigen Schenkel bis zu dem vor Anstrengung ziegelroten Gesicht und den im Sperberblick hervorquellenden Äuglein. Seine nunmehr allumfassende Polemik hatte um diese Zeit eine rhetorische Blumigkeit, fast müßte man schon sagen, eine Art von Prophetenton gewonnen. Abgesehen von wenigen unbedeutenden Rückfällen in spezifischere Beschwerden – darunter seine pedantische Auseinandersetzung mit der Damenmode – beschäftigte er sich nur noch mit Gegenständen allgemeinster und erhaben-schrecklichster Natur.

So vernahm eine von jeder Weissagung stets willig überwältigte Menschheit von ihm die Verkündung ihres bevorstehenden Untergangs.

Windrifts Ruhm dauerte drei Wochen. Dann kroch das Straußenjunge aus. Schon während der Inkubationszeit hatte Windrift beschlossen, auf keinen Fall seine Arbeit im Zoo wieder aufzunehmen, sondern stattdessen als Wanderprediger durch die Welt zu ziehn – ein in seiner Ausführbarkeit allerdings noch wenig scharf umrissenes Projekt, weshalb es denn nun auch an Mrs. Windrift war, ihrer Aufgebrachtheit Luft zu machen. Es sei höchste Zeit, schnaubte sie, daß Henry sich einmal wieder auf die hohen Brotpreise besänne; und, noch dringlicher, auf die Beschaffung ihres täglichen Brots.

Als dann schließlich der Strauß die Schale des Eis durchbrach, befand Windrift sich im Hausinnern, denn es war eine kühle Nacht; die letzten Zuschauer hatten sich verstreut. Auf diese Weise wurde Windrift eine ihm unerwartet penible Schaustellung erspart. Am nächsten Morgen trafen die pünktlich sich einstellenden Berichterstatter nur Mrs. Windrift an. Und weil sie in der Fähigkeit, sich auszudrücken, mit ihrem Gatten keineswegs Schritt gehalten hatte, waren ihre Auskünfte denkbar mager. Auf die sie bestürmenden Fragen nach Windrifts Verbleib schüttelte sie nur den Kopf.

»Fort«, sagte sie endlich.

»Fort? Und das Ei?«

»Ausgebrütet.«

»Und der Vogel?«

Mrs. Windrift zeigte nur ihre leeren Hände. »Fort«, sagte sie eintönig. Und dann, fast wie um Nachsicht bittend: »Ich dachte, er wolle ihn nur hinaus in den Schuppen tragen, aber dann ist er gar nicht mehr zurückgekommen.«

»Einfach fortgelaufen?«

Sie zuckte die Achseln. Man schob die wortkarge Frau in den Ohrenfauteuil und ermunterte sie, die Ereignisse dieser Nacht ausführlicher zu berichten.

»Ich hatte schon den Abendkaffee abgeräumt. Da kroch der kleine Vogel aus dem Ei und stand da nun aufrecht auf dem Stuhle und blinzelte. Das Licht muß ihm in den Augen weh getan haben. Er sah den Mister an, und der Mister ihn; und dann rief der Mister: Du liebe Güte!«

»Und dann? Und dann?«

»Der Mister fand, *es sähe ihm ähnlich.*«

Die Zuhörer nickten: »Na, und?«

»Das war dem Mister eben so unangenehm.«

»Sah es ihm denn *wirklich* ähnlich?«

Sie zuckte wieder die Achseln. »*Er* sah ja wohl schon immer so ein wenig wie ein Strauß aus«, sagte sie endlich.

»Ja«, meinten sie zögernd, »das tat er wohl.«

»Aber *er* wollte es nicht.«

»Nein, natürlich nicht«, erwiderten sie schnell, und dann: »aber ist das denn so schlimm, daß er ...?«

Aber was halfen solche Einwände? Fort waren Mann und Vogel. – Weniger gewissenhafte Berichterstatter erblickten darin nichts weiter als einen zusätzlichen Beweis seiner Exzentrizität. Tiefer blickende Psychologen begründeten Windrifts Schock, seine übermäßige Selbstidentifizierung mit dem Vogel, durch den verlängerten Kontakt mit dem Ei. Völlig unberücksichtigt bleibt dabei jedoch das Wichtigste: indem er sich selbst in dem Produkt des Eis wiedererkannte, wurde jenes Gefühl der eigenen Abgetrenntheit von der Welt, das in seiner Weltbeschimpfung so rückhaltlosen Ausdruck gefunden hatte, zerstört. Es zerbrach wie die Eierschale. Eine Art animalischen Bezugs zwischen ihm und der Welt wurde erstmalig in Windrifts Leben hergestellt; und daraus erwuchs ein neues Zugehörigkeitsgefühl zur Welt. Weil aber Windrift eben diese Welt gründlich verachten gelernt hatte, verursachte ihm diese Bindung einen tiefen Gram.

Windrift wurde nicht Wanderprediger, sondern Eremit; das Schicksal des Vogels bleibt ungewiß.

CODA

Wenn aber das Verhalten des Herzogs mit dem von Schubart entworfenen Doppelbild Gottes manche fatale Ähnlichkeit aufwies, so schlug diese, in der nachaspergischen Zeit, ganz auf die Seite der Gnadenmajestät hin aus. Der Herzog, der, mit seinem Häftling um zehn Jahre gealtert, wie man allgemein hört, auch dementsprechend an Milde zugenommen hatte, übertraf sich an seinen Gnadenbeweisen. Der wichtigste von diesen, Schubarts Anstellung als Hofpoet und Hoftheaterdirektor, brachte freilich den Vorteil mit sich, daß auf diese Weise der verlorene und wiedergefundene Sohn auch weiterhin bequem überwacht werden konnte. In einem Briefe an seinen Sohn berichtet Schubart, wie der Herzog, in feierlicher Audienz, versprach, fortan *väterlich* für ihn zu sorgen – und wie nur dies Wort allen Groll gegen seinen Herrn gleich Nachtgewölk aus seinem Herzen weghauchte.

(Aus: Michael Mann, »C. F. D. Schubart: Der verlorene Sohn«)

KAPITEL V

DER SCHRIFTSTELLER

Daß jemand noch in der Mitte seines Lebensweges von Lust und Ungemach des Schreibens ergriffen wird, geschieht nicht zum ersten Mal. Wenn dieser aber einen Namen trägt, der bei Literatur und Geschichte gleichermaßen akkreditiert, von Vaters, Onkels und Geschwister Seite her ins Weite bekannt und schließlich selbst schon als Kind und Phantasie-Geschöpf seines Vaters in die schöne Literatur eingegangen ist, dann bedeutet ein solches Ergriffenwerden entweder einen Akt der Tollkühnheit oder eine große Naivität. – Nun, von Naivität kann bei Michael Manns Erzählversuch nicht die Rede sein. Er hat über den »Zauberer« Seminare abgehalten und ist auch sonst der Ironie und anderen Spiegelwirkungen nicht eben abhold. Seine Fabel läßt sich als ein der eigenen Einbildungskraft mehr als bewußter Eintritt in eine große Tradition verstehen.

Heinz Politzer,
aus der Vorbemerkung zu *Verwechslungen I*

Aus einem Brief Michaels an seine Mutter:

4. Oktober 1972, Orinda
Chère maman: hier ist nun doch und trotzallem, meiner Art entsprechend, die *novella*. Zu sagen, daß ich sie an trautem Ort unter Deiner Hut begann, würde denn doch bei weitem zu anspruchsvolle Assoziationen bewirken! Indessen: Deinem Urteil sei es überlassen, ob das nun nur ein erster bester oder gar ein bester erster Versuch auf diesem Gebiet geworden ist. tantpis.

VERWECHSLUNGEN I:
Der Richter

Was mir die ganze Geschichte wieder ins Gedächtnis ruft, ist eigentlich nicht eben eine *Verwechslung,* eher das Gegenteil. Seit einer Stunde fasziniert mich der Herr am Tisch quer gegenüber: dieses stets ein wenig nach vorne gestreckte Bourbonengesicht mit dem zugespitzt saugenden Mund, diesen Herrn kenne ich oder er erinnert sehr an jemand, den ich kenne. Das Rätsel löst sich auf überraschende Art: Wem dieser Gast in so frappanter Weise ähnelt, das ist der Kellner, der mich seitdem ich hier in diesem Lokal sitze, bedient hat. – Merkwürdig einseitige Orientierung. Schwer begreifliche Zensur unseres Bewußtseins! Warum habe ich mir dieselbe Frage nicht auch im Hinblick auf den Kellner . . .? Aber genug von diesem Zufallsanlaß meiner Reminiszenzen.

Paris, Ende Mai – die beste Jahreszeit! Welch aufregende Stadt, immer wieder! Ich war gestern abend, ist das nicht komisch? zum ersten Mal auf dem Eiffelturm. Architektonisches Wahrzeichen von Paris, wie lange schon? Der Erbauer Alexandre Gustave Eiffel (1823–1932, nach Baedecker) soll, neben einer Eisenbrücke über die Garonne, auch noch irgendwo ein ungeheures Viadukt errichtet haben. Dann wurde er in den berühmten Panamakanalschwindel verwickelt, verhaftet – und schnell wieder entlassen. Wer hätte auch den Stifter eines solchen Turmes im Ernste aus der Gesellschaft verstoßen wollen . . .

Paris, 1971 – zur Zeit der ersten amerikanischen Währungskrise. Morgens neun Uhr achtundzwanzig. In zwei Minuten öffnen sich die Türen der *American-Express*-Wechselstube – zum ersten Mal nach mehreren Wochen größter Einschränkungen, eines unter unendlichen Scherereien den Dollartouristen verabreichten, winzigen *per diem,* das keinen Gedanken an die höheren (oder tieferen) Reisefreuden aufkommen ließ. Im Vorgefühl souveränen Lebensgenusses, federnden Schrittes und mit im wörtlichsten Sinne geschwellter Brust von den dort aufgespeicherten Reiseschecks, überquere ich den Boulevard des Capucines, gegen das ehrwürdige Geschäftsgebäude hin.

Da hat sich mir einer zur Seite gesellt, der mit mir Schritt hält. Hier beginnt mein Abenteuer.

Ein Schwarzwechsler wie sich sofort herausstellt. Untersetzt, dunkelhäutig, offenbar vom Stamm jenes Arabergesindels, das jahrelang in Paris herumbettelte, scharenweise in den Treppenhäusern der Metro nächtigend, viel verdächtigt und inzwischen wohl entweder verdorben oder besser eingerichtet. Wie dieser. Mit sicherem Blick hat er in meinem Palm-Beach-Anzug seinen Mann erkannt. Übrigens scheint er seinerseits in seiner Kleidung, der Leichtigkeit seines kaffeebraunen Gabardineanzugs mit mir und meinesgleichen geradezu wetteifern zu wollen. Nur der ekle, nasse Ring unter den Achseln verrät den professionellen Asphaltjäger, eine wohl schon mehrstündige, hitzige Straßengeschäftigkeit an diesem Morgen. – Natürlich werde ich mich des Mannes entledigen. Gestern noch wäre er mir willkommen gewesen. Jetzt bedarf ich seiner nicht. Aber, was vermag nicht eine gewitzte Rhetorik! Der Algerier besitzt und übt sie im Schutz der dunklen Gläser seiner über die Beduinennase gestülpten Sonnenbrille. Er hat Gründe – Gründe für den ganz einmaligen, günstigen, von ihm mir gebotenen Kurs, Gründe für meine Gründe, seine Offerte anzunehmen. Wie soll ich sie beurteilen? Ich bin auf Ferien und Privatier. Dieser Straßenhandel bedeutet einen Eingriff in das öffentliche, ja das politische Leben; und solche Eingriffe sind mir noch nie gut bekommen. Überdies ist mir dieser Afrikaner in jeder Hinsicht unangenehm. Aber seine Rhetorik hat mich schon umgarnt: Monsieur solle doch hinaufgehen in das Büro, selbst sehen, vergleichen und – dann – wählen. Ich gehe hinauf, vergleiche und, eingedenk der höheren (und tieferen) Reisefreuden, wähle – zu seinen Gunsten.

Hätte, da ich wieder aus dem Gebäude trete, irgend ein publikes Ärgernis sich ereignet, wäre etwa einer der weißbehandschuhten, elegant be»cape«ten Verkehrspolizisten auch nur zufällig vorbeigeschlendert und hätte, in momentaner Ermangelung würdigerer Geschäfte, die vor dem Portal des Gebäudes schunkelnden Touristen – sie bedeuten kaum einen Gewinn für den Fremdenverkehr – wegen des ihren Zigaretten entströmenden auffallenden Aromas streng zu Rede gestellt, oder

wäre zum Beispiel jene Frau, die da eben in ihrer Windjacke auf
dem Leichtmotorrad vorbeifährt, plötzlich zu Boden gestürzt,
vornüber, die verkrampften Hände noch rutschend gegen das
Pflaster gestemmt, auf dem sich rasch eine Blutlache und um
die Blutlache ein Menschenauflauf gebildet hätte – ich hätte
mich dann gewiß umsonst nach dem Manne umgesehn, wäre
nach kurzem Zögern wieder zum Schalter im ersten Stock
zurückgekehrt um, in nachlässig apologetischem Ton, den
Eintausch der amerikanischen Banknoten, in die ich, auf das
Geheiß des Mannes, meine Reiseschecks umgewechselt hatte,
in französische zu beantragen ; nach solch ehrbarer Erledigung
meiner Geschäfte aber hätte ich eines der unten in der
Straßenmitte wartenden Taxis bestiegen, den Mann, sollte er
sich wieder zeigen, mit einem kurzen Kopfschütteln verab-
schiedend oder, noch besser, starr an ihm vorüber blickend.
Nichts derartiges geschah. Und pünktlich ist er zur Stelle.
Er ist erregter als zuvor. Seine Frage, ob ich die Dollarnoten bei
mir trage, entbehrt nicht einer gewissen, unverhohlenen
Härte. Ich bin jetzt in seiner Gewalt. Ich würde mich vor mir
selber lächerlich machen, wollte ich nun, auf halber Strecke,
noch umkehren. Wir sind jetzt ein Paar ; und als solches, wie
ein gut aufeinander eingespieltes Gespann, setzen wir uns in
Bewegung. Wohin und warum ? Er hat es eilig ; offenbar aber
nicht mit dem Abschluß des Geschäftes, sondern zunächst nur
damit, sich von dem Gebäude zu entfernen. Dieser Straßenhandel ist ungesetzlich und das Gesetz hat tausend Augen, wie
er, vor Eile keuchend, versetzt, da wir eben das Gäßchen
passieren, in das er sich zurückgezogen, während ich oben, ein
willenloses Werkzeug seiner Absichten, für ihn agierte. Kein
schlechter Ort eigentlich, dieses Gäßchen, um mich niederzu-
schlagen. Aber vielleicht weiß er einen besseren. Die Entschlossenheit, mit der er ausschreitet, läßt darauf schließen.
Eins, zwei, drei, und du bist tot. Mit einem kleinen rhythmischen Trick fügt sich das Abzählverschen genau in das
Geklapper der neben mir im diktatorischen Gleichschritt
vorwärtshastenden, spitzen Schuhe. Spitz – eins, zwei, drei –,
aber etwas ausgelatscht. Oder zu groß. Vielleicht – und du bist
tot – von seinem letzten Opfer. Auch mein Palm-Beach-Anzug

wird ihm gut stehn. Nur die Hosen etwas heraufnehmen; und alles gründlich waschen, denn ich bin ein Bluter. Ein kleiner Tritt mit der Schuhspitze in die Kniekehle; und ich stürze vornüber, die verkrampften Hände noch rutschend gegen das Pflaster gestemmt, auf dem sich rasch eine Blutlache sammelt. Aber keine Menschen. Nicht einmal ein Vorhang wird neugierig beiseite geschoben hinter einem jener Fenster, an denen mein Hilferuf verhallt. Nichts derartiges geschah. Und (wie es in jeder Abenteuergeschichte unvermeidlich einmal heißt) wenige Augenblicke später befand ich mich wohlbehalten mir selbst überlassen – und zwar mitten im Menschengedränge des Boulevard des Capucines.

Dort hatte er angehalten und hatte der Handel sich vollzogen. Das Bündel französischer Banknoten, das er mir überlassen, hielt ich noch immer mit meiner Rechten umklammert in meiner rechten Rocktasche. Rechts, weil er zum Schluß sich zu meiner Linken gehalten. Aber das waren nur wenige Sekunden gewesen. Seltsamerweise hatte seine Erregtheit gerade *nach* Abschluß des Geschäfts ihr Höchstmaß erreicht. Ich solle das Geld sofort beiseite stecken, um es neugierigen Blicken zu entziehn, das hatte er mir mehr zugefaucht als zugeflüstert und war dann, etwas von einem uns verfolgenden Gendarm zischend, in der Menge entschwunden – durch seine übermäßige Eile wohl in der Tat manchen neugierigen Blick auf sich lenkend. Armer Teufel! Seine verbrauchten algerischen Nerven waren diesem Beruf offenbar nicht gewachsen. Und noch dazu: armer Krüppel! Daß ihm an seiner rechten Hand der Mittelfinger fehlte, hatte ich erst während unserer Transaktion bemerkt. Dieser physische Mangel verlangsamte beträchtlich den Prozeß des Zählens. Er hatte den Anfang gemacht, seine Francs hervorgezogen und mir Stück für Stück vorgerechnet, lauter schöne *nouveaux* Hundertfranc-Noten, wie ich genau sehe, die er, geschickt aber doch behindert, mit Zeigefinger und Daumen durchblättert. Es ist die verabredete Summe. Ich reiche sie ihm wortlos zurück und ziehe meine Dollars aus ihrem Versteck, in der äußeren Brusttasche; und nun überläßt er mir das Geschäft des Nachzählens, die Beduinennase eng über meine Banknoten gebeugt, die er mit den hinter der dunklen Brille lauernden Augen förmlich durchbohrt, während ich meine Arbeit leiste, nicht minder gewissenhaft als er, sogar, gleichsam aus Takt, fast etwas länger als nötig hinzögere. Dann hatte der Pakettausch stattgefunden, gleichzeitig, kreuzweise, zweckmäßig logisch, in aller Korrektheit, wie es unbedingt schien – und doch war ich, man weiß es längst, bei diesem Handel der Betrogene.

Die Sache protokolliert sich leichter als sie sich, da sie mir just passierte, begreifen ließ. Der Menschengeist besitzt gewisse natürliche Schutzvorrichtungen gegen Unausstehliches; und zu diesen gehört wohl, etwa neben Wahnsinn oder Ohnmachten, auch der *Unglaube*. Zu ihm nahm ich meine Zuflucht, da ich, mein Geldbündel aus der Tasche fördernd, in dem obersten Billett anstatt einer Hundertnote einen Zehnfrancschein erkannte – dem mir vom Algerier vorgewiesenen Hundertfrancschein in Format, Farbe und Zeichnung zum Verwechseln ähnlich; nur eben eine Null weniger. Mit Unglauben begegnete ich der Möglichkeit, daß etwa auch in dem darunter liegenden Blatt derselbe Anblick meiner wartete. Ungläubig durchkämmte ich den ganzen Stoß schöner Zehnernoten. Unglaublich blieb mir die Tatsache, daß durch diesen Betrug meine Ersparnisse um neun Zehntel verkleinert, also genau auf ein Zehntel zusammengeschmolzen waren. Allerdings zu einem guten Kurs! wenn man es so rechnete. Ein attraktiver und doch kein unmöglicher Kurs. – Darin lag der erste und wichtigste Kniff dieses genialen Psychologen und Taschenspielers. Alles übrige mußte bei seinem Metier wohl den jeweils wechselnden Umständen überlassen werden. Kunden mit Bargeld sind schwieriger, mein Fall gehörte gewiß zu den einfachsten: In aller Ruhe die Vorbereitung der beiden gleich dicken Geldpakete während meiner Abwesenheit, in aller Ruhe die Unterschiebung des falschen Pakets, da ich ihm, in taktvoller Gewissenhaftigkeit, meine Dollars vorzähle. Endlich die vor dem Tausch wohl mehr gespielte, nachher aber fraglos echte Nervosität, gipfelnd in der nur allzu begründeten hastigen Aufforderung, das Geldbündel schleunigst wegzupakken – all dies überdachte ich nun mit eben jener Umsicht, welche der Dieb in so bewundernswerter Weise zu besitzen schien und an der ich es so schmählich hatte fehlen lassen. Schmählich!

Ich bin kein Freund poetischer Metaphern. Ich könnte sonst nur sagen: die Empfindung der Schmach, meiner Dummheit wegen, schlug wie eine rote Welle über mir zusammen, mich fortspülend, um und um wirbelnd. Aber: was sind Empfindungen? Subjektive, ephemere Deutungen unserer Erlebnisse. Sie sind wahr, solange sie anhalten. Und gottlob halten sie nie lange an. Diesem meinem Erlebnis aber sollte eine objektivere Deutung zuteil werden seitens eines Richters mit unumstößlichen Ansichten. Und um dieser Deutung willen, bin ich auch sehr geneigt, sie verworren zu nennen, scheint mir der bisher geschilderte Vorfall doch erst buchenswert. Ich werde nun also dem »Richter« das Wort geben, aber nicht das letzte. Dieses überlasse ich dem Leser.

Während der Algerier kaum einer eingehenden Charakterisierung bedurfte oder lohnte und während ich daher, bei der Beschreibung unseres unerquicklichen Rencontres, mich bewußt einer dramatisch-direkten Darstellungsweise bediente, erfordert die Einführung des Richters eigentlich einen epischen Ton. Ich war viel zu involviert mit dem Algerier, um ihn genauer anzusehn und dementsprechend schildern zu können. Ganz anders meine Beziehung zum Richter: dem stehe ich distant und demnach sehend gegenüber. Wie ich seinem Blick ausgesetzt bin, so blicke auch ich selbst ihn an. Mit diesem Gegenblick wahre ich mir meine Freiheit. Und in diesem Blickgeplänkel besteht recht eigentlich das seltsame Nachspiel, das sich von der oben beschriebenen Aktion auch durch seine Lokalität wohltätig abhebt: es ist die schattig-luftige Kühle eines Taxis – desselben, zuvörderst in der Straßenmitte wartenden, das ich, weit besser, eine halbe Stunde früher bestiegen hätte.

Ich erkannte den Fahrer an dem kleinen Strauß Margueriten, den er zuvor, neben seinem Wagen stehend im Geplauder mit Kollegen, merkwürdigerweise in Händen gehalten und der jetzt neben ihm auf dem Vordersitz lag. Da ich dort, wie ich es vorzugsweise tue, Platz zu nehmen suchte, steckte er ihn rasch in eine Tasche seines bäurisch geschnittenen Leinenkittels. Was am Blick dieses Mannes zu allererst auffiel, war eine gewisse Ungleichheit der Augen – offenbar ein leichter Fall von Fazialislähmung, das linke Auge war etwas kleiner, fast muß man wohl sagen, verkümmert, aber eben dies war es, was dem Blick des Äugleins etwas Zwinkernd-Pfiffiges, fast Verwegenes gab. Das rechte Auge dagegen war weit geöffnet und voll entwickelt; was einen da jedoch, von rechts, anblickte, stand in geradem Widerspruch zur Witzigkeit von links, eine Art leere Strenge, leer im Sinne eines Ins-Leere-Starren, sowie aus der Leere; einer Leere der Verzweiflung.

Mit dieser höchst auffallenden Disharmonie des Blicks ist im Grunde der Mann charakterisiert: eigentlich war das ein schöner Kopf. Die ganze Erscheinung hatte etwas herrenhaft Soigniertes, eine Feinheit, welche allerdings nicht nur die wie gesagt tendenziöse Schlichtheit der Kleidung widerlegte (unter dem Bauernkittel ein schlampig offener Hemdkragen, der eine ärmliche Körperlichkeit unnötig zur Schau stellte); auch die platte, derbe Nase und sehr gewöhnliche Augenbrauen paßten nicht in das distinguierte Oval dieses Gesichts, paßten nicht zu dem fein-geschlängelten Mund, der fast noch mehr als Ekel Verachtung auszudrücken schien. Alles in allem hätte man sich ebensowenig gewundert, wäre man dieses kahlgeschorenen Schädels auf einer Fotografie ansichtig geworden, darunter eine Sträflingsnummer angebracht zu finden; wie man nicht erstaunt gewesen wäre, von diesem Herrn, sein Sherryglas in der Hand, zur Cocktailstunde in einem seiner Landhäuser empfangen zu werden.

So viel über den Blick und Anblick, mit dem ich es aufzunehmen hatte. – Ein Erlebnis wie das meine macht mitteilungsbedürftig und leutselig: Paris, Ende Mai – die beste Jahreszeit! Welch aufregende Stadt, immer wieder! Ich war gestern abend, ist das nicht komisch? zum ersten Mal auf dem Eiffelturm ... Diese Introduktion hätte ich mir sparen können, wie die verzweifelte Leere, die völlige Teilnahmslosigkeit des rechten Auges bewies. Nun, ich hatte mit Interessanterem aufzuwarten; und, da ich erst mit meiner Geschichte herausrückte, merkte ich auch bald, daß ich in diesem Mann nicht nur den ersten besten Zuhörer, sondern, in gewissem Sinne, den besten gefunden hatte. Meine Erzählung berührte den Zentralnerv seiner Existenz: Kriminalistik, Verbrecher- und Spitzbubentum aller Art, sowie Probleme des Strafrechts erwiesen sich als seine Manie. Aber nicht, wie man vielleicht erwartet, im Sinne von Gruselgier oder gar menschlichem Interesse, sondern einer gleichsam nur phänomenologischen Vergnügungssucht. So wurde er denn nicht müde, unter lebhaft zwinkernder Teilnahme des linken Auges meine Erzählung mit pfiffigen Erwägungen von Parallelfällen oder anderen witzigen Assoziationen zu unterbrechen. Seine Erfahrungen und Kenntnisse waren enorm. Übrigens nur zum geringsten Teil aus erster Hand als Frucht seines Berufslebens, aus Zeiten des ihm zugemuteten Nachtdienstes, der ihn zum Ohren- und Augenzeugen (und wohl auch öfters fast zum Opfer) mancher Untat gemacht hatte. Auf solch persönliche Kontakte mit dem Bösen bezog er sich, sofern er sich durch meine Erzählung dazu genötigt glaubte, jedoch nur in kurzen dunklen Andeutungen, wobei der Ausdruck von Gram und Leere in seiner Miene überhand nahm, ja, eine Art heiliger Schrecken ihn zu befallen schien. Aber rasch lichtete sich seine Miene dann wieder bis zur Verwegenheit, sprach er von Fällen, die er nur vom Hörensagen kannte. Dabei geriet er vom Hundertsten ins Tausendste, vom Taschendiebstahl zum Falschmünzertum, von dort zur Giftmischerei. Da und da habe dann und dann eine Frau es durch ordentlich angestellte Versuche mit Giftpulvern so weit gebracht, daß sie den entfernten Todestag mit ziemlicher Zuverlässigkeit vorausbestimmen konnte. Er beklagte die Abschaffung der Todesstrafe – ungewiß, ob dabei das linke oder rechte Auge stärker in Funktion trat. Er besaß zu Hause eine Sammlung zierlicher Miniaturguillotinen (»des guillotinettes«), deren Ergänzung ihm zunehmende Schwierigkeit bereitete.

Wurde dieser produktive Zuhörer solcher Abschweifungen nicht müde, so wurde ich es doch. Ich erzählte schlecht, verlor den Faden, merkte, wie ich mir selbst widersprach. Das ist aber gewiß nicht der einzige Grund dafür, daß er meine Erzählung offenbar mißverstand, woraus ich mir seine verworrene Deutung meines Erlebnisses erkläre. »Das ist gut«, sagte er, da ich endlich mit Mühe meinen Bericht abgeschlossen hatte. »Und natürlich bist du selbst« (es war das *tu* eines Pariser Taxichauffeurs) – »bist du selbst daran schuld.« Nun, das wußte ich. Aber so meinte er es nicht, da er fortfuhr: »der klassische Fall des betrogenen Betrügers«. Betrügers, wieso? Er winkte ab; und ich mußte befürchten, das rechte Auge provoziert zu haben. Moralische Fragen, das hatte er mir hinlänglich zu verstehen gegeben, waren seine Sache nicht. Es war das Ende unserer Konversation. Ich war erschöpft und auch noch von meinem Abenteuer erhitzt. Unter den Achseln fühlte ich sogar die Andeutung eines feuchten Rings. Eins, zwei, drei, und du bist tot. Da war das Abzählverschen wieder, während er sich nun ausschwieg. Wenn man beim Zählen mit dem Daumen oder dem kleinen Finger beginnt, so trifft »tot« immer auf den Mittelfinger. Mich erinnerte das an jemanden. Einseitige Orientierung. Schwer begreifliche Zensur unseres Bewußtseins.

Das Blickgeplänkel war nicht gut für mich ausgegangen. Von jeher neige ich angesichts irgend eines gegen mich, zu Recht oder Unrecht gehegten oder auch nur von mir vermuteten Verdachts – von jeher neige ich da zu Lügenaugen. Eine Neigung zu allzu widerstandsloser Kapitulation. Ich spürte, wie, unter seinem Blick, dieses Übel mich mit ungewöhnlicher Heftigkeit befiel. Hielt der Mann mich eigentlich für einen Lügner? Glaubte er, meine Geschichte nicht wörtlich nehmen zu dürfen? Ähnliches muß mir durch den Kopf gegangen sein, da ich, gleichsam als physisches Beweisstück für das mir Zugestoßene und mir Angetane, das schlimme Geldbündel hervorzog und ihm vor die Augen hielt. Er betrachtete es einen Moment; und dann passierte, was sich eigentlich jeder vernünftigen Erklärung entzieht. Er rückte etwas von mir ab, warf einen kurzen Blick erst auf mich, dann hastig um sich her, als ob er etwas suchte, oder richtiger, wie zur Vergewisserung, daß noch alles, Logbuch, Mütze und Geldranzen, an seinem Platze sei. Dann umfaßte er, fester als vorher, mit beiden Händen das Steuerrad, und in seiner Miene verbreitete sich jener mir schon bekannte Ausdruck des Grams, ja heiligen Schreckens.

Erklären läßt sich das kaum. Und nur sehr undeutlich kann ich mir vorstellen, was bei dem Anblick meiner Indizien in dem Mann vorging: er spürte wohl einen Moment lang etwas von jenem ihm widerwärtigen persönlichen Kontakt mit dem, was er aus der Ferne zu betrachten liebte. – Ist aber, frage ich, der, dem man einen Zauberring in die Hand gedrückt hat, deshalb schon selbst ein Zauberer? und ist der kein ehrlicher Spieler, der im Kartenspiel den Schwarzen Peter gezogen?

Um jedoch von dem Richter noch einmal auf den Algerier zurückzukommen: ich habe die Genialität dieses Gauners doch eigentlich sehr überschätzt. Seine ganze Psychologie besteht im Grunde in der simplen Einsicht, daß man Geld nur *einmal* genau ansieht. Ich habe das neulich in einem Kaffeehaus ausprobiert. Ich legte dem Zahlkellner einen Zwanzigdollarschein auf den Tisch, und während er die siebzehn Dollars Wechselgeld hervorkramte, vertauschte ich, rein zweckmäßigkeitshalber, die Zwanziger- mit einer Zehnernote. Der Erfolg war glänzend.

VERWECHSLUNGEN II:
Der Tod in Chichicastenango. Ein Zwischenbericht

> Es gibt keine zukünftigen Lehrer und die vergangenen sind tot.
>
> Thomas Bernhard

Verwechslung II liegt so gut wie fertig vor; ich werde Ihnen die Novelle zu Semesterbeginn mitbringen können. Für heute, verehrter Freund, will ich Sie vorerst nur ein wenig hinter die Kulissen blicken lassen und erzählen, wie meine Reise sich in Wirklichkeit und zum Unterschied von der Fiktion der Erzählung angelassen. Leider sind die beigelegten Fotos fast alle überbelichtet. Das auf dem einen erkennbare Barockkirchlein – memento mori! – ist der berühmte Tempel in *Chuvila* (respektive *Santo Tomás Chichicastenango*). Daß dies Bildchen einigermaßen gelang, verdanke ich den auf den Treppenstufen hockenden Indianern, die, ehe sie die Kirche betreten, um dort zum Christengott zu beten, erst draußen den alten Maya-Göttern opfern und dabei so verschwenderisch mit Räucherwerk umgehen, daß die Rauchwolken buchstäblich die Sonne zudecken. Aber auch bei bewölktem Himmel können Sie sich in Guatemala einen Sonnenbrand holen. Meine erste Station auf dem Wege nach *Chichicastenango* war, nach dem Schema fast aller Touristen, *Panajachel*. Der Ort liegt etwa zweitausend Meter hoch an dem blendenden *Lago Atitlán* und teilt sich in zwei geographische Partien: das (dichter besiedelte) *Pueblo* und der durch allerlei seltsame Geschichten verrufene und heute so gut wie ausgestorbene *Monte*. Dorthin erging ich mich, um in einem gottverlassenen Lädelchen einen jener breitkrempigen Strohhüte zu erstehn, wie sie die Einheimischen tragen, die meinen Gang vom Hotel stumm beobachtet hatten und mir nun mit belustigten Zurufen gratulierten zu meiner kleidsamen Anschaffung, womit ich mich gleichsam zu einem der Ihren gemacht. Was vermag so ein exotisches Kleidungsstück nicht aber auch über unsere eigene *imago* ... Ferien vom Ich! Darum geht man schließlich wohl auf Reisen.

Den Professor in der Novelle lasse ich zu Schiff ankommen – natürlich auf der atlantischen (ich meine karibischen) Seite, denn die beiden Häfen auf der pazifischen Seite sind so gut wie brachgelegt. Der Anblick des von üppig wuchernden Kokospalmen umrahmten Einlaufhafens ist überwältigend – für den Professor der Novelle. Meine Ankunft (in Wirklichkeit) war, per Flugzeug, in *Guatemala City* – eine ziemliche Enttäuschung. Dann machte ich noch den Fehler, zunächst per Auto einen Abstecher hinunter an den Pazifik zu unternehmen; und da es noch »Sommer« war (ich meine natürlich Winter, aber die trockenen Monate zwischen Oktober und Mai bezeichnet man unbedenklich als *verano*), war die Hitze unerträglich; auch entbehrt die Küste so gut wie jeden Reizes. Den schmutzigen Hafen *San José* umstehen nur ein paar verfallene Holzhäuser – kurz: »Dort unten aber ists fürchterlich«, darum wohnt auch im Unterland, der *tierra caliente*, so gut wie niemand; der Hauptteil der Bevölkerung haust in den oberen Regionen, wohin auch ich fluchtartig zurückkehrte.

Meinen verfehlten Abstecher so gut wie überstanden, hielt ich diesmal an dem ganz nahe bei *Guatemala City* gelegenen *Lago de Amatitlán*, wo es, wie mein Reiseführer mich belehrte, heiße Quellen gibt. Was man mir in dem »Hotel« (es wird nur von einer alten müden Frau bewirtschaftet und ist danach) bot, war jedoch nur eine Art natürlichen Dampfbads, eine so gut wie fensterlose Stalagmitenhöhle, in deren zwielichtiger Enge, zwischen grotesk aus der Erde sich erhebenden Säulentropfsteinen und zahllosen von der Decke hängenden größeren und kleineren Zapfensintern, es mich jedoch nicht lange hielt. *Guatemala ist voller solcher Höhlen, auch unterirdischer Flüsse, zumal im vulkanischen Hochland – derzeit jedoch meist nicht aktive, jedoch so gut wie jeden Augenblick ausbrechende Vulkane, in der bis an die dreitausend Meter hohen Sierra Madre,* welche das Land geologisch in zwei Abflußbecken teilt.

Der Gebirgssee, an dem ich mich also auf meiner Rückreise stadtwärts aufhielt, wirkt zunächst idyllisch, aber alles ist verfallen; und ich kann mir diesen heruntergekommenen Zustand der ganzen Gegend nur damit erklären, daß der *week-end*-Betrieb, dem der See wohl einmal diente, einen Luxus bedeutet, den man sich immer weniger leisten kann – mit anderen Worten: die entsetzliche Armut des Landes ergreift offenbar auch die oberen Klassen.

Wenn (wie ein zeitgenössischer Philosoph es will) *Ordnung* die erste Voraussetzung ist für die Feststellung von *Ähnlichkeiten* und *Unterschieden,* Zusammengehörigkeit und Absonderung, und hierauf alle *Harmonie* zwischen *Innen* und *Außen,* so wie das *sinnvolle Funktionieren* aller *Teile* eines Organismus beruht, *Unordnung* aber in der verwirrenden Verdoppelung der Teile, der Disharmonie zwischen Innen und Außen, dem Unsicherwerden von Zusammengehörigkeit und Unterschieden besteht, so ist Guatemala ein in jeder Hinsicht unordentliches Land.

Ladino heißt das bequeme Wort, in dem alle kulturellen Unterschiede sich verwischen in dieser konfusen Doppelkultur, die es im sinnvollen Funktionieren aller ihrer Teile bisher so denkbar wenig weit gebracht hat. Sinnbild für die Paradoxie des spanischen Pfropfens auf den indianischen Stamm ist der zu Markte gehende Maya, um das traditionelle, regional be-

stimmte Indianerkostüm den Transistor geschnallt, mit dessen
Schall er sich die weite Wanderung verkürzt. Die Handvoll Eier
oder die paar Zwiebeln, welche er aus seiner ländlichen
Verlassenheit in irgendein fernes Dorf trägt, entstammen dem
winzigen Stückchen Land, das er wie jeder dieser Pennykapita-
listen besitzt. Nach erfolgreich abgewickelten Geschäften wird
er sich einen einsamen Rausch antrinken und womöglich, wie
man das so oft sieht, sich im Elend des Rauschs schreiend auf
der Erde wälzen.

Bei aller inneren Unordnung hat eine unerschrockene Regierung es bisher fertiggebracht, wenigstens die äußere Ordnung
aufrechtzuerhalten und alle (etwa mit der Frequenz der
Vulkanausbrüche erfolgten) Versuche dieses unglücklichen
Volks, mit der inneren Unordnung aufzuräumen, erfolgreich
niedergeschlagen ; zuletzt mit der Hilfe eines schnurrbärtigen,
kleinen, äußerst energischen Oberstleutnants, von dem niemand recht wußte, woher er eigentlich kam. Nicht weniger
unklar blieb die Herkunft seiner fünftausend Mann starken
Armee, die zum Angriff auf die Unbotmäßigen er außerhalb
des Landes versammelte, in *Belize* – ich meine natürlich British
Honduras.

Aus dem Mismanagement dieses Staates und dem daraus
resultierenden Elend erklärt es sich, daß die seit Jahrhunderten
den Mayas aufgedrängte spanisch-christliche Kultur, jedenfalls auf dem Lande, nicht durchdringt, ja, sich derzeit
womöglich im Rückgang befindet. Immer wieder geschieht es,
daß die großen Holzkreuze vor den Dörfern in aller Stille gegen
das (gleichschenklige) Mayakreuz vertauscht, respektive von
den Dörflern dazu umgearbeitet werden. Der »magische«
Korrekturpunkt wird dann mit gebundenen Palmen- oder
Fichtenzweigen verdeckt. – Vielleicht wäre es am besten, die
fremde Pflanzung würde ganz von der einheimischen Urpflan-
ze überwuchert, so wie man der schmalen, staubigen, endlos in
glühender Sonne liegenden Autostraße nach *Petén* wohl
gleichsam einen Gefallen tun würde, ließe man den Urwald,
den sie durchschneidet, wieder über ihr, wohltätigen Schatten
spendend, zusammenwachsen. – Ich lasse, in der Novelle,
meinen Professor auf dieser Straße mit einiger Beklemmung

fahren. In Wirklichkeit fuhr ich von *Panajachel* direkt nach *Chichicastenango* weiter – auch nicht ganz ohne Beklemmung zwar, wegen der enormen Höhenunterschiede.

Chichicastenango, einer der höchsten Marktflecken des Landes, besitzt zwei Hotels: das ziemlich anspruchsvolle (mir empfohlene) »Maya«-Hotel und eine etwas weiter unten im Dorf gelegene, äußerst bescheidene Pension. Zwei vor dem »Maya«-Hotel parkierte, monströse Autobusse bereiteten mich darauf vor, daß ich auf ein Logis, ja wohl selbst auf ein Abendessen in dem schmucken, weitgehend der Mayaarchitektur angepaßten Adobegebäude würde verzichten müssen: Markttag – und dies war der Vorabend – ist so gut wie die einzige Touristenattraktion von *Chichicastenango*. Sonst gibt es nur allenfalls noch zwei weitere Sehenswürdigkeiten: das anthropologische Museum und die Bauten des Dominikaner-Klosters, wo einst der berühmte Padre Francisco Ximenes das Geheimbuch der Quiché-Maya, den *Popol Vuh* übersetzte – eine Tat, für die er leicht hätte verbrannt werden können.

Die Pension, mit der ich denn vorliebzunehmen hatte, ist spanischen Stils, eine *ladino*-Unternehmung. Sie war bei meiner Ankunft noch so gut wie leer, so daß ich zwischen den beiden besten Zimmern wählen konnte, – Nummer sechs und Nummer sieben, daran erinnere ich mich noch, mit gutem Grund ... Die Zimmer gehen alle auf den Hof hinaus, wobei die Türen gleichzeitig die Funktion von Fenstern auszuüben haben, denn an solchen fehlt es, außer den hoch in einer der Seitenwände eingelassenen Glasscheiben, die, zu welchem Zwecke auch immer, manche Zimmer miteinander verbinden. Ich wählte, und auch dessen entsinne ich mich mit gutem Grund, Nummer sieben – nicht schlechter und nicht besser als Nummer sechs, eine Zumutung allerdings besonders die elende Beleuchtung, ein Birnchen mit vielleicht 20 Watt, auf welches man bei geschlossener Hoftür angewiesen war und das nicht einmal zum Lesen hinlänglich Licht spendete. Zum Schließen der Türe aber hatte mir die geräuschvolle Ankunft weiterer Marktbesucher Anlaß gegeben; verschiedene kleine Reisegesellschaften offenbar, wie sie, vier Passagiere pro Taxi, von den Reisebureaus von *Guatemala City* verfrachtet werden und nun im Hof ihre Reiseeindrücke austauschten, ausnahmslos englischsprachig, einer mit deutschem Akzent, der, wie mir schien, seine Unterkunft in Nummer sechs nahm, woher jetzt ein matter Lichtschein durch die hohe Glasscheibe zu mir hinüberfiel.

Ich war entschlossen, mich von diesem Etablissement so unabhängig wie möglich zu machen. Nach dem Abendessen, dem ich lustlos entgegenblickte, würde ich in das »Maya«-Hotel hinübergehn, um in der dortigen Bar mir die nötige Bettschwere anzutrinken. Zunächst aber beschloß ich dieser lächerlichen Beleuchtung aufzuhelfen: ich traute es mir schon zu, im Ort eine normale elektrische Birne zu erstehn. So trat ich denn, beherzt meine Enerviertheit meisternd (die Höhe bekommt mir nicht), hinaus auf das Kopfsteinpflaster des zur Plaza führenden Gäßchens, in dessen nun schon fast völligem Dunkel sich die zum Markttag eingetroffenen Landleute, gleichfalls in der Richtung zum Hauptplatz hin, in seltsamer Lautlosigkeit drängten und schoben. Die meisten gingen wohl barfuß. Alle trugen oder schleppten sie etwas. Eine Gruppe, in die ich geraten, die Männer in Kniehosen und alle für die rauhe Gebirgsluft offenbar unzulänglich bekleidet, trugen irgendwelche riesigen Tropenfrüchte am Rücken, die sie wohl vom Unterland in mehreren Tagesmärschen bis hierher gebracht hatten. So glühend die Sonne am Tag, so beißend ist die Kälte oft hier oben bei Nacht, zumal (wie in jener Nacht) unter klarem Sternenhimmel, in den nun, wohl vom Marktplatz her, von Zeit zu Zeit Raketen zischend emporfuhren, während aus derselben Richtung ein vielfältiges Trommeln und Pfeifen sich vernehmen ließ.

Nein, in diesem Gewoge sich nach einer Verkaufsstelle für elektrische Glühbirnen zu erkundigen, wäre wenig sinnvoll gewesen, zumal die meisten Mayas kein spanisch verstehn und ich von den zehn oder zwanzig verschiedenen Indianersprachen nur ein paar Brocken *Quiché* spreche. Dennoch ging ich aus dieser Expedition nicht mit leeren Händen hervor. Und, glücklich zurück in meinem nun köstlich erleuchteten Quartier, befleißigte ich mich, zur höheren Sinngebung meines

Aufenthaltes, der Lektüre im *Popol Vuh*, in der 1962 erschienenen, vorzüglichen Übersetzung von Wolfgang Cordan.
Und dann, mitten während des Abendessens, passierte es. Ich war, um den anderen nun doch ziemlich zahlreich im trüben Speisesaal versammelten Gästen zuvorzukommen, aufgestanden und befand mich auf halber Strecke zu dem auf der gegenüberliegenden Seite des Hofs situierten Bureau, wo ich in Ruhe einige praktische Informationen einzuholen gedachte, als aus dem Dunkel des Hinterhofs, dort wo die Schlafzimmer liegen, eine Frauengestalt auf mich zueilte, offenbar ihrerseits, wie ich, dem Bureau zustrebend, aber wohl lieber an das Nächstliegende, also eben an mich sich haltend, wie man es tut, wenn man keinen Rat mehr weiß und jede Sekunde zählt. »*Pican!*« haucht sie, einmal sich an mich klammernd, dann wieder die Hände ringend. »*Pican*«! Was so viel heißt wie »Herz« oder »Seele« (im Sinne von spanisch »corazón«) ; und dann »an'ma!«, ein anderes Wort für »Seele« (im Sinne von spanisch »alma«). Alles in allem verstand ich ungefähr: »Das Herz ist krank und die Seele entflieht.« »*Yavua.*« »Er stirbt!« Um Gotteswillen, wer? Zwei weitere Gestalten waren inzwischen vom Schlafzimmerkomplex her an uns und auch am Bureau vorbeigehuscht und ihre vernehmlichen (offenbar völlig ziellosen) Rufe nach einem Arzt, sowie die immer lauteren Lamentationen lockten nun aus dem Speisesaal mehr und mehr Gäste, die sich gegenseitig, ohne genau Bescheid zu wissen, Auskunft gaben darüber, was hier vor sich ging.
Einer der Reisenden also war plötzlich erkrankt. Ein Herzanfall, so schien es. Ob er noch nach der Magd, die sich an mich geklammert, hatte läuten können, oder ob diese bei offenstehender Türe zufällig sein Seufzen und Stöhnen gehört hatte, jedenfalls war sie in das Zimmer getreten und hatte ihm helfen wollen, was allerdings nicht in ihrer Macht stand. Aus der Richtung der Tür, von welcher nun ein heller Lichtschein kam und um die sich ein Ring von Neugierigen gebildet hatte, konnte ich feststellen, daß der Patient sich in der Nähe meines Zimmers befinden mußte, ja, es war – mit begreiflichem Widerwillen gewahrte ich es – der Herr von Nummer sechs. Mochte auch der Arzt inzwischen eingetroffen sein, jedenfalls

er kam zu spät. Vor dem Bureau verweilend erfuhr ich es auf meine Frage nach dem Stand der Dinge: »*Kaminak.*« »Er ist tot.«

Ein Herr mit deutschem Akzent, tot in *Chichicastenango,* im Zimmer neben mir – unbedingt: kein angenehmes Reiseerlebnis. Sogar ein sehr unangenehmes. Ich wollte nicht Näheres über diesen Herrn wissen und spürte nicht die geringste Lust, mich unter die Neugierigen zu mischen. Statt dessen betrat ich, um mich zum Gang in die »Maya«-Bar bereitzumachen, mein eigenes Zimmer und schloß mit einem gewissen Aplomb die Türe hinter mir – was mich freilich nicht davon dispensierte, die vor dem Nebenzimmer geführte, gedämpfte Konversation ziemlich genau zu hören. Der Herr war alleine gereist, erst auf der Fahrt hierher hatten die drei Mitreisenden im Taxi seine Bekanntschaft gemacht. Schon auf der Fahrt habe er über die abrupten Höhenunterschiede geklagt. Bei der Ankunft sei er dann sehr müde gewesen, zu müde, um am Besuch im anthropologischen Museum teilzunehmen. Da sei er nun, der Arme, so weit gereist, gerade dieses Museums wegen, und nun habe er es doch nicht mehr sehen können. Auch wollte er weiterreisen, nach Südamerika. Eine Studienreise. Er war noch jung, in den besten Jahren, ein Professor aus Deutschland. »Stellen Sie sich vor«, sagte gerade einer mit etwas krächzender Stimme, »der war jünger als ich, das hätte ebensogut mir passieren können.« Gewiß, mindestens ebensogut, so gut wie mir – ob in Nummer sieben oder Nummer sechs. Was nun wohl mit der Leiche geschehe? Er habe etwas von einem Bekannten oder gar Verwandten in *Guatemala City* gesagt; ob man diesen vielleicht benachrichtigen könne? Jedenfalls bestünden keine Probleme wegen der Bestattungskosten. Denn der Professor habe Reiseschecks in der Höhe von 1500 Dollars mit sich geführt, für seine Weiterreise. – Nun, mehr brauchte ich von dem stummen Kumpan nebenan wirklich nicht zu wissen. Ich wollte gehen. Aber in diesem Augenblick erklang ein aus einiger Ferne sich näherndes, faszinierendes Geräusch, welches mich meinen Aufbruch verschieben ließ.

Es klang etwa, wie wenn ein Orchester stimmt, während das Publikum spricht; zuerst unterschied man den hohlen Anschlag einer *Marimba*, daneben das Pfeifen von *chirimia*-Flöten (wie vorher vom Marktplatz her), dann auch Violinen, in der indianischen Spielart, ein flatterhaftes unharmonisches Gezirpe. Die darein sich mischenden Stimmen aber murmelten offenbar Gebete, Totengebete, die nach der Sitte der Mayas sich an den Verstorbenen selbst richten, ihn für die Familien der Hinterbliebenen um Schutz bitten oder auch nur um Nachsicht. – Man brachte dem Toten, dessen Wohlhabenheit sich herumgesprochen haben mochte, eine Ehrung. Das musikalische Ständchen gehört mit dazu, auch zwei am Kopfende des Betts und zwei am Fußende angezündete Kerzen; und dann eine vollständige Nachtwache, bei der die »piit«, die Lamentation, durch Erzählungen aus dem *Popol Vuh* ersetzt werden kann. Diese Dienstleistung hatte, der Stimme nach zu schließen, die Alte übernommen, welche die Hand des Sterbenden gehalten und die sich dann so verzweiflungsvoll an mich geklammert hatte. Sie erzählte, soviel ich von ihrem monotonen Geleier verstand, gründlich und ausführlich, mit allen zulässigen Variationen, entsprechend der Fülle der vor ihr liegenden Stunden. Wie alle Dinge in der allbeseelten Welt verwandelbar seien, erzählte sie, wie die Götter sich in Tiere und Pflanzen verwandelten und wie sie ihre eigene Schöpfung immer wieder zerstörten. Erst schufen sie den Menschen aus Lehm, der aber zu weich war, so daß bei dem ersten Regen die menschliche Form sich auflöste. Nicht viel besser ging es den Menschen aus Holz, denn sie hatten keine Seele. Auch von denen aus Schilf und Wunderbohnen überlebten nur wenige; und man sagt, ihre Nachkommen seien die Affen, die heute in den Wäldern leben. Vom verderblichen Hochmut der Halbgötter erzählte sie und von den Herren der Unterwelt, die mit der Sonne Ball spielten und ihre Unterherren in die Welt ausschickten: die, die sich reißender Habicht und Aasgeier nennen, um das Blut der Menschen zu vergießen; andere, um die Menschen aufzublähen, Geschwüre an den Beinen zu erwecken und das Gesicht gelb werden zu lassen; und noch viele weitere, wie die Herren Knochenbrecher und Schädelzertrümmerer, Aassammler und Durchbohrer, deren Ämter schon ihre Namen aussagen, und die ihren Namen Ehre machten.

Da durften die Oberherren, in vollem Vertrauen auf ihr Personal, inzwischen wohl ihr Angesicht mit Ballspiel erheitern. Und sie sind nicht die einzigen. Ballspiel ist die große, göttliche Leidenschaft, und es spielen in der Regel die lichten gegen die dunklen Götter. Immer sind es zwei Parteien, denn nur in ihrer Dualität läßt die Götterwelt sich verstehn, als Himmel-Sonnen-Reihe und als Erdenreihe. Aber manchmal werden die zwei auch eins, wie das Brüderpaar Ahpuh, das allerdings auch in siebenfacher Gestalt auftreten kann...

So und noch viel mehr erzählte die Alte, oder richtiger: so lasse ich sie in meiner Novelle, zum Teil im Anklang an die *Popol Vuh*-Übersetzung von Wolfgang Cordan, erzählen – und wieviel wahrer ist doch die poetische Wahrheit als die Wirklichkeit! Denn in Wirklichkeit gab es weder Ständchen noch Nachtwache. In der Novelle, sehen Sie, ist der Tod des Professors *repräsentativ*: ich mache ihn zu einem Geschichtsprofessor, gleichsam den letzten Geschichtsprofessor, der von der Weite und unordentlichen Fremde dieses Landes, einer geschichtslos mythischen Welt gleichsam, verschlungen wird. – Unordentlich allerdings war auch der Tod des Kollegen, der da neben mir ausgerungen hatte. Und wenn, wie jener früher zitierte Philosoph meint, der Tod die höchstmögliche Form der *Unordnung* ist, weil in ihm jedes sinnvolle Funktionieren der Teile in einem Organismus aufgehört hat, so hatte dieser Tote, so schien es mir, in gewisser Weise eine Maximalleistung zu verzeichnen: wer stirbt auch so auf halber Strecke, mitten auf einer Studienreise, in solch abwegiger Gegend, in solch trostloser Verlassenheit in diesem elenden Quartier! Die Überflüssigkeit dieses Verblichenen, von dem die zufällig Umstehenden achselzuckend fragen mußten, was nun wohl mit ihm geschehen sollte, ließ, so schien es mir, Schlüsse zu auf die Überflüssigkeit seines Lebens. Wer würde diese Existenz, diesen Professor, von welcher Fakultät auch immer er sein mochte (und wen interessierte das?), entbehren? Erst nach Monaten jedenfalls, wenn überhaupt, würde sein Tod von denen, die er allenfalls anging, bemerkt oder auch ignoriert werden. Ein gleichsam »warmer Tod«, bei dem nämlich die tödlichen Substanzen im Körper alle Wärme des lebendigen Organismus absorbieren, so daß dieser nicht erkalten kann und sein Stillstand erst viel später feststellbar ist. – Eben die Ereignislosigkeit dieses Todes, seine Anonymität, das Nichtrepräsentative, die Zufälligkeit, mit der hier einer aus dem Leben, wie eine Fliege, weggewischt worden, nichts mehr als eine kleine Hotel-Verlegenheit, verursachte mir, während ich, noch immer dem gedämpften Geschwätz draußen widerwillig lauschend, vor meinem leeren Kamin stand, ein Frösteln. Herr, gib jedem seinen eigenen Tod!

Im »Maya«-Hotel herrschte Hochbetrieb. Die einen saßen noch bei Tisch, meist schon vor abgegessenen Tellern in Erwartung ihrer Rechnung, während die anderen, noch Hungrigen, an der und um die Bar auf den Abzug der Gesättigten warteten. Man war, in der Bar, gewiß schon beim dritten oder vierten Cocktail, wobei freilich auch die an Alkoholeffekt verstärkende Höhenluft für die tumultuöse Albernheit dieser Gäste mit in Anschlag zu bringen ist. Offenbar hatten sie in ihrer Langeweile die halbe Hotel-Boutique ausgekauft, denn viele von ihnen hatten sich mit der Tracht der Einheimischen kostümiert, wobei aber die kurzen schwarzen Wollhosen, welche die Männer in *Chichicastenango* tragen (nur an Feiertagen), in mehreren Fällen von den Damen usurpiert worden waren. An einem der Bartischchen war ein Herr bemüht, mit schwerer Zunge einem andern Herrn den an der Wandtäfelung angebrachten, pittoresken Maya-Kalender zu erklären – mit wenig Erfolg, wie ich feststellte. Ist doch die Sache auch wirklich äußerst kompliziert: denn das »Rad« der Zeit kann einerseits erfaßt werden in Zyklen von 260 Tagen, so daß die »Jahreszeiten« im Sonnenjahr immer wieder anders plaziert sind, andererseits in Zyklen von 365 Tagen, also identisch mit dem Sonnenjahr. Muß denn in diesem Lande alles doppelt genäht sein? dachte ich. Zwei Kulturen, zwei »Seelen«, zwei Götterreihen! Und mir war, als sei auch mir von diesem überall wuchernden Dualismus schon ein Splitter in mein Auge geraten: zwei Autobusse, zwei Hotels, zwei zur Wahl stehende Zimmer – Nummer sechs und sieben, zwei Professoren... Aber ein Toter und ein Lebendiger, möchte ich mir ausgebeten haben, so dachte ich (und lasse dies auch den überlebenden Professor in der Novelle denken)!

Bei meiner späten Rückkehr in die Pension durfte ich wohl darauf rechnen, daß mittlerweile alles irgendwie in Ordnung würde gebracht worden sein. Haus und Hof lagen in ihrem gewohnten trüben Licht. Man schien sich retiriert zu haben. Auf dem Weg zu meinem Zimmer warf ich erstmalig seit dem Ereignis einen scheuen Blick auf das nun verdunkelte Nummer sechs. Die Türe stand offen. Das Bett des Verstorbenen war mit der Oberdecke ordentlich zugedeckt. Aber nicht völlig ordentlich. Da war eine kleine Erhöhung in der Mitte – ganz zweifellos: da lag er noch, mit aller Beharrlichkeit der Toten. War er einfach vergessen worden? Eine Zumutung jedenfalls, seitens der Hotelleitung, eine Unverfrorenheit ohnegleichen. Sollte nun etwa ich das Ehrenamt, das ich in der Novelle der Alten zugedacht, übernehmen? Denn Wand an Wand zu schlafen mit dem, der dort drüben sich dem Bruder des Schlafes vermählt, kam nicht in Betracht. Ich würde die Nacht hindurch, ganz wie die Alte es in der Novelle tut, mich in die Mythen und Geheimnisse dieser seltsamen Welt verlieren und damit der makabren Wirklichkeit entfliehen. – Warum schläft man nicht gern neben einem Toten? Befürchtet man, daß er einem im Traum erscheint? daß er vielleicht plötzlich aufsteht und an die Wand klopft? oder, dachte ich, gar oben an der Wand durch die Fensterscheibe guckt? Alle diese Befürchtungen der Selbstauslieferung zählen sicher mit. Schlaf bedarf eines gewissen Vertrauens auf die Umgebung des Schlafsuchenden; solch Vertrauen fällt, in der Gesellschaft des Todes, ins Leere. Aber dazu kommt doch noch etwas; etwas wie Respekt für den Toten, denn, so sagen die Indianer vom Verstorbenen, »er ist jetzt ein Heiliger«. – Auf dergleichen besann ich mich, als dieses unangenehme Reiseerlebnis wieder in eine ganz neue Phase eintrat.

Wieder (oder, in Wirklichkeit: nicht wieder) hörte ich ein von Ferne sich nahendes Geräusch, das Poltern, draußen auf dem Kopfsteinpflaster, eines Wagens, wohl Lastwagens – befremdlich genug zu dieser vorgerückten Stunde, hätte ich nicht sofort das Richtige vermutet, das sich denn auch schnell als solches erwies. Denn der Polterwagen war offenbar in unsern Hof eingefahren und hielt jetzt nahe bei meiner Tür. Ein vorsichtiger Blick aus dem Türspalt zeigte mir zwei oder drei Männer, die hinten auf dem offenen Ladeteil des Lastwagens damit beschäftigt waren, einen langen, hölzernen Gegenstand herunterzuheben. Nun gut – die waren pünktlich; pünktlicher als der Arzt. Ob man denn aber nicht wenigstens die üblichen zwei oder drei Tage abwarten würde? Nein, das ist in Guatemala, auf dem Lande jedenfalls, allgemein nicht Brauch. Die Bestattung erfolgt normalerweise am Tage nach dem Tod. Und dieser, diese Hotel-Verlegenheit, würde wohl am besten noch vor Morgengrauen weggeschafft werden.

Die Art und Weise, in der dies nun geschah und deren unfreiwilliger Zeuge hinter meiner rasch wieder verschlossenen Tür ich war, wahrte ein Minimum an Gesittung und Respekt gegen den Toten, übrigens in seinem im Eiltempo abgewickelten Ritual wohl eher christlich als indianisch oder wahrscheinlich, wie man schon weiß, beides. Das Flackern von Kerzenlicht wurde einen Moment durch die Scheibe sichtbar; auch ein ganz leichter Weihrauchduft wehte von dort in mein Zimmer. Das Ganze dauerte nicht länger als zwei Minuten. Und dann begann ein Hämmern, das länger dauerte. Hämmern und irgendein Reiben, vielleicht Hobeln – die Geräusche des Gewerbefleißes, welche man ungern in diesen Zusammenhang bringt. Offenbar paßte etwas nicht ganz. Denn so lange dauert unmöglich nur das Verschließen des Deckels. Und dann: auf den Wagen damit und ohne Umstände holter di polter fort mit dem verblichenen Geschichtsprofessor.

Die Totengräberszene im *Hamlet* ist nichts dagegen. Nichts im Vergleich mit dieser mir gebotenen Harlekinade. »Sterben ist etwas mehr als Harlekinssprung, und Todesangst ist ärger als Sterben«, zitierte ich für mich aus Schillers *Räubern* (denn ich unterrichte nächstes Semester wieder Schiller). Aber nicht Todesangst war es, die mich in meiner Situation des im wörtlichsten Sinne »Hinterbliebenen« überfiel, sondern *Wut*, eine mich erstickende Wut über diesen ganzen widerlichen Vorfall, in allen seinen Phasen – von der Abgeschmacktheit dieses willkürlichen Hintritts und dem Geschwätz von dessen

Zufallszeugen, deren Teilnahme nichts war als Sorge um ihre eigene Existenz, bis zur unwürdig überstürzten, endgültigen Verabschiedung des unbekannten Kollegen. Dieser Wut mußte irgendwie Luft gemacht werden, ein Racheakt, etwas zerstören, am besten verbrennen! Feuer! Lebendige Wärme gegen diesen »warmen Tod«! – Aber keine Brennmaterialien standen für meinen kahlen Kamin zur Verfügung. Nun, der große aus Stroh geflochtene Papierkorb brannte sehr gut. Und das kleine Mädchen mit den Schwefelhölzern kann sich nicht wohler als ich gefühlt haben – ehe es erfror.

Die Bevölkerung von Guatemala nimmt jährlich um etwa 3% zu. Wie weit es sich dabei um Indianer oder Weiße oder um *Ladinos* handelt, lassen die mir zur Verfügung stehenden Statistiken offen. Eine allgemeine Hebung der ökonomischen Zustände soll während der Revolutionsjahre zu verzeichnen gewesen sein. Sie ist jedenfalls im letzten Jahrzehnt wieder ins Stocken geraten. Nur die Holzindustrie behauptet sich einigermaßen. Vorzügliche Bedeutung für die Gewinnung von Edelholz, Mahagony etc. hat *Petén*. In zahlreichen Trüppchen sieht man von dort Holzträger die glühende Autostraße entlangwandern; manche tragen ihre Fracht bis nach *Chichicastenango*, wo sie auf den Treppenstufen des Kirchleins *Santo Tomás* ihren alten Waldgöttern opfern, ehe sie, im Kircheninnern, dem Christengott für den gnädig gewährten Schutz des Forstwesens danken.

SCHEHERAZADE

»Der Sultan, mein Mann«, schreibt Scheherazade in einem berühmten Brief, etwa aus der Zeit der fünfhundertsten Nacht von *Tausendundeine Nacht,* »mein Mann hat mit dieser abgenötigten Märchenerzählerei mir etwas weit Schlimmeres angetan als den Tod; denn Geschichten erzählen zu müssen, sie sich aus den Fingern saugen, um nur nicht sterben zu müssen, um nur irgendwie die Zeit hinzubringen, das heißt bei lebendigem Leibe sterben.« Allein auf dieser Briefstelle beruht die von der Forschung unbedenklich akzeptierte, irrige Hypothese, Scheherazade habe nach der tausendundersten Nacht, also nach der Erlassung der über sie verhängten Todesstrafe, keine Geschichten mehr erzählt. Ihre Biographie ließe sich in zwei Sätzen berichtigen; aber das wäre wenig in ihrem Sinn. – Hätte man übrigens sich die Mühe genommen und auch nur den in Frage stehenden Brief genau zu Ende gelesen, das gesamte philologische Luftschloß wäre wie ein Kartenhaus zusammengefallen. Heißt es doch in demselben Brief abschließend: »Ich werde Märchen erzählen bis in den Tod« – was freilich verschiedene Interpretationen zuläßt.

Zunächst: das Todesurteil war zur Zeit der tausendundersten Nacht längst ein formaljuristisches Problem, denn der Sultan hatte die Exekution viel zu lange aufgeschoben – an die zehn Jahre, sagt man –, so daß die Ausführung wahrscheinlich überhaupt gesetzwidrig gewesen wäre, was aber heißt: daß Scheherazade auch schon vor der tausendundersten Nacht (und wer weiß wie lange schon?) dem Sultan keine Märchen zu erzählen brauchte, es also aus freiem Antrieb tat, *vor* wie *nach* der Begnadigung.

Dieser besänftigte, in fernste Fernen sich träumende Blick des Lauschenden, der, zerrte man ihn aus der Märchenwelt in die Wirklichkeit, so streng dreinblickte, ja fast irre in seiner heischenden Hoffart – diese durch die Erzählung immer wieder neu erzwungene Bezauberung war der Erzählerin längst Lohns genug. Der Sultan war, ehe er verfettete, ein schöner Mann. Daß es schön ist, schön zu sein, dies war es, was das Antlitz des jungen Kalifen mit der Kunst eines auf Liebhaberrollen geeichten Schauspielers, alle inneren Vorteile gleichsam veräußerlichend, auszudrücken schien: vom theatralisch hoch frisierten Haupthaar, das die eigentlich wohl eher fliehende, aber in der theatralischen Aufmachung doch hoch wirkende Stirn so eindrucksvoll umrahmte und das die leicht abstehenden Ohren auf sehr raffinierte Weise frei ließ, nämlich so, daß es aussah, als sei nur die Fülle des hinter das Ohr gestrichenen Haars schuld an dem kleinen Schönheitsfehler, bis zur schwellenden Lippe, siegreich in ihrer Prallheit über die trauernd herabgesenkten Mundwinkel, und dem damals schon ein wenig schweren, aber eben noch jugendlich weichen Kinn.

Etwas wie eine melancholische Frage, eine wohl nicht zu beantwortende Frage mischte sich damals noch in die Strenge des Herrscherblicks – dieser tiefliegenden Augen, unübertrefflich mandelförmig auslaufend, unter den dichten, über der edlen Nase fast zusammengewachsenen Brauen. Blick und Nase verraten das Geblüt der Abassiden. Mehrere Regenten dieser Dynastie sind in geistiger Umnachtung gestorben.

In schöner Herrscherpose, phantastisch königlich angetan, den Kopf vorteilhaft im Halbprofil, ohne Kopfbedeckung (die er auf den meisten Bildern in der behandschuhten Rechten hält), so ließ er sich immer wieder, am liebsten lebensgroß, malen, was zwar eigentlich wider die mohammedanische Gesetzgebung ist, denn die bildliche Darstellung menschlicher Formen, ja aller natürlichen oder auch künstlichen Gegenstände ist der mohammedanischen Kunst bekanntlich versagt. Dieses Gesetz, das der Sultan so gut es ging auflockerte, brachte ihn in beträchtliche Verlegenheit auch in der Hingabe an jene Passion, die, neben der Leidenschaft für Märchen, ihn am unwiderstehlichsten beherrschte: seine Baulust. Die von ihm gestifteten Bauten – Paläste, Moscheen, Badehäuser und die (über alles geliebten) Madraschbauten, der Treffpunkt von Religion, Kunst und Wissenschaft, Bauten errichtet in Spanien, Ägypten und Persien, Bauten, unter deren Kosten die Provinzen seufzten, sind heute substanzielle Einkunftsquellen dank des sich immer mehrenden Zustroms der Museumbesucher. Was der »Bauwurm« dieses Herrschers an Originalität zu wünschen übrigließ, das wurde reichlich wettgemacht durch die Pracht, mit welcher hier persische, türkische, byzantinische, syrische, koptische und viele andere Traditionen besiegter Völker zur glänzenden Synthese und doch erst so zur rechten Erfüllung gelangten. Fast sofort nach dem Tode seines Vaters, der den Achtzehnjährigen so tief erschütterte, daß er sich davon wohl niemals ganz erholt hat, baute er, kaum mehr als zehn Feddán entfernt von dem Erbschloß der Abassiden, wo er aufgewachsen, einen Palast für sich selbst, den er aber kaum je bewohnt hat. Das Bauen hatte mit dem Wohnen wenig zu tun. Es war eine Form, sich in der Wirklichkeit geltend zu machen, wie die Versenkung in die Märchen eine Form, die Wirklichkeit zu vergessen – die Regierungsgeschäfte, die »Staatsfadaisen«, wie er es nannte. Bei seinem erschreckten Regierungsantritt (seine Vereidigung mußte ob seiner Niedergeschlagenheit durch den Tod des Vaters um mehrere Tage verschoben werden) schrieb sein Onkel:

> ... Immer zu Hause gehalten, lange leidend am Halse,
> dürfte er fremd sein der Welt

– fremd der Welt, aber nicht der Märchenwelt, ein Genießer dieser Welt nicht nur, auch ein Kenner empfindlichster Art. »Du filibusterst, Scheherazade, ich durchschaue dich«, sagte er, wenn er in der Ezählung nur eine Variante einer ihm bereits bekannten Erzählung witterte.
– Aber gibt es denn originelle Märchen? Zu den Schöpfernöten der Erzählerin gehörte es, daß, wenn es ihr oblag, ein neues Märchen zu ersinnen, sie stets an die bereits erzählten denken mußte, die eine oder andere besonders geglückte Stelle mit gleichsam musikalischem Vergnügen vor sich hinsummend, in glücklicher Vergessenheit der drückenden abendlichen Pflicht. Manchmal, wenn die Phantasie ganz versagte, wob sie auch persönlich Erlebtes in die Geschichte ein. Und auch das durchschaute der Sultan. »Bitte Märchen, *Märchen!*« unterbrach er sie dann mit heischendem Herrscherblick. »Nichts ist mir verhaßter, meine Liebe, als eine künstlich ausgeschmückte und aufgeputzte Wirklichkeit. Ein Widersinn.«
Ja, arge Not, gräßliche Schöpferqualen litt die Arme bei der Vorbereitung ihrer abendlichen Darbietungen. Die *Themenwahl* wurde immer schwieriger. War doch (so schien es ihr in den Zeiten der Dürre) im Grunde schon alles erzählt. – Sie setzte sich »Termine« bei Sonnenuntergang, also mindestens drei Stunden vor der Darbietung mußte die Geschichte fertig sein. Aber wie oft geschah das? Viel öfters passierte es, daß sie bis zum letzten Augenblick nicht wußte, wie die Sache anzupacken, wobei die Geschichte wohl meist zeitig, in ihrem allgemeinen Handlungsablauf, ausgebrütet war, aber eben doch noch die Hauptsache, der Hauptdreh und -kniff fehlte; wie etwa in der Geschichte Aladins die Idee der Wunderlampe, die sich gleichsam erst ex post facto in die Erzählung fügte. Da

kniete sie nun vor dem Sultan, der, ganz geübter Ausdruck von Erwartung, auf seine Kissen hingestreckt lag, und sie wußte nicht, was aus der bereits begonnenen Erzählung werden würde. Auch zu willkürlichen Programmänderungen in letzter Minute trieb es sie mitunter und zwar derart, daß, anstatt der geplanten Geschichte, den Lippen eine Erzählung entquoll, von der sie noch einen Moment zuvor, beim Eintritt in das Zimmer, keine Ahnung gehabt hatte. Die Forderung des Zimmer*wechsels* gehörte mit zu den in äußerster Verzweiflung gebrauchten Mitteln des Aufschubs: anstelle des »Alibaba«-Saals, so benachrichtigte sie den dort bereits in Erwartungspose hingestreckten Sultan (mehrere Räume des Palasts waren nach seinen Lieblingsmärchen benannt und entsprechend dekoriert), sollte der Vortrag heute im »Aladin«- oder »Sindbad«-Zimmer stattfinden. – Oft aber ließ sie sich auch gar nicht blicken. Ein vom Frauenhaus übersandtes Kärtchen, in zierlich von rechts nach links gezogenen Neskhi-Schnörkeln, vertröstete, unter dem Vorwand der Unpäßlichkeit, den Sultan auf den folgenden Abend. Was sie ihm damit antat, wissen wir; denn bekanntlich hat Scheherazade jede Nacht ihre Erzählung an der spannendsten Stelle abgebrochen, um damit, der Neugierde des Sultans gewiß, ihre Exekution von Tag zu Tag aufzuschieben. Aber auch mehrere Tage spannte sie ihn auf die Folter. So erklärt es sich, daß die Erzählung der tausendundein Märchen an die zehn Jahre beanspruchte. – Bei solch fortgesetzten Selbstbeurlaubungen der Erzählerin geschah es denn wohl, daß der Sultan sich selbst in das Frauenhaus bemühte und, nach kreischender und kichernder Entfernung der übrigen Hausbewohnerinnen, er Scheherazade milde zur Rede stellte. »Sche-Herzlein, mein Schätzlein«, hub er sanft etwa an, »welches Datum schreiben wir heute?« – »Wir befinden uns, mein hoher Herr, in der Mitte des Rabia I«, flunkerte sie dann wohl, was er (mit für ihn ungewöhnlicher praktischer Klarsicht) durchschaute. »Nein, mein Scherzlein«, erwiderte er dann, mit dem Finger drohend, »wir befinden uns am Ende von Rabia II; und schon vor fünf mal fünf Tagen hat mich mein Freund Hasan al-Nisaburi daran erinnert, daß es an der Zeit wäre, meiner stummen kleinen Sängerin endlich den Kopf abzuschlagen.« Das wirkte. Scheherazade stellte sich am Abend pünktlich, wie verabredet, im »Alibaba«-Saal ein – das heißt: das Märchen stellte sich ein, das Erzählen geriet neu in Fluß, durch die schlimmste aller Drohungen.

Das ging so etwa bis zur achthundertsten Märchen-Nacht. Auf die überraschende Wendung in Scheherazades Karriere um diese Zeit aber läßt folgende ihr entstammende, ominöse Briefstelle schließen:

»Der Sultan sucht immer häufiger die Gesellschaft von Männern, die möglichst gut aussehen müssen; es können Packknechte und Kameltreiber so gut wie Männer von Geblüt und Bildung sein.«

Besonders auf al-Nisaburi hatte Scheherazade Grund, eifersüchtig zu sein, denn kaum noch einen Schritt tat der Sultan ohne diesen, während die verlängerten Selbstbeurlaubungen der Märchenerzählerin nicht einmal mehr bemerkt wurden. Um diese Zeit hatte Scheherazade einen buchenswerten Traum: sie war auf einem jener Gartenfeste, welche der Sultan stets so verschwenderisch mit Feuerwerk und ähnlich kostspieliger Augen- und Ohrenkurzweil inszenierte. Was jedoch die Träumerin zunächst befremdete, war, daß auf dem gepflegten Rasen, auf dem die Gesellschaft sich teils paarweise niedergelassen, verschiedenenorts zwei Männer aufeinander lagen. So sehr befremdete und beschäftigte dies die Träumerin, daß ihr, im Bann dieses Anblicks, mehrere peinliche Ungeschicklichkeiten unterliefen. Sie stieß eines der preziös eingelegten Tischchen um, so daß der darauf stehende Limonadenflakon sich über den Teller des davor sitzenden weißbärtigen Schahs ergoß, über welchen Scheherazade, während dieser bemüht war, seine Süßigkeiten aus der Flut zu retten, auch noch stolperte. Niemand in dieser Gesellschaft war ihr bekannt. Lauter Berühmtheiten waren es, so viel wußte sie wohl, die sich hier zusammengefunden und die ihrerseits über andere Berühmtheiten plauderten, welche Scheherazade ebensowenig kannte. Da aber geschah es, daß der Sultan aufstand und sie huldvoll zu sich winkte, um sie jemandem vorzustellen. »Scheherazade«, sagte er feierlich (und nur wenn er sehr ernst oder schlecht auf sie zu sprechen war, nannte er sie so mit

vollem Namen), »meine liebe *Scheherazade,* ich möchte dich mit meiner *neuen Märchenerzählerin* bekanntmachen.« Sprach's und ließ die beiden stehn. Die Person war von gewaltigem, ja einschüchterndem Körperbau, aber graziösem gesellschaftlichem Entgegenkommen. Nun wäre es allerdings an Scheherazade gewesen, der Dichterin, von der sie doch einiges wußte, ein paar Artigkeiten zu ihren Werken zu sagen, was sie aber nicht über sich brachte. Statt dessen lenkte sie, ziemlich plump, das Gespräch auf ihre eigenen Märchen, die »kindische Begeisterung« ihres Herrn, seine überschwenglichen Belohnungen. Beide hatten sich indessen, gleich den meisten andern, auf den Rasen niedergelassen, als die Person ihr gegenüber ein höchst seltsames erotisches Spiel mit Scheherazade begann. Sie streckte die Beine nach ihr hin und fing an mit ihren Zehen, die ungewöhnlich lang und biegsam sein mußten, schlangenartig Scheherazades Waden, Knie und Schenkel zu umwinden. Dazu stellte sie gesellschaftliche Fragen; sie fragte mit zärtlich säuselnder Stimme: »Kennen Sie den ...? und den ...? oder den ...?« – »Nein, den nicht und auch den nicht!« Unter beschämt gesenkten Augenlidern entrang es sich, Geständnis nach Geständnis, bis endlich die Person in verdrossenem Schweigen erstarrte. Als Scheherazade den Mut fand, ihr ins Gesicht zu blicken, entdeckte sie, daß dieses über und über mit schwarzen Bartstoppeln besät war.
Dieser Alptraum war von der Wirklichkeit so gar weit nicht entfernt. Es wurde immer deutlicher: der Sultan war ihrer überdrüssig. Er gebrauchte, fast jeden Abend, Ausflüchte – ja, nun war *er* es, der sie brauchte. »Ach, heute, gerade heute, mein Schätzlein, heute bitte *keine Märchen*«, sagte er wohl, wenn trotz seiner Absage sie zur üblichen Zeit in seinem Zimmer erschien. »Ich bin zu müde, zu präokkupiert mit den Staatsfadaisen ... massiere mich, Hadi!« – Der wahre Grund für Scheherazades Begnadigung mag gewesen sein, daß der Sultan hoffte, sie würde, befreit von dem Druck der Todesdrohung, endlich *aufhören,* ihn mit ihren Märchen zu belästigen. Aber da hatte er sich, wie vorausgeschickt, gewaltig verrechnet. Die Erzählerin ließ nicht ab von ihm. Sie verfolgte ihn, in die Moschee, in den Madrasch, sogar ins Badehaus, um ihre

Märchen zu Gehör zu bringen. Sie zupfte ihn am Ärmel, gab er vor, sie nicht zu bemerken, sie krallte sich an ihm fest, wollte er sie nicht hören, sie machte Szene über Szene. – Unter so unwürdigen Umständen hat Scheherazade die letzten zweihundert ihrer ersten tausend Märchen erzählt.

Nach ihrer Begnadigung aber ließ der Sultan sie überhaupt nicht mehr vor; er stellte Wachen auf. Und Scheherazade mußte sich, nolens volens, nach neuen Zuhörern umsehn. Zuerst probierte sie ihr Glück bei Hasan al-Nisaburi – eine höchst unglückliche Wahl. Natürlich wies der sie ab. »Ich bin außerordentlich in Anspruch genommen«, murmelte er, »mit meiner weit mehr als eine Sekunde der Ewigkeit erfordernden Deutung des Korans.« Und, kaum von seiner Lektüre aufblickend, setzte er mit strengem Nachdruck hinzu: »*Andere* Leute haben Geschäfte.« So schien es. Denn bei anderen Leuten hatte Scheherazade nicht mehr Erfolg. So tief sank sie schließlich, daß sie gar die Packknechte und Kameltreiber mit ihrer Bitte um Gehör belästigte und belustigte. Manche von ihnen ließen sie, unter gutmütigem Spott, ihre Geschichte vortragen. – Unter solch denkbar unwürdigen Umständen ist das zweite Tausend Märchen der Scheherazade entstanden.

War die Zeit des Drucks von außen eine qualvolle Etappe auf dem Lebensweg dieser begabten Erzählerin, so war es doch nicht minder die nachfolgende Zeit des Drucks von innen. Nie sind Scheherazade so viele Geschichten in so unglaublich kurzer Zeit, fast darf man sagen, von Minute zu Minute eingefallen, wie in jener *zweiten* Periode der Qual. Und wie es ihr leider an Zuhörern fehlte, so auch an der Zeit, alle einander jagenden Einfälle gehörig auszuarbeiten. Die so Heimgesuchte arbeitete manchmal an fünf oder sechs Geschichten gleichzeitig. In jedem Wort, das sie hörte, in jedem Gegenstand, den sie erblickte, was sie auch roch, betastete und schmeckte, schien der Samen für eine Geschichte, eine herrliche Geschichte, die allerbeste. – Solch schöpferische Ekstasen kann keiner lang ertragen. Alles spricht für einen sehr frühen Tod unserer Titelheldin.

Und der Sultan? Immer häufiger schloß er sich ein, mit Hasan al-Nisaburi und auch mit andern. Nicht die »Staatsfadaisen«

waren der Anlaß dazu. Was es aber tatsächlich für eine Bewandtnis damit hatte, das sollte Scheherazade bald genug erfahren. – Der Sultan hatte sich in den Leewan, den Hauptsaal des Madrasch, zurückgezogen, wo er jetzt öfters die Nacht zum Tage machte; und Scheherazade hatte in einer Nische nahe dem Portal ein rasches Versteck gefunden. Gerade unter dem Dom, auf einem kleinen Teppich, in gesucht anmutiger Haltung, den Kopf auf die Hand gestützt, lag der Sultan inmitten einer ihn umlagernden Gruppe von Jünglingen. *Der Sultan erzählte Märchen. Er* erzählte Märchen. Er *erzählte* Märchen. Ungefähr damals soll er auch zu Hasan al-Nisaburi geäußert haben, mit dem irren Herrscherblick der Abassiden: »Ich *höre* keine Märchen, ich *erzähle* sie.«

Scheherazades Bitterkeit läßt sich verstehn. »Eine lächerliche Bettelsuppe aus *meinen* Märchen«, schreibt sie in einem Brief; und in einem anderen: »Ein eklektisches Gemisch und Gemansch, wie seine Bauten, wie alles von diesem mir vom Schicksal aufgegebenen, verhaßten Volk, das nicht einmal sein Einmaleins, worauf es sich so viel zugute tut, selbst erfunden hat.« All dies kann nicht völlig von der Hand gewiesen werden. Und doch: ganz wie bei seinen aus aller Welt (und aus allen Zeiten) zusammengeramschten Palästen, fügte der Sultan auch bei seiner Erzählung doch manch Eigenes und vielleicht Eigenartiges hinzu. Was Scheherazade hörte, war dies:

»Und da ich heiter wandelte in junger Mondnacht, draußen vor dem Brunnen, sah ich einen tanzen; und vom Mond her klang es wie Rebic und Zurna, so süß. Der Tänzer aber war ein großer Weissager und, was sein Tanz verkündete, war Schreckliches. Eine furchtbare Kälte sollte über das Land kommen, so daß sich überall, zur See, im Golf von Oman wie im Golf von Eden die Eisberge türmten und die Schiffe unter sich begruben und das Wasser gerann in den Oasen. Und alle Blumen starben ... es starben auch die Paradiesvögel und waren schön im Tode. Und sogar die Aasgeier fielen vom Himmel und suchten Schutz in den zerbrechenden Bäumen.«

Scheherazade war nun aus ihrem Versteck herausgetreten, sogleich bemerkt vom Sultan, der seine Erzählung unterbrach.

»Meine Herren«, sprach näselnd der in seinen Kissen sich Räkelnde, auf Scheherazade mit eleganter Handbewegung deutend, »meine Herren, begrüßen wir eine junge Dame, der ich manches schulde.« Und fuhr fort im Texte.

KAPITEL VI

DAS SPIEL MIT DEM TOD

Michael Mann (4. VI. 63):
Hypochondrisch und offenbar zu klug um es
nicht zu wissen. –
Spricht so viel von seiner Klugheit, daß er
ihrer nicht sehr sicher zu sein scheint.
Seine Anmaßung einerseits und Unsicherheit
andererseits stehen in enger Beziehung zu seinem
psychosomatischen Zustand.
Alkoholverbrauch: Kad. 3.4
Bisherige Schädigung der Leber: 57.08
Gebrauch von Drogen: entzieht sich meiner Kontrolle.
Er soll sich in 6 Monaten wieder melden.

                                        Michael Mann

»Zum Leben gibt es zwei Wege: der eine ist der gewöhnliche,
direkte und brave. Der andere ist schlimm, er führt über den
Tod, und das ist der geniale Weg.« (Thomas Mann, »Der
Zauberberg«, zitiert von Michael Mann in »Schuld und Segen
im Werk Thomas Manns«.) *Das Thomas Mann-Zitat impli-
ziert eine Wahl, wie im alten Märchen- und Legendenmotiv
von der Wegkreuzung, an der der Held entscheiden muß. Diese
Wahl hatte Michael nicht. Weil aber für ihn der geniale Weg
vorgezeichnet war, hat er sein Spiel mit dem Tod getrieben,
indem er ihm verfiel und sich von ihm lossagte. Verzweiflung
und Resignation gab es in seinen Selbstmordversuchen nicht.
Der Griff zur Pille für die verschiedensten Stimmungslagen
war Familientradition:* »Klarer Himmel gleich morgens.
Wohltätigkeit des Sekonals. Sicherer Schlaf. Morgens bunte
Träume.« (Thomas Mann, Tagebucheintragung vom 5. Juli
1948) *So auch bei Michael. Spontane Reaktion auf Auseinandersetzungen mit Familienmitgliedern (nie bei Freunden oder*

Fremden) führte zu den Mitteln, zu den »Rötchen« oder
»Gelbchen«, wie er seine Schlaf- und Beruhigungstabletten
verniedlichend nannte, ein Griff sozusagen als letzte Feststel-
lung im Argument. Aber das Spiel mit dem Tod erweiterte den
Horizont gefährlich. Da waren die Pillen Mittel zu einem
anderen Zweck, als dem der Überwindung von Schwierigkei-
ten im Umgang mit Menschen. Er kannte die Stärke seiner
Pillen und wußte genau, wieviel nötig waren, um ihn an die
Schwelle des Sterbens zu bringen. Hinter diesem Experiment
mit seinem Körper stak eine Maßlosigkeit, ein intellektuelles
Kalkül ohnegleichen im Versuch mit dem Sterben als Erlebnis-
form. Diese Suche nach Transzendenz am Körper und an den
Grenzen des menschlichen Bewußtseins war nicht eine Suche
nach neuen Inhalten – religiös-metaphysischer Art –, sondern
eine Form der Selbstdarstellung und Selbstentäußerung.
Für ihn stellte der Tod, wie für uns alle, das absolute Gegenüber
dar, das er aber spielerisch und ernst für sich verfügbar
machen wollte. Er wollte den Tod zum Partner, so wie er immer
versuchte, besonders in seinen letzten Jahren, seinen Vater
zum Partner seines Lebens zu machen – beides ist ihm nicht
gelungen.

So wechselten in meiner Seele die Farben der Nacht und des
Tages, die Bilder der Schwermuth und der Freude beständig,
und daher läßt sich psychologisch erklären, wie ich nachher
bald Todtengesänge, bald Trink- und Freudenlieder machen
konnte.
(C. D. F. Schubart, zitiert in Michael Manns »Die Turmbestei-
gung«)

In Michaels Freundeskreis war das »Trinklied vom Jammer der
Erde« (Gustav Mahler, »Das Lied von der Erde«) beliebt:

Li Tai-po:

> Seht dort hinab! Im Mondschein auf den Gräbern
> Hockt eine wild-gespenstische Gestalt –
> Ein Aff' ist's! Hört ihr wie sein Heulen
> Hinausgellt in den süßen Duft des Lebens!

Jetzt nehmt den Wein! Jetzt ist es Zeit,
Genossen!
Leert eure gold'nen Becher zu Grund!
Dunkel ist das Leben, ist der Tod!

ZWISCHENSPIEL: ST. HELENA

*In der Nähe von St. Helena, in der nördlich von San Francisco
gelegenen Weinlandschaft, lebte Michael seine eigene Idylle.
Aus einem Brief an seine Mutter:*

14. Mai 1971, Orinda
In gewisserweise dem entsprechend, oder auch wieder nicht
entsprechend, ist wohl die Tatsache, daß ich vor kaum 14 Tagen
etwas ganz Erstaunliches geleistet: nämlich für mich und
meine Grillen ganz alleine ein kleines Haus erstanden, etwa
eine Wegstunde von unserem Orindenbesitz entfernt, im
Weinland, wo auch die berühmten Schwefelquellen, zu denen
ich nun seit einem Jahrzehnt fast wöchentlich einmal pilgerte,
sodaß dieser neue Kleinbesitz gewissermaßen nur eine verjähr-
te geographische Beziehung befestigt.

*Sein Landhäuschen richtete er sich nach seinem Geschmack
ein (ein eigens für ihn in Bayreuth hergestelltes Cembalo,
bemalt mit spätmittelalterlichen Motiven, Marke Ranftl,
stand bereit); dort führte er Haushalt, schrieb an seinen
Novellen und Aufsätzen, musizierte viel, war Hausherr,
Putzfrau, Koch und Diener zugleich, weit weg von der
Gesellschaft und der Familie. Er kochte auserlesene Gerichte
für seine Freunde, fuhr weit im Land umher zu entlegenen
Spezialgeschäften, um seine Menüs zusammenzustellen, dazu
kaufte er die passenden Weine des Tals.
Sein Häuschen lag am östlichen Berghang des Napa Valleys.
Die untergehende Sonne strömte hell durch das Laubdach
einheimischer Eichen, Arbutusbäume und hochgewachsener*

Weinreben; so kam dann das Abendlicht durch die Fenster in das teppichbelegte Wohnzimmer, bernsteinfarben in seiner Rotholzverschalung.

Das Napa-Tal hat seine eigene klassische Perfektion – mediterran, südfranzösisch; nur eine Autostunde von Oakland, vom städtischen Verfall und den Verbrechen auf den Straßen, von der trostlosen Fernsehkultur vergitterter und verriegelter Häuser entfernt. Am Rande also einer Affirmation ganz bewußter Art. Wir haben uns oft über die seltsamen Umstände unterhalten – fruchtbare Weinlandschaft und Thermalquellen in abgelegenen Landstrichen, helle, fast verklärte Herbsttage, haute culture und feinste Seelen- und Unterhaltungskunst –, die diese idyllischen Momente mit einer Zeit verbanden, in der der spätrömische Dichter Ausonius († 395) lebte. Jener Dichter nämlich, der aus Aquitanien kam, das kurz vor dem Einfall der Westgoten zu den letzten Gebieten des Imperiums gehörte, in denen noch Friede herrschte. Unberührt von den Unruhen im Reich pflegte man ein geruhsames Landleben und gab sich dem Studium der Literatur und Rhetorik hin. Die großen historischen Ereignisse lagen weitab. In den glänzenden Bildern und Metaphern seiner Gedichte tauchte noch einmal eine Kultur auf, die im Kern schon zerstört und verwandelt war. Ausonius besang die »Mosella«:

»Reiner liegt hier die Luft auf den Feldern, und Phoebus erschließt in heiterem Licht den prächtigen Himmel, – – jetzt ist verscheucht der Nebel!
[...]
Und welch ein Farbenspiel ist das erst auf den Wassern. wenn seine späten Schatten der Abendstern schon sandte und dann den Moselstrom gleichsam im Grün der Berge badet!«

Michael Manns »Der Traum von den Früchten« (1973):

Auf einer sandigen Wiese:
unerwartet in einer kleinen Grube herrlichste blaue
Trauben. Ich esse und gebe Brutus davon. Gret: und ich?
(Öfters träume ich von einem ungeahnten Reichtum an
Früchten, an Bäumen und Hecken, gepflanzt oder wohl
gewachsen?)

Aus einem Gespräch mit WINFRIED KUDSZUS:
*FCT: Viele seiner Freunde fanden, daß Michael in seiner Idylle
St. Helena mit sich selbst konsequenter sein konnte.*
WK: Dort hatte er größere Möglichkeiten, sich selbst spiele-
risch zu gestalten.
*FCT: Er fuhr von seinem Häuschen jeden Tag zu den
Thermalquellen, ins Calistoga Spa, wo er seine Gesprächspart-
ner unter den Dauerkunden des bekannten Badeorts fand. In
dieser, seiner eigenen Sozietät, spielte er die Rolle des
Außenseiters – und war auf seine Weise interessiert.*
WK: Er hat das Häuschen, aus welchen Gründen auch immer,
gewiß als anregend empfunden. Da hat er sich in seiner
besonderen literarischen Existenz erlebt. Er arbeitete an
seinem Drama und karikierte sich gleich dabei. Als er sich
einmal zur späten Nachmittagsstunde, wo die kalten Lüfte aus
dem Tal wehten, hinsetzte vor dem Haus und eine Decke um
sich schlang und aus einem Manuskript vorlas ... viel
Selbstironie war dabei. Er hat sich nicht im Ernst da hingesetzt;
es war der in den Mantel gehüllte, leicht fröstelnde Schriftsteller, der Autor, der las.

La situation est mienne en outre parce qu'elle est l'image de
mon libre choix de moi-même ... Je la mérite d'abord parce que
je pouvais toujours m'y soustraire, par le suicide.
*(Jean-Paul Sartre, zitiert in Michael Manns »Schiller«-Auf-
satz)*

ENDSPIEL

Ende 1976 war Michael erschöpft von einer Vortragsreise anläßlich des 100. Geburtstages seines Vaters zurückgekehrt. Die folgenden Texte hat er unter dem Titel »Selbstmördergedichte« im Freundeskreis vorgelesen.

I

Die am Brüderlichen gemessenen Heimfahrten
   ziehen weite Kreise
Wo auch Fontänen schnell verstummen
Und alles Krause
   hat sich plötzlich ausgesungen
Vergebens (nicht vergeben) abgerungen
Entschwandst Du: leise
   im Eigentlichen, nur von Dir besessnen Zarten.
Du bliebst doch eine ganze Weile.

II

Blickverrenkung – –
geschmeidig schneidiger Erkundung
Doch
Hinter Deiner Brillenrundung:
Volksunklug – –
Lichte Selbstversenkung

III

Zu sein wie Du – doch wer bin ich?
Verfehlt die Frage
Zu spät, too late
trop tard,
Nicht war,
Das Wort war königlich:
»was ›Es‹ war, werde ›Ich‹«
Doch meinst Du mich,
so sage:
»Was ›Ich‹ war, WURDE ›ES‹«,
daß es am ›ES‹ verwes'
verblich, genes.

IV
REQUIEM AETERNAM DONA, DOMINE

Der Angetrauten Trautes anvertrauen?
– Trauer!
– DIES IRAE
Selbst DER Tractus liegt zu weit zurück.
Könnten über jenem weit gespannten Trauerbogen
Tränen tropfen, wie im Liede;
Und obsiegte dann (wie es der Sänger sagte)
Das Lied über das Leid:
Sterben wäre dann (entgegen Karl Eugen)
Nur eine »Kleinigkeit«.

Doch ist's vom Sterben bis zum Tod des Wegs ein
                                        gutes Stück
Und, wer im Ernst die Reise wagte,
Zum letzten Pulsschlag, ein noch kaum vernommenes
                                        Wogen,
Ja, der durchginge unsagbares Grauen.

UC Professor Michael Mann Dies in Orinda

Michael Mann, professor of German at the University of California in Berkeley and youngest son of novelist Thomas Mann, died unexpectedly on Saturday at the family home in Orinda. He was 57. Cause of his death has not been announced.

Musician and musicologist as well as an authority on German literature, Dr. Mann had been on the UC faculty since 1961, the year he received his Ph.D from Harvard.

A native of Munich, he received his early education there and in Zurich and for years was a professional musician. He played viola for a time in the San Francisco Symphony Orchestra.

He was attaining national stature as a musician when he switched careers, and turned to the study of German literature.

He was the author of six books, the last, published in 1974 on late 18th Century German drama. Another was a study of Goethe, and a third, a biography of his father. Three other books were on musicology. He also wrote numerous short stories and articles.

He observed the centennial of his father's birth in 1975 by lecturing in this country, Canada and Europe on "Poetry and Truth in the Works of Thomas Mann."

Dr. Mann received numerous top awards, including a Guggenheim Fellowship in 1964.

Surviving Dr. Mann are his wife, Gret; two sons, Toni and Frido, both living in Europe and an adopted daughter, Raju. He also leaves one grandchild.

There will be no funeral.

Michael Mann starb am 1. Januar 1977. Der Obduktionsbefund ergab, daß eine Kombination von Alkohol und Barbituraten zum Tod geführt hatte.

GRET MANN:
31. Dezember 1976, sein letzter Lebenstag, ein grauer Tag.
Spätes Aufstehen. Stimmungen abwechselnd leidend und
lichter; unheilbergend im Rückblick.
Mittags die Fahrt zu zweit zur Marina – aus »Lufthunger«, wie
so oft. An der Wasserkante Lunch aus dem mitgebrachten
Korb, vorher gemeinsamer Gang mit den Hunden bis zur
Mole. Nicht erholsam. Bleigrau und bleischwer Himmel und
Wasserlandschaft. Vor der Rückfahrt, an seinem Steuer
sitzend, Michaels lange verweilender Blick aufs Meer hinaus,
wie um etwas festzuhalten.

RAJU MANN:
An dem Abend war Mama stark erkältet und legte sich früh
schlafen, hatte aber zuvor für uns eine Suppe gekocht. Papa
und ich haben noch eine Weile geredet. Er hatte Herzklopfen
und fühlte sich nicht gut. Ich habe ihm noch gesagt: »Wenn du
dich ausruhst und hinlegst, dann wird es schon besser werden.«
Der hat mich geküßt und ging weg. Spät am nächsten Morgen
rührte sich drüben in seinen Zimmern nichts und Mama sagte,
ich sollte doch einmal nach ihm schauen. Ich ging in sein
Schlafzimmer und es war dort ziemlich kalt, keine Wärme. Ich
habe gesehen, daß er tot war. Er lag aber völlig angezogen auf
seinem Bett, mit einem Plaid leicht zugedeckt. »Nein, er kann
nicht tot sein«, dachte ich und schüttelte seine Hand. Ich wollte
halt glauben, daß er nur ganz fest schläft.

KATIA MANN, *der 93jährigen Mutter, wollte man zunächst die
Nachricht vom Tod ihres Jüngsten ersparen. Als sie es später
dennoch erfuhr, blieb ihre Reaktion Unglauben und Ablehnung. Einmal meinte sie:* »Ja gewiß, alt wollte er wohl nie
werden.« *Gret ließ Michaels Asche im Grab seiner Familie in
Kilchberg beisetzen. Nach der Bestattung der Mutter im
Familiengrab fügte es sich so, daß Michaels Urne auf dem Sarg
der Mutter zu ruhen kam.*

KAPITEL VII

ERINNERUNGEN AN EINEN FREUND

Ich hab Dir seithero so manchen komisch-tragischen Auftritt erlebt, musste mich so biegen und winden, um durch des Lebens Engen und Krümmungen durchzukommen, dass ich Dir wohl einen Roman davon schreiben könnte. Ich war Kandidat, dann Magister in Tübingen, dann Präceptor und Vikarius in Geislingen, dann Musikdirektor in Ludwigsburg, und Professor in Saarbrük und als Virtuos auf Reisen und Schriftsteller und Ehmann und Vater und Alles in 17 Jahren.

C. F. D. Schubart *(von Michael Mann zitiert)*

JANINE CANAN, *Psychiaterin und Dichterin, Berkeley:*
Michael hatte einen ganz eigenartigen, untersetzten Körper,
kompakt und amorph zugleich, mit einem ausgeprägt gedrun-
genen Brustkorb, sonderbaren, etwas heruntergezogenen
Schultern, die eng und angespannt wirkten. Er zog gleichsam
seine ganze Energie in seinen Schultern zusammen, gefangen
im Moment der Vorwärtsbewegung. Seinen Kopf hielt er
vorgebeugt und seine Beine schienen ihm vorauszueilen. Er
war auch sehr dunkel. Seine Haut war dunkelgebräunt, und er
hatte dunkelbraune Haare, und mir schien er wie eine dunkle
Gestalt aus dem Unterbewußten, fast gnomenhaft, aber stark.

DR. FRITZ SCHMERL, *persönlicher Arzt und Freund in einem
Gespräch:*
FS: Bezeichnend für ihn war seine kritische Haltung den
meisten Menschen gegenüber. Besonders an Ärzten hatte er
immer sehr viel auszusetzen.
*FCT: Ich glaube, er war gewissermaßen voreingenommen
gegen alle Menschen, in denen er, wenn auch nur indirekt,
Autoritätsfiguren sah.*
FS: Das empfand ich als eine seiner besonderen Schwächen.
*FCT: Glücklich fühlte er sich im Gefängnis, in das er
zufälligerweise einmal geraten war.*
FS: Ich weiß. Dort konnte er sich deutlich gegen eine greifbare
Autorität stellen, als eine besondere Art von Selbstbejahung.
*FCT: Das machte seinen Bezug zur Autorität unmittelbar,
körperlich. Da zeigte er Mut.*
FS: Im Gefängnis hätte er seinen eigenen Standpunkt am
deutlichsten artikulieren können. Die Revolte war für ihn ein
Dauerzustand, oder besser gesagt, er befand sich immer im
Zustand einer tiefgehenden Auflehnung. Er fühlte sich von
allem und von allen unterdrückt, alles empfand er als etwas
über sich. Deshalb hatte er auch eine Neigung zum schroffen
Urteil.
*FCT: Extrem und spontan und daher manchmal auch wider-
sprüchlich war seine Art. Er konnte zum Beispiel vornehm
speisen nach gut anerzogener großbürgerlicher Sitte, er*

konnte aber auch fressen und saufen wie Heinrich VIII. bei
Festgelagen.

FS: Es ist nicht schwer, für sein extremes Urteilen und Handeln seinen Vater verantwortlich zu machen.

FCT: Sein Vater war ihm eine so ferne und zugleich absolute Gestalt, daß Michael in seiner eigenen Rolle als Vater nie eine Reihe von differenzierten Reaktionsmustern zur Verfügung hatte.

FS: Das bestimmte auch seine Art von Genialität. War er schöpferisch veranlagt oder nur ein intellektueller Vermittler?

FCT: Er war gewiß schöpferisch in seinem Lebensstil, in seiner spontanen Art, Dinge und Situationen zu vergegenwärtigen.

FS: Ich fand ihn auch intellektuell interessant, in seiner besonderen Fähigkeit zu spekulieren. Einmal unterhielten wir uns lange über Aspekte einer Musikmedizin: Hautinfektion am Kinn des Geigenspielers, Gehörstörungen durch Tonverstärker, Halskrebs bei Sängern, Musik als Therapie für Nervenkranke, die Verbindung von Schlaf oder Schlaflosigkeit zur Musik, der Musikerberuf als gesundheitsbestimmender Kontext für den Musiker – kurz alle diese Fragen interessierten ihn sehr und er konnte sich stundenlang angeregt darüber unterhalten.

FCT: Du warst sein Arzt, sein Leibarzt, wie man früher sagte, und sein Freund zugleich.

FS: In der Sprechstunde war ich sein Freund, beim Skifahren in der Sierra und beim Baden in Calistoga war ich sein Arzt. Er hatte eine tiefe Unruhe, eine »geographische Rastlosigkeit« sozusagen und gleichzeitig eine in sich geschlossene Angststruktur – dazu kamen noch seine von außen her bestimmten, sprunghaften Stimmungsumschläge, die von seinen sehr fließenden Beziehungen zum künstlerischen, akademischen und häuslichen Bereich abhingen.

FCT: Das machte ihn bestimmt zu einem schwierigen Patienten.

FS: Unsere Patient-Arzt-Beziehung wurde durch eine wechselseitige intellektuelle Überlegenheit bestimmt. Auf seine Nervosität zurückzukommen: Michael liebte den Wein. Er war ein Kenner, und das Weintrinken wirkte sich bestimmt günstig auf seine menschenfreundliche Stimmung und auch auf seine geistige Konzentration aus. Er war aber auch an stärkere Getränke gewöhnt. Sie haben ihm nicht geholfen. Natürlich habe ich ihn eindringlich beraten, wußte aber im voraus, daß mein Rat nicht befolgt würde. Zuletzt hat Michael sich durchgesetzt; ich habe verloren.

ANDREW JASZI, *Professor für Germanistik an der Universität von Kalifornien, Berkeley, in einem Gespräch:*
AJ: Du erinnerst dich, wie schäbig sich Michael kleidete. Er lief gewöhnlich in alten zerschlissenen Hosen, schlecht sitzenden Jacken und schweren Lodenmänteln herum. Und weil er den Zugwind fürchtete, trug er oft auch im Sommer einen Schal, den er sich so um den Hals wand, daß sein Gesicht fast ganz darin verschwand. Er liebte es nicht, gesehen zu werden. Desto verblüffter war ich, als ich zum ersten Mal zu Weihnachten bei den Manns eingeladen war. Michael erschien höchst elegant gekleidet im dunkelblauen Anzug und schritt feierlich mit seiner Familie ins Wohnzimmer, um die Wachskerzen – sonst benutzt man hier elektrische Lichter wegen der Feuergefahr – auf dem Weihnachtsbaum anzuzünden. Alles ging weit vornehmer zu als ich für möglich gehalten hätte. Auch auf die rund zweihundert ganzledernen Bände der Weimarer Prachtausgabe von Goethes Werken, die seinen Eltern gehört hatte, fiel das sanfte Licht der Weihnachtskerzen. So durfte sich einmal im Jahr der verirrte Sohn des selbst schon verirrten Vaters zu jenem Bürgertum und dessen Dichter bekennen, mit denen Thomas Mann eine sentimentalische Liebschaft unterhalten hatte. Übrigens vermute ich sehr, daß dieses Bürgertum schon zu Goethes Zeiten eine Fiktion war. Ob auch die Spießbürger eine Erfindung der Dichter sind, weiß ich nicht. Jedenfalls waren sie Michael überaus verhaßt.
FCT: *Er versuchte überhaupt, großbürgerliche Momente in seinen amerikanischen Alltag zu bringen. In einem Restaurant an der Universität hat er die Kellner mit großen Trinkgeldern versehen, damit man ihm, wenn er morgens erschien, ohne Bestellung ein Vier-Minuten-Ei im eigens mitgebrachten Eierbecher mit einer Scheibe Toast und einem Kännchen*

Kaffee (ohne Milch) servierte. Er erkaufte sich dieses kleine Privileg und gefiel sich in diesem selbstgeschaffenen bürgerlichen Ritus.

AJ: Dann aber war er auch wieder liebevoll spontan. Auf unseren Reisen nach Mexiko habe ich gesehen, wie freundlich und einfühlend er mit den Halbhuren in den Bars für Eingeborene der mexikanischen Grenzstadt Tijuana umging. Er schlief nicht mit ihnen, aber er konnte mit ihnen sprechen, und sie mit ihm – einfach, ehrlich, voller menschlicher Wärme, wie hierzulande kaum jemals gesprochen wird. Er war ein Mensch mit einzigartigem Takt, übertrieben fast in seinem Taktgefühl, trotz der groben Attacken, die er sich gegen Autoritätsfiguren erlaubte.

FCT: Ich hatte ein ähnliches Erlebnis. Wir saßen einmal in einer Bar in San Francisco. Da gesellte sich eine abstoßende, zahnlose, heruntergekommene Frau zu uns, mit alkoholverdunsenem Gesicht. Ich war angeekelt und ließ Michael wissen, daß wir uns schnellstens von ihr absetzen sollten. Er verwickelte sie aber in ein intensives Gespräch. Es stellte sich dabei heraus, daß diese seltsame Bardame ausgesprochen gebildet war. Michael redete mit ihr über Shakespeare und Chaucer, ohne dabei die leiseste Spur von Herablassung zu zeigen. Er konnte in einer an sich doch beklemmenden Szene ungespielt offen sein.

AJ: Ich glaube, hier lag auch seine Begabung als Lehrer: in seiner offenen, ernsten Art, auf die Studenten und ihre Interessen einzugehen. Hinzu kam freilich auch seine fast einzigartige Intelligenz und das imposante Wissen, das er sich als der Autodidakt, der er bis zuletzt geblieben war, mit hartnäckigem Fleiß erarbeitet hatte. Während der Jahre unserer Freundschaft in Berkeley veränderte er sich allerdings sehr, besonders was die Beziehung zu seinem Vater anging. Bei der Tagebucharbeit endlich verlor er sich selber. Diese Tagebücher seines Vaters haben ihn verrückt gemacht, umgebracht. Ich wünschte, er hätte sie verbrannt.

FCT: Als ich ihn zuerst kennenlernte, wollte er vom Vater nichts wissen, wollte sich überhaupt nicht über ihn unterhalten. Das war 1961. Er wußte, daß ich gegen seinen Ruf nach

Berkeley gestimmt hatte, weil ich den Verdacht hegte, er wäre nur aus Gründen seiner Abstammung angestellt worden. Man hat ihm von meiner Einstellung berichtet und er bemühte sich gleich von Anfang an um mich. Wir wurden bei Gret und Michael zum Nachtessen eingeladen. Es hat ihm gefallen, daß unsere Freundschaft nicht wegen des Vaters, sondern trotz des Vaters zustandegekommen ist.

AJ: Gegen Ende seines Lebens verlor er immer mehr den Kontakt mit anderen Menschen. Er sprach dann nur noch über sich selbst, und zuletzt war er sich so abhanden gekommen, daß er nicht einmal mehr über sich selbst reden mochte.

FCT: Andrew, du und ich, wir standen ihm hier in Berkeley eigentlich am nächsten. Wie siehst du ihn heute, fünf Jahre nach seinem Tod?

AJ: Er war einer der unbeständigsten, wandelbarsten Menschen, die ich je gekannt habe. Man konnte sich nicht auf ihn verlassen, weil er oft selber nicht wußte, was er tat oder wollte. Andererseits aber besaß er auch wieder eine unerhörte Stabilität, eine einzigartige Tiefe, und war verläßlich wie kein zweiter. Ich bin in meinem Leben sehr wenigen Menschen begegnet, die so stark waren wie er und zugleich so schwach. Goethes Worte vom Urgestein, vom Granit fallen mir immer noch ein, wenn ich an Michael denke. Und freilich auch, wie ich dir auswendig vortragen kann, Goethes Charakterisierung des menschlichen Herzens als des jüngsten, mannigfaltigsten, erschütterlichsten Teiles der Schöpfung, die ihn zu der Beobachtung des ältesten, festesten, tiefsten, unerschütterlichsten Sohnes der Natur, des Granits, geführt hat. Zudem war Michael ein Absolutist wie Kleist. Alles oder nichts war sein Motto. Es ist seltsam, daß viele Absolutisten eine fast magische Kraft haben, Dinge zu veranschaulichen und so hinzustellen, daß man nicht an ihnen rütteln kann. Denk nur an Kleists Beschreibung der Todesfeier, die Michael Kohlhaas für seine Frau veranstaltet. Wie Michael Mann lebte, seine Träume erzählte, überhaupt wie er sprach, fühlte, dachte, waren Akte spontan-magischer Vergegenwärtigung. Sein Tod war der letzte dieser Akte. Seine fortdauernde Gegenwart ist für mich ein magisches Faktum.

Die Übersetzer DR. HILDEGARD *und* DR. HUNTER HANNUM:

Hunter H: Was ihn mir heute noch besonders nahebringt ist seine Vorstellung, man solle jedes Jahr eine neue Sprache lernen, ein neues Land besuchen und sich neuen Lebensumständen aussetzen. Das alles war bezeichnend für die ihm eigene Vitalität. Ja, und noch gegen Ende seines Lebens, im November 1976 bei seinem letzten Besuch bei uns in New England, sprach er von seinem neuen Projekt, ein Marquis de Sade-Seminar abzuhalten. Er bemühte sich in der französischen Fakultät um Mitarbeiter, stieß aber dabei auf Bedenken.

Hildegard H: Diese Vitalität war schon zwanzig Jahre vorher für ihn bezeichnend, als wir zusammen in Harvard in Seminaren saßen und Germanistik studierten. Ich kam nie aus dem Staunen heraus, mit welch enthusiastischem Einsatz er sich in das Studium stürzte. Er fand einfach alles interessant, selbst die schwierigsten und für uns Literaturstudenten abseitigsten Pflichtfächer wie Indogermanisch und Gotisch. Es war für ihn alles faszinierend, und er ging an alles mit einem unbeschreiblichen Elan heran.

Hunter H: Literarisches und Historisches waren für ihn unerschöpfliche Bereiche – unmittelbar nah und lebendig. Und also gelang es ihm, sie uns allen näher und lebendiger zu machen.

Hildegard H: Was für mich in Harvard Fronarbeit bedeutete, erledigte er in einem atemberaubenden Tempo. Dabei war er damals schon über vierzig, und wir anderen alle unter dreißig. – Immer ein Höhepunkt war für mich, bei Manns zum Essen eingeladen zu werden: die Brillanz der Gespräche, die herrliche Tafel, die feinsten Gerichte. Gret und Michael wußten, was es heißt zu feiern, und es war ein Fest, bei ihnen zu sein.

Hunter H: Diese Festlichkeit verbanden Stil – es wurde immer musiziert oder vorgelesen – und Vitalität.

Hildegard H: Das hat sich bis in seine letzten Tage hinein gehalten.

Hunter H: In den letzten Jahren kam aber eine dunklere Note in sein Leben. Die Schatten in seinem Leben wurden länger, und der Schatten seines Vaters größer, aber Michaels Lachen war ihm geblieben, dieses seltsame Lachen, das ich nie vergessen werde, in dem soviel Widersprüchliches stak: menschliche Fülle und Teilnahme auf der einen Seite, und diabolischer Nihilismus und Zorn auf der anderen. Sein Tod und sein Lachen stehen in geheimer Verbindung zueinander.

FCT: Ich glaube, seine schöpferischsten Einfälle hatten fast immer etwas mit dem Tod zu tun.

Hunter H: Ich war schockiert, als er mir – erst am Ende seines Lebens – von seinen Selbstmordversuchen erzählte, und ich versuchte ihn zu ermutigen: »Das Leben ist doch lustig.« Er antwortete aber darauf: »Damit hat das doch gar nichts zu tun... Ich will doch nur ausfindig machen, wie weit ich es treiben kann.« Dieses Spielelement! Es war für mich vollständig fremd und faszinierend zugleich.

Hildegard H: In seinen letzten Tagen arbeiteten wir an der englischen Übersetzung seiner Thomas Mann Tagebuch-Ausgabe.

Hunter H: Wir bearbeiteten damals die Tagebucheintragungen, in denen von Michaels Geburt die Rede ist, der der Vater sehr abweisend gegenüberstand. Es war eine schwere Arbeit für uns alle. Nachher konnten wir uns mit seinem Tod gar nicht so richtig vertraut machen.

FCT: Auch für uns kam sein Tod völlig unerwartet. Sylvesterabend wollte er zu uns kommen. Sekt war kalt gestellt, ein Buffet hergerichtet, Musikstücke eingeübt. Viel gab es zu feiern. Michael hatte nämlich seine Arbeit an Thomas Manns Tagebüchern vollendet. Er kam aber nicht. Neujahrstag erfuhren wir dann von seinem Tod. Er war nicht mehr.

Hunter H: Was aber irgendwie blieb, war dieses ansteckende Lachen, trotz der dunklen Seite seines Lebens.

Hildegard H: ... und dieser sprühende Geist.

Hunter H: Es ist interessant, wie er Gegensätze in sich vereinte: er war Bohemien und Grand Seigneur zugleich. Er spielte beide Rollen, und er betrachtete eine Rolle aus der Perspektive der anderen. Überhaupt bereicherte er jede Rolle, die er spielte, durch die Perspektive einer anderen: der Literaturhistoriker profitierte vom Musiker, zum Beispiel. Diese Widersprüchlichkeit in seiner Person gab ihm Stärke, gab ihm Differenziertheit. Er ging daran nicht zugrunde. Er war zugleich weltfremd und weltgewandt, distanziert und intim, ablehnend und mitfühlend.

Hildegard H: Frauen hingegen nahm er intellektuell nicht besonders ernst.

FCT: Er sah seine Beziehungen zu Männern als komplexer und letzten Endes kompletter.

Hunter H: Das erinnert stark an Schiller, den Dichter, dem er in seinen wissenschaftlichen Arbeiten besonders huldigte. Don Carlos und Marquis Posa – hier sind die echten menschlichen Beziehungen. Frauen bleiben irgendwie Nachtisch.

Hildegard H: Oder Schmuck.

FCT: Das war noch ganz Lübeck, 19. Jahrhundert.

DANIEL HEARTZ, *Professor der Musik an der Universität von Kalifornien, Berkeley:*

FCT: Du hast mit Michael viel Hausmusik gemacht und gemeinsam mit ihm in Berkeley an der Universtität einen populären Kurs über den Sturm und Drang im Drama und in der Musik gehalten und zusammen mit ihm ein Buch geschrieben.

DH: Für den Propyläen Verlag. Er schrieb den ästhetischen Teil (Ästhetik und Soziologie der Musik), und ich konzentrierte mich auf den historischen Teil (Musik und Musiker in Werken). Ich wußte am Anfang eigentlich nicht recht, was aus unserer Zusammenarbeit werden würde, aber dann ist es ganz gut gegangen, und wir wurden, wie du weißt, gute Freunde.

FCT: Wann hast du eigentlich Michael kennengelernt?

DH: Es war hier, in diesem meinem Büro, 1963. Er hatte ein feines Eau de Cologne an sich, trug aber einen alten Lodenmantel. Ich dachte mir, da steht ja ein rara avis vor dir.

FCT: Der erste Eindruck hat sich also nachher bestätigt!

DH: Besonders unsere Hausmusik bleibt mir in bester Erinnerung. Er war ein faszinierender Musiker. Er hatte seinen eigenen ausgeprägten, ganz intensiven Rhythmus. Er war sich und anderen immer etwas voraus. Accelerando!

FCT: *Das hat also etwas mehr mit seiner Persönlichkeit zu tun als mit der Musik, die er gerade spielte?*

DH: So lehrte er auch. Seine Vorträge waren dramatische Präsentationen.

FCT: *Klassenzimmer oder Konzertsaal – er machte da keine großen Unterschiede.*

DH: Das stimmt jedenfalls für die großen Vorlesungen. Ich weiß nicht, ob er auch bei Seminaren für Fortgeschrittene ähnlich verfuhr. Du hast doch einige zusammen mit ihm gehalten.

FCT: *Im intimeren Rahmen eines Seminars machte er es bis zu einem gewissen Grade genauso. Das Vorlesungsformat war festgelegt. Fast bis zur Minute war jedes Thema aufgeteilt und unterteilt. Er wollte bestimmen, wann jeder einzusetzen hatte. Also der Aspekt des musikalischen Vortrags war ihm sehr wichtig. Sein musikalisches Temperament spielte hier eine Rolle, aber auch eine Tendenz, Dinge zu verschleiern.*

DH: Natürlich – wenn die sprachliche Kommunikation so deutlich orchestriert wird, dann geht dabei die Spontaneität verloren.

FCT: *Ja und nein. Dieses vollständige Orchestrieren brachte eine besondere Form von Spontaneität, die im perfekten Nachvollzug gefunden wird. Japanische Landschaftsmalereien sind schöpferisch und spontan zugleich, indem sie vorgeschriebene Muster bis ins Detail verinnerlichen und sie dann reproduzieren in einem spontanen schöpferischen Akt. So war es mit seiner Vorstellung vom Lehren. Er beschäftigte sich sehr mit dem, was sein Vater den »erlebten Mythos« nannte. Wie siehst du das?*

DH: Er war von dem Thema der feindseligen Brüder fasziniert – Karl und Franz Moor in Schillers *Die Räuber* beschäftigten ihn sehr in unserem Sturm und Drang-Kurs – und das bezog er spielerisch und ernst zugleich auf sich und seinen älteren Bruder.

FCT: *Die Bruderbeziehung war ihm schon bei Heinrich Mann–Thomas Mann vorgegeben.*

DH: Ich war fasziniert, von Michael so viel von dem weniger bekannten Heinrich Mann, seinem Onkel, zu hören; ich meine, wenn man nicht in der deutschen Kultur aufgewachsen ist, wie ich als Amerikaner. Selbst für den gebildeten Deutschen erscheint Heinrich Mann als eine vollständig im Schatten seines Bruders Thomas stehende Figur. Michael beschäftigte sich mit seinem Onkel, sprach oft von ihm, war ihm ganz zugetan, und er identifizierte sich mit dessen ungebrochenem und geradem Pazifismus, ebenso mit dessen offener Lebensweise.

FCT: *Michael liebte auch Festgelage bis in die späte Nacht hinein.*

DH: Das war besonders bezeichnend für ihn. Was bleibt einem nach dem Musizieren und Essen noch zu tun übrig? Man widmet sich ganz dem Zechen.

FCT: *Er feierte überhaupt gerne Feste, der Repräsentanz wegen, der Feste wegen, und er feierte schlicht auch seinetwegen.*

DH: Bis in die kleinsten Verrichtungen hinein gelang es ihm, »etwas daraus zu machen«; nicht »um jemand zu sein«, sondern um den Moment über sich hinauszuheben.

FCT: *Ja, eine Anekdote veranschaulicht dies besonders. Er hatte sich einmal einen großen Wohnwagen mit allem Komfort angeschafft, den er durch die kalifornische Landschaft chauffierte, als wäre es ein neuer Sportwagen. Er war geschmackvoll eingerichtet und mit einem Kühlschrank voller erlesener französischer Weine ausgestattet. Ich fand bei einem Spaziergang frühmorgens in den Bergen von Berkeley seinen Wohnwagen an einer beliebten Aussichtsstelle parkiert, auf dem Inspiration Point. Von dort konnte man bei klarer Sicht bis in die Sierra Nevada sehen. Überrascht, seinen Wohnwagen zu finden, klopfte ich an. Die Tür war offen, aber niemand war da. Auf dem Tischchen stand festlich gedeckt ein fertiges Frühstück – Aufschnitt lag aufgefächert auf dem Teller, die Butter war geformt und die Radieschen waren aufgeschnitten wie in einem guten Restaurant. Einige Wiesenblumen staken in einer Vase am Fenster. Als ich den Wohnwagen verließ, kam er mit seinem Hund von einem Morgenspaziergang zurück. Ich fragte ihn, für wen er denn so nobel gedeckt hätte, und er sagte darauf: »Für mich selber.«*

Zeichnung von Eva Herrmann

DH: Die Mischung von Formalität und Zügellosigkeit war für ihn überhaupt bezeichnend. Beim Zechen nach dem musikalischen Teil gerieten wir uns eines Abends böse in die Haare. Ich hatte ein Jubiläumskonzert von Roger Sessions in Berkeley arrangiert. Zu fortgeschrittener Stunde habe ich Michael gegenüber verlauten lassen, daß ich den Unterschied zwischen Sessions und Hindemith in den amerikanischen Jazzrhythmen sehe, die dem Deutschen fremd geblieben sind. Michael ereiferte sich: »So etwas wie Amerikanismus in der Musik gibt es einfach nicht.« Ich bestand auf meiner Meinung und geriet deshalb monatelang in Ungnade bei ihm. Was ihm einfach zuwider war, waren nationale Determinanten in der Musik.

FCT: Er hatte die seltsame Art, seine Freunde durch Freundschaftsentzug über eine gewisse Zeitspanne hin zu bestrafen. Es ging dabei fast nie um Persönliches, sondern um irgendwelche Meinungsverschiedenheiten allgemein kulturhistorischer oder moralisch-politischer Art.

DH: Er liebte diese Form von Bestrafung.

FCT: Nichts Alltägliches.

DH: Ja, sein Leben ging auf Hochtouren: a constant high.
FCT: *Und der Abgrund daneben.*
DH: Und dann war natürlich der Vater. Jedesmal, wenn ich etwas gegen Thomas Manns Ansichten über die Musik sagte, freute sich Michael sehr darüber. In dem letzten Brief, den Michael von seinem Vater erhielt, ging es um Alfred Einsteins *Mozart.* In dem Einstein-Buch steht der Passus, daß Mozart nie auf die Natur schaute, sondern immer Kunst aus der Kunst schuf. Das fand bei Thomas Mann Anerkennung. Ich dagegen sehe darin eine völlige Fehlinterpretation von Mozart. Einstein hatte einfach unrecht. Michael freute sich darüber, daß hierin auch sein eigener Vater unrecht hatte. Ihn freute die Möglichkeit unbändig, daß sowohl die Autorität Einsteins als die Meinung des pater familias im Unrecht sein konnten. Ich glaube, es war der letzte Brief von seinem Vater.

MICHAEL MANN:

DREI STEPPDECKEN
EINE AMERIKANISCHE PROFESSORENIDYLLE

Kornelius (ich nenne ihn innerlich mit Nachnamen, seit unser Verhältnis zerbrochen ist), Professor Gerald M. Kornelius gehört mit zu den angesehensten Persönlichkeiten unseres Colleges, einer Anstalt von Weltruf. Manche sagen, er trüge seinen Kopf in den Wolken: dann müßte er Habichtsaugen besitzen, von denen er gelegentlich heimlich Gebrauch macht, denn Kornelius hat die obersten Sprossen der akademischen Leiter erklommen, ohne eine nennenswerte wissenschaftliche Produktion aufzuweisen. Er ist Dozent für französische Literatur; und sein Lehramt lastet schwer auf ihm, immer schwerer, wie er sagt (woraus er auch die Auflösung unserer Beziehung erklärt wissen möchte). Seine wahre Passion aber sind nicht die belles lettres, sondern ist die Theosophie. Auf mehreren tausend Seiten hat Kornelius seine Gedanken niedergelegt, über Gott und die Welt (oder, wie er sagen würde: über den leeren Platz, den Gott bei seinem Abschied hinterlassen). Mehr als fünfzehn Jahre sind darüber vergangen, bis Kornelius eines Tages sich entschloß, die Manuskript-Wüste dieses seltsamen »Tagebuchs« zu ordnen und, nach verschiedenen Gesichtspunkten, in verschiedenen Farben, binden zu lassen. Das war zur Zeit seiner Ehekrise. Als wir ihn in jenem Sommer als Hausgast zu uns nahmen (mein Mann räumte ihm sein Gartenhäuschen), mußten alle Bände – es sind gewiß über hundert – mitkommen. Da, um sie nebeneinander aufzustellen, die Wand nicht lang genug war, türmte Kornelius sie übereinander; und der bunte Turm (jede Farbe nahm etwa einen Meter) reichte so ziemlich an das Dach. Von seinem häuslichen Besitz nahm Kornelius bei seiner Scheidung sonst nur die beiden Steppdecken mit, die er von seiner Mutter geerbt hat.

Daß er beide haben mußte, ist bezeichnend. Gewiß, sie gehören ihm. Aber eine hätte doch für seinen persönlichen Gebrauch genügt. Diese Decken (beide gelb) sind federleicht, aber äußerst warm. Wie oft bin ich schon zusammen mit Gerald daruntergelegen. – Unser Verhältnis begann erst mehrere Jahre nach der Berufung meines Mannes an das College, an dem Gerald schon seit etwa einem Jahrzehnt gelehrt (und über seine Lehrtätigkeit gejammert) hatte. Worüber jammert dieser Mensch nicht? Er jammert oder er macht Witze. Er hungert (um abzunehmen) oder er frißt. Für ihn gibt es nur ein Zuviel oder Zuwenig. Das ist seine Natur, unter der er leidet; und so sieht er die Welt, unter der er noch mehr leidet.

Schön war jener Sommer, da ich ihn im »Trauerhaus« (so nannte Gerald seine temporäre Bleibe) Tag und Nacht in Reichweite hatte – mein Mann und ich haben von jeher getrennte Schlafzimmer, und er war offenbar entschlossen, von meinem Verhältnis nicht Kenntnis zu nehmen. Schön waren jene Tage, Wochen, Monate, da ich mich jederzeit der Steppdecken Gerrys erfreuen konnte. Bevor er sich darunter verkroch (und ich ihm, etwa eine halbe Stunde später, folgte), las er uns damals jeden Abend vor, fast die ganze *Recherche du Temps Perdu*. Wir lagen dabei auf unseren Liegestühlen. Und, wenn es nebelte, nahmen wir sie ins Wohnzimmer. – Ob Gerald Proust vorliest oder irgendeinen gleichgültigen Brief, durch seinen Mund, der in seiner monotonen Stimme die Worte ziemlich langsam formt, erhält der Text Wert und Würde, leuchtet gleichsam von Innen – ein faszinierendes Licht. Da ist irgendeine tiefe Teilnahme, die ich auch manchmal in seinen Zärtlichkeiten gespürt habe (obwohl Gerald ein Sinnesbarbar ist), ein gründliches Ernstnehmen der Dinge, das sich hinter seinem Gewitzel verschanzt; und gewiß eben dies ist es, was Gerald das Leben (und zumal das Lehren) so unerträglich macht und was auch seine Psychiater, die er sein Lebtag lang konsultiert hat, ihm nicht austreiben können.

Damals, in jener für mich so vorteilhaften Krisenzeit, führte er zu allen erdenklichen Tages- und Nachtzeiten mit seinem Therapeuten mitunter stundenlange Telefongespräche. Oder er rannte mit einem Buch in der Hand sinnlos durch die Straßen. Endlich begann er, sich nach einer neuen Wohnung umzusehn – je garstiger die Gegend, desto besser. Binnen kurzem verfrachtete Kornelius Manuskript und Steppdecken in eine erstaunliche Anzahl verschiedener Wohnungen; er ist damals wahrscheinlich öfters als Beethoven in seinem ganzen Leben umgezogen. – Ich folgte zu jener Zeit meinem Mann auf Reisen, bin aber über diese Periode doch ziemlich genau unterrichtet, auch darüber, daß Kornelius selbst in jener Zeit höchster Wirrnisse selten allein unter seiner Steppdecke lag – aber seine Partnerinnen schienen für die Dauer nicht besser zu taugen als seine Wohnungen. Bei unserer Rückkehr von der Reise erhielten wir die Nachricht, Kornelius habe sich ein Haus gekauft. »Ich wandle auf Freiersfüßen«, erklärte er mir auf seine üblich kaustisch-komische Weise, »deshalb brauche ich ein großes Haus; ich habe daher gleich eines mit zwei Wohnungen erstanden. Die obere Wohnung ist für meine Braut.«

Gerald M. Kornelius wird am 1. März sechsundfünfzig Jahre alt. Er ist 1 Meter 70 groß und neigt, wenn er nicht hungert, zur Korpulenz – oder richtiger: seine Körperlichkeit besitzt eigentlich einen unumgrenzten Spielraum an Möglichkeiten: von Monstrosität (die großen Füße tragen dazu bei) bis zur Körperpracht, ihrerseits wandelbar in eine hager gebückte Erscheinung, wobei der massive Schädel ebenfalls von äußerster Variationsfähigkeit im Ausdruck ist: von schlaffer Stumpfheit oder aufgeschwemmt fleischlicher Sinnlichkeit bis zum kühnen Cäsarenkopf oder der vergeistigten Fülle Stefan Georges, Hauptmanns, Goethes.

Das alles paßt leider zur Labilität seiner geistigen Anlagen. Die Schule war ihm eine Tortur. Noch als Sechzehnjähriger konnte er links und rechts nicht voneinander unterscheiden; und man band ihm, wenn er sich mit dem Fahrrad auf die Straße wagte, ein Schleifchen um den rechten Arm, um Verkehrsunfällen vorzubeugen. – Aber da ist dann plötzlich ein rascher Blick der Habichtsaugen. Wo es niemand von ihm erwartet, erinnert Kornelius sich plötzlich eines Namens, eines Fakts, der allen anderen entgangen ist, erfaßt er blitzartig eine Situation oder ein Problem. – Kornelius ist farbenblind, tontaub und er weiß meistens nicht, was er ißt. Fällt es ihm aber plötzlich bei, so wird er mit zierlicher Handbewegung zwischen einem guten und einem weniger guten Wein eine Unterscheidung treffen, sicherer, leichter und gewandter als die geübtesten Kenner. So durchlebt (oder durchstirbt) Kornelius seinen Lebensdualismus, den er philosophisch überwunden zu haben vermeint – eine Überwindung allerdings auf so komplizierte Weise, daß eine einfache Frau wie ich da nicht folgen kann, wenn ich auch den Kant ein wenig gelesen habe.

Das Pendel seiner zerrissenen Existenz tendiert zur Selbstüberwindung hin. »Alle paar Monate wenigstens«, sagt er, »fällt es einem doch wieder ein, daß man ein *ganz* klein bißchen sich *über sich selbst* stellen kann.« Wie weit er mit seiner Gewohnheit, stets das zu tun, was er nicht tun will und (umgekehrt) stets das zu vertreten, was er verabscheut, sich über sich selbst stellt oder damit schon wieder in das Gegenteil verfällt, nämlich seinen masochistischen (und nicht weniger sadistischen) Neigungen frönt, mögen seine Psychiater ergründen.

Jedenfalls bekommt seine launische Askese, wie etwa besagtes sporadisch mit Fressen abwechselndes Hungern, ihm physisch sichtlich nicht. Seine Physis ist über seine Jahre verbraucht und an allen Ecken beschädigt: ein Bein hat sich, wegen jahrelangen völligen Mangels an Bewegung etwas verkürzt; der Nacken wird von Gichtanfällen heimgesucht; dieser ganze Körper will nicht mehr so recht. – Und auch tut Kornelius äußerlich für diesen Körper denkbar wenig. Etwas Neues zum Anziehn kauft er fast nie. Wenn aber, dann plötzlich fünf Anzüge auf einmal, wie neulich in einem Ausverkauf. Sie saßen ihm alle gleich schlecht und sahen einander alle zum Verwechseln ähnlich. Und er trägt sie auch gar nicht. Aber der Rabatt war unwiderstehlich.

Ich deutete schon an, daß Kornelius habgierig ist. Das kommt von seiner Sucht, zu schenken und auch sich selbst zu verschenken – oder richtiger: sich wegzuwerfen. Denn merkt Kornelius, daß dem Beschenkten etwas an dem Geschenk liegt, so wird er geizig, fängt an zu rechten, glaubt sich übervorteilt, überfordert, überlastet. So ist unser Verhältnis auseinandergegangen, wie das mit seinen anderen Steppdeckenpartnerinnen.

Trotz seiner verminderten Physis hat Kornelius aber immer noch Erfolg bei den Frauen. Mag die Zeit vorüber sein, da sie um seinetwillen Selbstmordversuche unternahmen, die Zeit der Szenen, der zugeriegelten Badezimmertüre und ausgeleerten Schlafmittelfläschchen, der aufgebrochenen Badezimmertüre und blamablen Polizeiuntersuchungen (wobei Kornelius mit den Polizisten liebäugelte, weil er sie haßt), – mag dies alles leidergottseidank vorüber sein, es meldet sich doch immer wieder eine halbvergessene Studentin, die ihn jahrelang in aller Stille angehimmelt und nun den Mut findet, von Geralds zunehmender Muße erotischen Gebrauch zu machen.

Auch in dieser Sphäre gibt es für Kornelius natürlich nur ein Zuviel oder Zuwenig. »Bindet mir eine auf den Rücken und eine auf den Bauch«, sagt er in den Zeiten des Zuwenig. Aber »einmal pro Jahr würde mir genügen«, heißt es dann zu Zeiten eines regulären Verhältnisses, den Zeiten des Zuviels. Ganz gewiß um ein Zuwenig jedoch handelt es sich im Falle Kathys, der Mieterin seiner oberen Wohnung.

Sie machte sich noch vor dem Hauskauf an ihn heran; und er hat das Haus eigentlich für sie gekauft. Aber leider scheint auch Kathy geneigt, geizig zu werden, wenn sie merkt, daß einem etwas an ihr liegt. – Sie gehört zu den halbvergessenen

Studentinnen. Eines Tages erschien sie mit einem Rosenbouquet, um sich der vergeistigten Fülle des George-Kopfs angenehm erinnerlich zu machen. Sie machte sich auch weiter angenehm, nähte Vorhänge, spülte die Gläser nach den Seminaren (Kornelius hält sie, weil es ihm ernst ist, zu Hause) und kaufte Gerald zeitgemäße Rollpullover. Das sollte anders werden. Und ich weiß nicht genau, ob diese Veränderung nur auf das Wiederauftauchen eines halbabtrünnigen boy-friends, Harry, zurückzuführen ist; an der Peripherie war dieser nämlich von Anfang an sichtbar. Aber, paradoxerweise grade auf Grund der seinem Mädchen vom Professor gezollten Aufmerksamkeiten, rückte Harry erneut so sehr ins Zentrum, daß sich, nach Abschluß des Hauskaufs, sehr heikle Probleme stellten: an wen nämlich die obere Wohnung eigentlich abzutreten sei. Denn Kathy würde sie ohne Harry gewiß nicht beziehen. Und Kornelius stellte sich ein klein bißchen über sich selbst, tat, was er nicht tun wollte, vertrat das nicht zu Vertretende und nahm beide, Kathy und Harry, zu sich.

Sie sollten, bei dem in priesterlicher Güte tief angesetzten Mietzins, sich im Haus ein wenig nützlich machen, was sie nicht taten; und Kornelius fühlte sich, diesmal zu recht, bald genug übervorteilt und ausgenutzt. Anstatt praktische Erleichterung zu bringen, verstellte Kathy das Wohnzimmer der unteren Wohnung mit dem klobigen Klavier, sie badete, zusammen mit Harry, unten in der Badewanne, um dann, zusammen mit Harry, oben den Abend so geräuschvoll zu verlängern, daß Kornelius öfters mit seiner Matratze in den Schrank entfloh, um in der dortigen Schalldämpfung Schlaf zu finden.

Unter ihrem ziemlich appetitlichen Gepäck befand sich eine Steppdecke, unter der Kathy und Harry es gewiß warm hatten, wenn auch die obere Wohnung etwas kalt und zugig ist. Sie bringen innere Wärme mit, nach dem Bad in der unteren Wanne. Kathy verwöhnt Harry. Sie tut alles für ihn. Während ich mich seines Aussehens kaum entsinne, beeindruckte Kathy mich sofort als stattliches Mädchen mit einem nicht unfeinen Gesicht. Dabei wetteifert sie mit Kornelius in der Wandelbarkeit ihres Aussehens: von Blechbrillenzigeunerin bis zum guten Kind. Sie wetteifert mit ihm aber auch, wie schon angedeutet, in ihrem Geiz. Da ist zum Beispiel jenes lästige Klavier, auf dem ihm etwas vorzuspielen Kornelius sie gelegentlich bat. Dann hatte sie keine Zeit. Brauchte er aber Ruhe zur Arbeit, dann spielte sie. So ging es mit allem. Sie war zu keinem Gespräch zu gewinnen, wenn sie merkte, daß ihm daran lag. Stattdessen hing sie ihre Unterwäsche vor seinem Fenster auf oder erinnerte ihn an ihre Existenz, indem sie sich auf der unteren Terrasse mit halbentblößtem Busen zum Sonnenbad niederließ.

Kathy huldigt dem rücksichtslosen Egoismus der heutigen Jugend nicht ohne Skrupel. Sie ist zu fein, als daß sie sich über die Unmöglichkeit ihres Verhaltens gegen Kornelius nicht klar gewesen wäre. Und das machte die Beziehung nur noch verdrießlicher. Unter diesem Verdruß vertiefte sich der bittere Zug an des Professors möglichkeitenreichem Mund. Schon lange bedroht seine Verbitterung den goldenen Bodensatz seines Charakters. – Zwar ließen die Habichtsaugen ihn auch in dieser albernen Situation nicht völlig im Stich. Er wußte sich zu helfen, fand Ersatz für die mißlungene Brautschaft, ich weiß es. Jeden Donnerstagabend, wenn ich an seinem Haus vorüberfuhr, stand ein langes weißes Auto davor. Dann hatte Kornelius Damenbesuch.

Dieses Zwei-Etagenhäuschen (die obere Etage mit separatem Eingang) könnte ganz behaglich sein. Seine Baufälligkeit, wodurch es sich noch am ehesten vor den zwei, drei Dutzend anderen Häusern an derselben Straße auszeichnet, verleiht ihm einen gewissen Charme. Leider macht auch hier Kornelius' Habgier einen Strich durch die Rechnung. Alles, was die verstorbene Besitzerin im ganzen Haus hinterließ an abscheulichen Möbelstücken, rostigem Küchengerät, grotesken Vasen und sonstigem Ramsch, mußte aufbewahrt und in der unteren Wohnung aufgestellt und aufgestapelt werden. Vieles davon kann Kornelius überhaupt nicht brauchen. Aber Kathy kann es brauchen. Und so verschwand denn auch von Zeit zu Zeit ein Gegenstand und wanderte nach oben. Einmal fehlte ein Deckchen, einmal eine Schüssel oder mehrere Gläser. Kornelius registrierte den Verlust und sprach nicht darüber. Einmal aber fehlte auch die zweite Steppdecke, die Kornelius in seinem Schlafzimmerschrank verstaut hatte. Diesmal sollte Kathy zur Rede gestellt werden. Sie wollte ohnehin mit ihm darüber sprechen. Ob sie die Decke behalten dürfe? Warum sie aber plötzlich eine zweite Decke brauche? Weil es – und bei dieser Erklärung steigerte sich Kathys Verdrießlichkeit zum Ingrimm –, weil es da oben unerträglich kalt und zugig sei! – Das täte ihm leid, antwortete Kornelius mit sanfter Stimme und vor Bosheit funkelnden Augen, aber die Decke könne er ihr leider nicht überlassen, weil er sie bereits Frau X (nämlich mir) versprochen habe. Indessen könne Kathy sie temporär benutzen.

Die Einschaltung meiner Person war keine leere Ausrede. Tatsächlich haben Kornelius und ich schon vor einigen Monaten einen (für ihn sehr günstigen) Tauschhandel abgeschlossen, bei welchem ich längst das Meinige geleistet, wofür die Decke an mich übergehn sollte, was Kornelius bis jetzt verschlampt hat.

Indessen ließ Kathys plötzlicher nächtlicher Frost ihm keine Ruhe. Er war sonst sehr diskret mit der Wohnung des Pärchens. Hier aber galt es, in Erfüllung einer Hausbesitzerspflicht, die Prüfung der oberen Heizung. Als Kornelius, in Abwesenheit seiner Mieter, sich nach oben bemühte, fand er die Heizung völlig in Ordnung. Aber in Kathys »Studio«, das neben dem Schlafzimmer liegt, war das Notbett aufgeschlagen. Darauf lag die gelbe Steppdecke.

Ich habe seit mehreren Wochen das weiße Auto am Donnerstagabend nicht mehr vor dem Haus stehen gesehn. Aber jedesmal, wenn mein Mann und ich Kornelius besuchen, ist es Kathy, welche die untere Wohnungstür aufmacht. Sie hat jetzt etwas Verträumtes und Besänftigtes in ihrem nicht unfeinen Gesicht. Und auch der bittere Zug an Kornelius' Mund scheint weniger stark. Ich habe sie schon dabei ertappt, wie sie sich selbstvergessen bei den Händen hielten oder sich verstohlene Blicke zuwarfen. – Ich glaube, ich werde Kornelius doch bald an meine Steppdecke erinnern, denn in seinem Haus ist sie einmal wieder überflüssig.

Deshalb halte ich so viel vom Pathos der Dankbarkeit. Dem Vergangenen dankbar sein – einfach dafür, daß es *war* – ist kein retardierendes Gefühlsmoment, wenn man es richtig versteht. Es kann dem Kühnsten und Neuesten, auf das wir uns einlassen, nur förderlich sein, wahren wir dem Vergangenen in einer Ecke unseres Herzens die Anhänglichkeit.
(Klaus Mann, »Kind dieser Zeit«)

Que Dieu te bénisse ...

ANHANG

Anmerkungen

7 *J. Ogilvy* – Zitat übersetzt aus: »Many Dimensional Man: Decentralizing Self, Society, and the Sacred«, New York 1979.

9 *Lebensabriß* – »Gesammelte Werke in zwölf Bänden«, Bd. XI, Frankfurt a. M. 1960, S. 118.
Th. Mann – »Tagebücher 1918–1921«, Frankfurt a. M. 1979.
K. – Katia Mann, Michaels Mutter.

10 *Meine ungeschriebenen Memoiren* – hrsg. Elisabeth Plessen und Michael Mann, Frankfurt a. M. 1974.
Kind dieser Zeit – K. Manns erste Autobiographie (1932); Neuausgabe: München 1965.
Mielein – Katia Mann.
Bibi – Michael Mann.

17 *Herrpapale* – Thomas Mann.
Masaryk – Thomas Garrigue Masaryk, 1918–1935 Präsident der Tschechoslowakischen Republik.
Alfredchen – Alfred Pringsheim, Großvater Michaels, Vater von Katia Mann.
Aissignaus – »Aissi Klaus« = Klaus Mann, Michaels ältester Bruder.
Yiraudoux – Jean Giraudoux. Michael Manns eigenwillige Orthographie und Interpunktion wurde in den Briefen beibehalten.

18 *Meister Galamian* – Jean Galamian, sein Violinlehrer.
Kahn – Erich Itor Kahn, Musiker.

19 *Gret* – Gret Moser, Michaels Verlobte, seit 6. 3. 1939 seine Frau.
Oprecht – Emil Oprecht, Verleger in Zürich.
Kahlerhaft – Erich Kahler, Freund der Familie Mann; Schriftsteller, Historiker.
Dazu G. Mann – ihre Aussagen, auch im folgenden, stammen aus Berichten und Interviews vom April 1981.

20 *Flesch* – Carl Flesch, Michaels Violinlehrer, später mit »F.« bezeichnet.

25 *flog die ganze Bude in die Luft* – Attentat auf Hitler im Münchener Bürgerbräukeller am 8. 11. 1939.
ihr erstes Kind – am 31. 7. 1940 wurde der Sohn Frido geboren.
26 *Temianka* – Henry Temianka, Violinlehrer.
27 *Rostal* – Max Rostal, Violinlehrer.
28 *Medi* – Elisabeth Mann, Michaels jüngste Schwester.
Närr – Klaus Pringsheim, Bruder von Katia Mann.
29 *Annettli* – Annette Kolb, Schriftstellerin.
Hans Erich – Pringsheim, Vetter von Michael.
Z – Zauberer = Thomas Mann.
30 *Hubsi* – Klaus Pringsheim jr., Bruder von Hans Erich, Vetter von Michael.
31 *Schnürchen* – Gret Mann.
32 *Golette* – Golo Mann, Michaels älterer Bruder.
Griffelkin – Oper von Lukas Foss.
Herr Moser – Michaels Schwiegervater.
Onkel Bruno – Bruno Walter, Dirigent.
33 *Joseph* – »Joseph und seine Brüder« von Thomas Mann.
Tante E. – Erika Mann, Michaels älteste Schwester.
34 *Bemm* – musikalischer Freund.
36 *Reagan* – Ronald Reagan, damals Gouverneur von Kalifornien.
Rafferty – Max Rafferty, Vorsitzender des Schulwesens.
38 *TM Büchlein* – »Das Thomas Mann-Buch. Eine innere Biographie in Selbstzeugnissen«, hrsg. M. Mann, Frankfurt a. M. 1965.
Christine – Frau von Frido Mann.
Wunder – ein alter Fiat.
Moni-haft – nach Moni = Monika, Schwester von Michael.
39 *Hirschi* – Dr. Kurt Hirschfeld, Dramaturg am Züricher Schauspielhaus.
Frau Oppi – Oprecht.
40 *Dingerle* – Elisabeth Mann (Medi).
42 *W. Schuh* – aus der Besprechung: »Bratschenabend mit Michael Mann«.
43 *Kayser* – Albert Kayser, Mitschüler und Studienfreund am Züricher Konservatorium.
47 *H. Barth* – Zitat aus einem Brief vom 23. 9. 1982.
50 *W. Rebner* – Brief vom 5. 5. 1981.
52 *K. Neumann* – Brief vom 19. 4. 1981.
53 *Aufsatz* – »Über Thomas Manns ›Doktor Faustus‹«, 1. 1. 1948.
54 *Fußnoten zu »Geheime Klassik«:*
1) Theodor W. Adorno, »Philosophie der neuen Musik«, 1949, S. 28 f.

2) Georg Lukács, »›Größe und Verfall‹ des Expressionismus«; in: »Schicksalswende. Beiträge zu einer neuen deutschen Ideologie«, 1947, S. 224.

3) Ernst Bücken, »Führer und Probleme der neuen Musik«, 1924, S. 249 f.

55 4) Ferrucio Busoni, »Von der Einheit der Musik«, 1922, S. 345 f.

5) »Die Musik in Geschichte und Gegenwart«, III, 1954, Art. »Expressionismus«.

56 6) Arnold Schönberg, »Probleme des Kunstunterrichts«, 1911.

7) Hermann Bahr, »Expressionismus«, 1918, S. 80.

57 8) dazu Emil Utitz, »Die Überwindung des Expressionismus«, 1927, S. 36, und Lukács, op. cit., S. 228 f.

9) vgl. H. H. Stuckenschmidt, »Arnold Schönberg«, 1951, S. 41 f. und Arnold Schönberg, »Harmonielehre«, 1922, S. 506 f.

58 10) Ferrucio Busoni, »Entwurf einer neuen Ästhetik der Tonkunst«, 1906, S. 31.

11) F. Busoni, »Von der Einheit«, S. 178 f.

12) F. Busoni, »Entwurf«, S. 29, 24. Vgl. auch Nikolaus Slonimsky, »Music Since 1900«, 1938, S. xvii, zur Deutung des musikalischen Expressionismus als »Produkt germanischen Geistes«.

59 13) Arnold Schönberg, »Style and Idea«, 1950, S. 218 (»The Blessing of the Dressing«); Rückübersetzung ins Deutsche von F. C. Tubach.

14) siehe z. B. Arnold Schönbergs Vorwort zu Anton Weberns »Bagatellen für Streichquartett« (1913): »Jeder Blick läßt sich zu einem Gedicht, jeder Seufzer zu einem Roman ausdehnen. Aber: einen Roman durch eine einzige Geste, ein Glück durch ein einziges Aufatmen auszudrücken: solche Konzentration findet sich nur, wo Wehleidigkeit in entsprechendem Maße fehlt. Diese Stücke wird nur verstehen, wer dem Glauben angehört, daß sich durch Töne etwas nur durch Töne Sagbares ausdrücken läßt. [...] Weiß der Spieler nun, wie er diese Stücke spielen, der Zuhörer, wie er sie aufnehmen soll? Können gläubige Spieler und Zuhörer verfehlen, sich einander hinzugeben?« *Raju* – Adoptivtochter von Michael und Gret, geboren am 13. 10. 1963 in Indien.

61 *St. Helena* – ein Ort in der kalifornischen Weingegend, wo Michael ein kleines Weekend-Haus besaß.

65 *Smorzando* – erschienen in: »Neue Rundschau«, 84. Jahrgang, 2. Heft, 1973.

80 *Die Turmbesteigung* – erschienen in: »Festschrift für Bernhard

Blume. Aufsätze zur deutschen und europäischen Literatur«, Göttingen 1967, S. 76–80.

Fußnoten zu »Die Turmbesteigung«:

1) G. Hauff, »C. F. D. Schubart in seinem Leben und seinen Werken«, 1885; fortan Sigel: H, 61.

2) H, 55.

3) »C. F. D. Schubart's, des Patrioten, gesammelte Schriften und Schicksale«, Bd. I–VIII, Stuttgart 1839, Sigel: S, I 276 f.

4) S, I 132 f.

5) S, I 67.

81 6) Nach E. Nägele, »Aus Schubarts Leben und Wirken«, 1888, S. 435.

7) S, I 277.

8) S, I 132.

9) H, 397.

10) S, I 250.

11) S, I 249.

12) S, I 278.

13) S, II 119.

14) zu Schubarts Wortschatz vgl. K. Gaiser, »Christian Friedrich Daniel Schubart. Schicksal/Zeitbild«, 1929, S. 361, 367.

15) ebenda S. 361.

82 16) S, I 148

17) »Christian Friedrich Daniel Schubart's Leben in seinen Briefen«, hrsg. D. F. Strauß, Bd. I–II, Berlin 1849; Sigel: Str, I 172 f.

18) S, IV 81 f.

19) S, II 155 f.

83 20) S, II 157.

21) C. F. D Schubart, »Todesgesänge«, 1778; Sigel: T. G., 21.

22) T. G., 11.

23) T. G., 14.

24) aus: »Der Neue Rechtschaffene«, 1767–68, I–II, 11.

84 25) ebenda VII, No. 308.

26) Str, I 187.

27) S, I 20 f.

28) T. G., 12.

85 29) aus: »Schwäbische Beyträge zu Gellerts Epicedien«, 1770.

Schiller und sein Prinzipal DER TOD – erschienen in: »Deutsche Vierteljahrsschrift für Literaturwissenschaft und Geistesgeschichte«, 43. Jhrg., Heft 1, 1969, S. 114–125.

Fußnoten zu »Schiller und sein Prinzipal DER TOD«:

1) F. Gundolf, »Shakespeare und der deutsche Geist«, Berlin 1922, S. 299.

86 2) W. Rehm, »Der Todesgedanke in der deutschen Dichtung vom Mittelalter bis zur Romantik«, Halle 1928, S. 251.

87 3) B. Blume, »Orpheus und Messias: Zur Mythologie der Unsterblichkeit«; in: »Jahrbuch d. Dt. Schillerges.« VI, Stuttgart 1962, S. 33.

88 4) Rehm, op. cit., S. 359, cf. S. 269.

5) »Friedrich Hölderlin's sämmtliche Werke«, hrsg. C.-T. Schwab, 2 Bde., Stuttgart 1846, Bd. II, S. 22.

89 6) »Christian Friedrich Daniel Schubart's Leben in seinen Briefen«, hrsg. D. F. Strauß, 2 Bde., Berlin 1849, Bd. I, S. 311 (an Böckh, 16. 9. 1774).

7) Rehm, op. cit., S. 272.

8) »C. F. D. Schubart's, des Patrioten, gesammelte Schriften und Schicksale«, 8 Bde., Stuttgart 1839, Bd. II, S. 18.

9) Schiller an Chr. Daniel von Hoven, 15. 6. 1780.

10) E. Young, »Night Thoughts«, Newcastle 1803, night VI, part I, S. 151.

11) F. G. Klopstock, »Sämtliche Werke«, Leipzig 1856, Bd. IV, S. 86.

12) K. F. Cramer, »Klopstock«, 1777, S. 139.

13) Cf. u. a. »Höltys Leben«; in: »Gedichte von L. H. C. Hölty«, besorgt von Stolberg & Voß, 1783, S. xxi.

90 14) Rehm, op. cit., S. 264, 283.

91 15) F. Schiller, Über die Krankheit des Eleven Grammont, 1780.

16) Schillers »Werke« (Nationalausgabe), Bd. III: »Die Räuber«, Weimar 1953, S. 265. Cf. »Schillers Leben und Werk in Daten und Bildern«, Frankfurt a. M. 1966, S. 72.

17) B. v. Wiese, »Friedrich Schiller«, Stuttgart 1959; »Der Bereich des Todes«, S. 44 ff.

18) Rehm, op. cit., S. 296, 318, 414.

19) Blume, op. cit., S. 29.

20) E. Staiger, »Friedrich Schiller«, Zürich 1967, S. 209.

92 21) vgl. Anm. 9.

94 22) R. Unger, »Zur Geschichte des Palingenesiegedankens im 18. Jahrhundert«; in: DVjs., III 1924, S. 259.

23) J. W. Goethes Gespräche: J. D. Falk, 25. Jan. 1813.

24) vgl. z. B. die (sonst so umsichtige) Analyse des Monologs von B. v. Wiese, op. cit., S. 159 ff.

96 25) K. Hamburger, »Schiller und Sartre«; in: »Jahrbuch d. Dt.

Schillerges.« III, Stuttgart 1959, S. 36 ff. Unsere Paraphrase der Sartreschen Philosophie stützt sich auf diese Arbeit.

26) ebenda S. 48.

97 27) J. P. Sartre, »L'être et le néant«, Paris 1943, S. 66.

28) ebenda S. 369.

98 29) B. Blume, »Moderne«; in: »Das Fischer Lexikon, Literatur II«, 2. Teil 1965, S. 399.

30) Staiger, op. cit., S. 427.

31) Blume, »Moderne«, loc. cit.

32) K. Guthke, »Räuber Moors Glück und Ende«; in: »The German Quarterly«, Jan. 1966, S. 5 ff.

33) siehe »Schillers Leben und Werk in Daten und Bildern«, a. a. O. S. 81; cf. M. Hecker, »Schillers Persönlichkeit«, Weimar 1904, S. 230.

103 *F. C. T.* – Frederic C. Tubach, Mitherausgeber des vorliegenden Buchs.

104 *Das Kapital* – unveröffentlichte dramatische Skizzen; Untertitel: Die ungleichen Enkel von Karl Marx.

105 *Prof. Lange* – Brief vom 1. 4. 1981.

106 *Thomas Mann: Wahrheit und Dichtung* – erschienen in: »Deutsche Vierteljahrsschrift für Literaturwissenschaft und Geistesgeschichte«, 50. Jhrg., Heft I/2 1976, S. 203–212.

119 *Tagebuch für Fritz* – bisher unveröffentlicht.

Fritz – Frederic C. Tubach.

Herr und Frau Dr. R. – die meisten Namen wurden in diesen Tagebuch-Auszügen durch willkürlich gewählte Buchstaben ersetzt.

123 *Nica* – Nica Borgese, Nichte von Michael.

Rötchen – Schlaf- und Beruhigungstablette.

129 *Lisa* – Elisabeth Mann.

130 *Mischa* – Michael Mann.

139 *Der Wendepunkt* – Ein Lebensbericht, Frankfurt a. M. 1952.

140 *Toni* – jüngerer Sohn von Michael und Gret, geb. 20. 7. 1942.

141 *Th. Mann* – »Tagebücher 1940–1943«, Frankfurt a. M. 1982, und »Tagebücher 1946« (in Vorbereitung).

142 *E. Herrmann* – Freundin der Familie Mann, Zeichnerin; siehe Abb. S. 223.

145 *L. Foss* – Dirigent und Komponist.

Sessions – Roger Sessions, amerikanischer Komponist.

146 *Markuse* – Ludwig Marcuse, Schriftsteller und Philosoph.

151 *Die eröffneten Tagebücher Thomas Manns* – teilweise erschienen in: »Neue Zürcher Zeitung«, 7./8. 8. 1976.

Lebensdaten

1919	Michael Mann am 21. April, Ostermontag, in München geboren
1924	Geigenunterricht bei Grete Studeny
1925	Privatschulunterricht bei Oberlehrer Georg Goetz
1926	erstes Konzert am Bayerischen Rundfunk, Nardini-Violin-konzert
1929	Eintritt ins Wilhelmsgymnasium, München
1930/31	im Knabenchor (Karfreitag *Matthäuspassion*); Pfadfinder; Eintritt ins Landeserziehungsheim Schloß Neubeuern
1933	Schul-Osterreise nach Italien: Exilbeginn; nach Küsnacht bei Zürich; Musik-Konservatorium Zürich
1937	Lehrdiplom am Konservatorium Zürich; Geigenstudium in Paris
1938	Krankheiten (Kinderlähmung, Meningitis); Aufbruch in die USA

1939	6. März Hochzeit mit Gret Moser; kurz vor Kriegsausbruch Flucht über Belgien nach England; im Dezember Rückkehr in die USA
1940	31. Juli Geburt des Sohnes Frido in Monterey bei Carmel, Kalifornien
1942	20. Juli Geburt des Sohnes Toni in Ross bei Mill Valley, Kalifornien
1942–49	Orchestermitglied im San Francisco Symphonieorchester (Monteux), Fakultätsmitglied des San Francisco Conservatory of Music; musiktheoretische Studien und Arbeiten (über Heinrich Schenker u. a.)
1949	im Herbst Beginn der Solistenkarriere (Bratschist); Wohnsitz in Zollikon bei den Schwiegereltern
1950–52	Wohnsitz im Salzkammergut in Österreich; Konzertreisen
1952–54	Rückkehr in die USA; Freelancing (freier Musiker); Herbst 1953 bis Frühjahr 1954 Weltreise (Konzert- und Vortragstournee nach Japan, anschließend Indien); Rückkehr nach Europa, Wohnsitz Italien; Konzerte, journalistische Arbeiten
1955	12. August Tod des Vaters
1955–57	Mitglied des Pittsburgh Symphonieorchesters (Steinberg); Master of Music, Duquesne University (Pittsburgh)
1957–60	Übersiedlung nach Cambridge, Massachusetts; Studium der Germanistik an der Harvard University
1961	Ph. D.; Antritt der Lehrstelle im German Department, University of California, Berkeley
1962	Hauskauf in Orinda bei Berkeley; letzte Station
1963	13. Oktober Geburt von Raju in Indien; 1970 Adoption
1964–77	Lehrtätigkeit an der University of California und wissenschaftliche Publikationen; Essayistik und Novellistik
1975/76	Vortragsreisen zum hundertsten Geburtstag Thomas Manns; Arbeit an der Herausgabe der väterlichen Tagebücher
1977	1. Januar früh am Neujahrstag gestorben

Bibliographie Michael Mann

»Über Thomas Manns ›Doktor-Faustus‹«; in: *Schweizer Musikzeitung*, 1. Januar 1948, S. 4–8.

(Hrsg.) *Heinrich Heines Zeitungsberichte über Musik und Malerei*, Insel Verlag, Frankfurt a. M. 1964.

»Die Europäische Musik von den Anfängen bis Beethoven«, in: *Propyläen Weltgeschichte* Bd. VII/2, 1964.

(Hrsg.) *Das Thomas Mann-Buch. Eine innere Biographie in Selbstzeugnissen*, S. Fischer Verlag, Frankfurt a. M. 1965.

»Die Turmbesteigung. Notizen zu C. F. D. Schubart«; in: *Festschrift für Bernhard Blume. Aufsätze zur deutschen und europäischen Literatur*, Vandenhoeck & Ruprecht, Göttingen 1967, S. 76–80.

»Schiller und sein Prinzipal DER TOD«; in: *Deutsche Vierteljahrsschrift für Literaturwissenschaft und Geistesgeschichte*, 43. Jhrg., Heft 1, 1969, S. 114–125.

Heinrich Heines Musikkritiken, Hoffmann und Campe Verlag, Hamburg 1971.

»Smorzando«; in: *Neue Rundschau*, 84. Jhrg., Heft 2, 1973, S. 230–240.

»Verwechslungen I: Der Richter«; in: *Merkur. Deutsche Zeitschrift für europäisches Denken*, 27. Jhrg., Heft 9, 1973, S. 846–853.

»Scheherazade«; in: *Du*, Zürich, Dez. 1974.

(Mithrsg.) Katia Mann, *Meine ungeschriebenen Memoiren*, S. Fischer Verlag, Frankfurt a. M. 1974 (zusammen mit Elisabeth Plessen).

Sturm und Drang-Drama: Studien und Vorstudien zu Schillers »Räubern«, Bern 1974.

»Thomas Mann – Zwanzig Jahre Amerika«; in: *Neue Rundschau*, 86. Jhrg., Heft 2, 1975, S. 246–256.

Schuld und Segen im Werk Thomas Manns, Gustav Weiland Nachf., Lübeck 1975.

»Thomas Mann: Wahrheit und Dichtung«; in: *Deutsche Vierteljahrsschrift für Literaturwissenschaft und Geistesgeschichte*, 50. Jhrg., Heft 1/2, 1976, S. 203–212.

»Die eröffneten Tagebücher Thomas Manns. Zum Todestag des Dichters«; teilweiser Abdruck unter dem Titel »›Rechenschaft, Rekapitulation, Bewußthaltung‹: Über Thomas Manns Tagebücher« in: *Neue Zürcher Zeitung*, Nr. 183 vom 7./8. August 1976.

Zusammen mit Erika Mann: »Der kleine Bruder und der große.« Zum 60. Geburtstag Golo Manns am 27. 3. 69, SZ Nr. 70, 22./23. 3. 1969.

IN DIESEM BUCH ZUM ERSTEN MAL VERÖFFENTLICHTE TEXTE:

Briefe:
2 Briefe an Gret Mann, Sommer 1976 (Auszüge), S. 41.
19 Briefe an Katia Mann, 31. 1. 1933 bis 4. 10. 1972, Kap. I und S. 170, 205.
Brief an Thomas Mann, 2. 3. 1953, S. 144.

Gedichte:
Michael Mann (4. VI. 63), S. 203.
Der Traum von den Früchten (1973), S. 207.
Selbstmördergedichte I–IV, S. 208.

Geschichten:
Das verschimpfierte Straußenei, S. 161.
Verwechslungen II: Der Tod in Chichicastenango. Ein Zwischenbericht, S. 180.
Drei Steppdecken. Eine amerikanische Professorenidylle, S. 224.

Verschiedenes:
Geheime Klassik. Expressionistische Musik und die Musikalisierung der Künste (Aufsatz 1970), Auszüge S. 53.
C. F. D. Schubart: Der verlorene Sohn (Monographie), Auszüge S. 80, 129, 204.
Das Kapital. Die ungleichen Enkel von Karl Marx (dramatische Skizzen), S. 104, 128.
Tagebuch für Fritz (1975), S. 119.
Erinnerungen an meinen Vater (Interview, 1975), S. 148.